D1104187

L'ÉTAT DU QUÉBEC 2018

L'ÉTAT DU QUÉBEC 2018

20 CLÉS POUR COMPRENDRE LES ENJEUX ACTUELS

INSTITUT DU **NOUVEAU MONDE**

DEL **BUSSO**

Merci à nos partenaires

Fonds de recherche – Nature et technologies
Fonds de recherche – Santé
Fonds de recherche – Société et culture

LE DEVOIR

L'actualité

Distribution au Canada : Socadis
Diffusion en France : Tothèmes Diffusion

© Institut du Nouveau Monde / Del Busso éditeur, 2017
www.inm.qc.ca / www.delbussoediteur.ca

Dépôt légal : 4e trimestre 2017
Bibliothèque et Archives nationales du Québec

ISBN papier 978-2-924719-33-6
ISBN PDF 978-2-924719-34-3
ISBN ePub 978-2-924719-35-0

IMPRIMÉ AU CANADA

L'état du Québec 2018

Direction
Annick Poitras,
journaliste indépendante

Production
Sophie Seguin-Lamarche,
directrice des
communications, INM

Édition
Annick Poitras,
avec la collaboration
d'Emmanuelle Gril
et de Martine Roux

Révision
Pierre Duchesneau
Vincent Fortier
Edith Sans Cartier

Traduction
Christophe Horguelin

Rédaction
Rachad Antonius
Daniel Baril
Line Beauchesne
Claudia Beaudoin
Lisa Birch
Frédéric Boily
Jean-François Boucher
Colette Brin
Caroline Cambourieu
Lorraine Caron
Cédric Chaperon
Sylvain Charlebois
Guy Chiasson
Jean-Guy Côté
Jean-Louis Denis
Julie Desrosiers
Gérard Divay
Pierre Doray
Marie-José Fortin
Gilbert Gagné
James K. Galbraith
Sébastien Gamache
Antoine Genest-Grégoire
Luc Godbout
Francis Gosselin
Jean-Herman Guay
Jean-Claude Hébert
Mia Homsy
Francis Huot
Bruno Jean
Robert Lacroix
Patrick Lavoie
Anouk Lavoie-Isebaert
Frédéric Laurin
Chloé Leclerc
Claude Lessard
Michel Lessard
Louis Maheu
Rina Marchand
Isabelle Ménard
Normand Mousseau
Eric Noël
Pierre Noreau
Martin Papillon
Martin Pâquet
Stéphane Paquin
Florence Paulhiac Scherrer
François Pétry
Marie-Pascale Pomey
Marie-Claude Prémont
Johanne Préval
Léa Riou
Thierry Rodon
Sonny Scarfone
Marc Termote
Evelyne Thiffault
Jean-François Thuot
Bernard Vachon
Nicolas Zorn

Contributions
(Le Québec actuel en photos)
Louis-Félix Binette
Lisa Birch
Simon Durivage
Marc Dutil
Régine Laurent
Jacques Létourneau
Lise Millette
Jacques Nadeau (photos)
Michel Rochon
Béatrice Vaugrante

Conception de maquette
Jean-François Proulx,
balistique.ca, assisté de Laurent
Francoeur-Larouche

Site Web
Francis Huot, INM
(inm.qc.ca/edq2018)

Infographie
Josée Lalancette,
Folio infographie

Caricatures (gracieuseté
du journal *Le Devoir*)
Garnotte
Pascal
Manon Derome (recherche)

Institut du Nouveau Monde
5605, avenue De Gaspé
Bureau 404
Montréal (Québec) H2T 2A4
514 934-5999
Sans frais : 1 877 934-5999
inm@inm.qc.ca // inm.qc.ca

TABLE DES MATIÈRES

05 — INTELLIGENCE ARTIFICIELLE

06 — SANTÉ

07 — ÉNERGIE

08 — CLIMAT

09 — DIVERSITÉ CULTURELLE

10 — JUSTICE

11 — RECHERCHE SCIENTIFIQUE

AVANT-PROPOS

Le Québec se prépare à brasser les cartes. Même si le gouvernement Couillard n'est aux commandes que depuis trois ans, l'usure du pouvoir lui fait mal, bien qu'il ait rempli près de 75 % de ses promesses, ce qui est mieux que les quatre derniers gouvernements majoritaires (p. 185). D'ailleurs, si on exclut les 20 mois du gouvernement minoritaire péquiste de Pauline Marois, les élections de 2018 sonneront 15 ans de gouvernance libérale au Québec !

Les électeurs voudront-ils changer de cap ? Se laisseront-ils séduire, comme ailleurs, par des nouveaux venus ou par des discours populistes (p. 179) ? Iront-ils même voter ? Il est légitime de se questionner : selon notre sondage (p. 23), la population ne croit ni au système politique ni à ses partis, ces institutions ayant perdu de leur pertinence.

Les Québécois croient davantage au pouvoir citoyen et aux lois, dont certaines, nouvelles, visent à légaliser le cannabis au Canada (p. 202) et à protéger les sources journalistiques (p. 261). Le gouvernement libéral a aussi accouché de plusieurs politiques pour que le Québec performe mieux en éducation (p. 31), sur le plan énergétique (p. 113) et sur la scène internationale (p. 317). Beaucoup de projets sont donc sur la table à dessin, sans oublier le controversé Réseau électrique métropolitain (p. 121).

Parallèlement, nous tentons de conserver nos acquis socioéconomiques, ébranlés entre autres par la présidence de Trump (p. 195 et 324) et la montée des inégalités sociales (p. 226). Et parfois, nous essayons carrément de sauver les meubles, comme dans notre lutte contre les changements climatiques (p. 128).

Nous travaillons aussi à assurer la vitalité future de nos régions, dont les forces, dynamiques et espoirs sont analysés dans un grand dossier regroupé sous la clé Territoires (p. 268). Miser sur la contribution des régions pour l'épanouissement du Québec, c'est possible !

Miser sur la contribution des régions pour l'épanouissement du Québec, c'est possible !

Puis, nous cherchons à comprendre ce qui se passe – et ce qui bien souvent nous dépasse : ces géants qui débarquent à l'épicerie et qui bousculent notre économie (p. 70), le droit qui s'applique aux agressions sexuelles (p. 251), l'arrêt Jordan qui a changé notre système de justice (p. 158). Et finalement, comment ne pas se questionner sur l'intelligence artificielle (p. 171) et sur les robots qui pourraient bien finir par nous voler notre gagne-pain (p. 87).

L'état du Québec 2018, c'est toutes ces questions et leurs réponses à la fois, de même que des pistes pour pousser la réflexion beaucoup plus loin. Cette publication annuelle, qui en est à sa 22e édition, réunit encore cette année plus de 60 auteurs experts qui donnent temps et énergie pour éclairer le grand public sur les enjeux sociaux les plus chauds.

Je remercie tous les auteurs et les artisans qui, grâce à leur rapidité d'exécution, permettent à ce livre de se construire en 90 jours, d'un couvert à l'autre. Tous assurent un contenu non seulement riche en enseignements, mais également pertinent en regard de l'actualité.

L'état du Québec, une production de l'Institut du Nouveau Monde (INM), ne pourrait voir le jour sans la générosité de ses précieux partenaires que nous remercions chaudement : les Fonds de recherche du Québec, la firme Léger, les quotidiens *Le Devoir* et *Métro* et le magazine *L'actualité*.

Merci et bonne lecture,

Annick Poitras
Journaliste indépendante
et directrice de *L'état du Québec 2018*

Le Québec actuel en photos

L'équipe de *L'état du Québec 2018* a demandé à des experts et personnalités publiques de commenter une série de neuf photos du photographe de presse Jacques Nadeau.

Voici un échantillon des commentaires reçus.

Ces commentaires n'engagent que les individus à titre personnel, et non les organisations auxquelles ils sont liés.

RECONNAISSANCE ET RÉCONCILIATION

Autochtones et allochtones rassemblés à Montréal. De la reconnaissance de l'apport des autochtones sur le drapeau de Montréal à la Commission de vérité et réconciliation du Canada et à l'Enquête nationale sur les femmes et les filles autochtones disparues et assassinées, les enjeux autochtones sont plus que jamais au cœur de l'actualité.

Est-ce que ces efforts peuvent mener à une réelle réconciliation ?

Photo: Jacques Nadeau

Le commentaire de...

Simon Durivage

Conseiller principal, Lévesque Stratégies, et ex-journaliste et animateur à Radio-Canada

Je ne doute pas de la sincérité des efforts de réconciliation que font nos gouvernements, mais je me demande si, un jour, les Premières Nations nous pardonneront tout le mal que nous leur avons fait.

EN GRÈVE !

Les quelque 1100 avocats et notaires de l'État québécois à l'emploi de différents ministères et organismes gouvernementaux ont enclenché une grève le 24 octobre 2016.

La justice est-elle en crise ?

Photo: Jacques Nadeau

Le commentaire de...

Jacques Létourneau
Président, Confédération des syndicats nationaux (CSN)

Cette photo, toute simple, montre des femmes et des hommes à la fois différents et semblables. Ils sont debout. Ils forment un bloc uni qui leur confère une force. L'auteur nous fait partager ce qui les distingue et les anime : une détermination et une volonté de demeurer soudés contre l'arbitraire.

150e DU CANADA : ENTRE TRADITION ET MODERNITÉ

Cérémonie de citoyenneté. Six nouveaux Canadiens, un juge de la citoyenneté, un agent de la Gendarmerie royale du Canada devant un portrait de la reine Élisabeth II.

Qu'est-ce que cette photo vous évoque ?

Photo : Jacques Nadeau

Le commentaire de...

Lise Millette
Rédactrice en chef, *L'Indice bohémien*, et ex-présidente de la Fédération professionnelle des journalistes du Québec (FPJQ)

Il a été abondamment question d'immigration cette année. Au-delà de l'ouverture à l'autre, de l'acceptation des différences et du Canada comme terre d'accueil, les débordements et les envolées décrits comme du racisme par plusieurs traduisent en fait un grand manque de cohésion et de planification.

FÉMINISTES ?

Présentation de la « Stratégie gouvernementale pour l'égalité entre les femmes et les hommes, vers 2021 » par la vice-première ministre et ministre responsable de la Condition féminine, Lise Thériault (au centre) ; derrière, la ministre de l'Immigration, de la Diversité et de l'Inclusion, Kathleen Weil (à gauche), et la ministre responsable de l'Accès à l'information et de la Réforme des institutions démocratiques, Rita de Santis (à droite).

L'égalité est-elle en voie d'être atteinte ?

Photo: Jacques Nadeau

Le commentaire de...

Béatrice Vaugrante

Directrice générale, Amnistie internationale Canada francophone

Aucun pays sur terre n'assure l'égalité femmes-hommes. Le chemin vers un réel accès au pouvoir dans toutes les sphères d'activité, à la justice et à un niveau de vie décent reste à faire par les femmes. Et prendre du pouvoir, ça dérange forcément.

L'IDENTITÉ QUÉBÉCOISE

Défilé de la fête nationale du Québec.
Qu'est-ce que l'identité québécoise ?

Photo: Jacques Nadeau

Le commentaire de...

Régine Laurent
Infirmière et présidente, Fédération interprofessionnelle de la santé du Québec (FIQ)

L'identité québécoise, c'est un ensemble de valeurs communes et partagées. Peu importe notre origine ou notre religion, toutes celles et tous ceux qui habitent le Québec et veulent partager les valeurs communes font partie de la grande famille québécoise.

COMBATTRE LES PRÉJUGÉS

La recherche d'emploi et la reconnaissance des diplômes et de la formation représentent un défi important pour les nouveaux arrivants. Selon Statistique Canada, le taux de chômage de la population québécoise en 2011 était de 7,2 % ; ce chiffre grimpait à 18,5 % pour les immigrants qui se sont installés dans la province entre 2006 et 2011.

Est-ce que l'on se prive de talents ?

Photo: Jacques Nadeau

Le commentaire de...

Michel Rochon

Chargé de cours, École des médias de l'Université du Québec à Montréal, et ex-journaliste et animateur à Radio-Canada

Jacques Nadeau croque sur le vif une image qui nous aurait semblé improbable, mais qui symbolise une vérité si simple : il ne faut pas se fier aux apparences. Les employeurs doivent s'ouvrir à la différence, une richesse sous-estimée.

QUEL ACCUEIL POUR LES RÉFUGIÉS ?

Un réfugié brésilien et son fils dans un appartement de l'est de Montréal. La recherche d'un logement demeure l'un des principaux défis pour les demandeurs d'asile qui arrivent au Québec.

Photo: Jacques Nadeau

Le commentaire de...

Marc Dutil
PDG, Groupe Canam, et fondateur de l'École d'entrepreneurship de Beauce

Il n'y a personne de mal intentionné derrière cette image. Voyager un peu permet de se rappeler qu'un toit ne doit pas être tenu pour acquis. Dans 12 mois, le fils se souviendra d'avoir tenu la main de son père, pas d'avoir foulé la literie. Regardons le père qui semble dire : « Je fais ça pour toi mon homme. »

UN 375e RÉUSSI ?

À l'occasion du 375e de Montréal, les trois plus grands orchestres de la métropole – l'Orchestre symphonique de Montréal, l'Orchestre métropolitain et l'Orchestre symphonique de McGill – se sont réunis afin d'offrir une expérience musicale inédite. L'événement Montréal symphonique a rassemblé 400 musiciens et plus d'une vingtaine d'artistes de la pop à l'été 2017.

Fête éphémère ou legs pour l'avenir ?

Photo: Jacques Nadeau

Le commentaire de...

Louis-Félix Binette
Président du conseil d'administration, CreativeMornings/Montréal, et entrepreneur engagé

On ne connaîtra l'impact véritable des célébrations du 375e (et des investissements qui les ont accompagnées) que par la capacité de Montréal de demeurer aussi festive, allumée et accueillante dans ses 377e, 378e, 379e années. Aujourd'hui encore adolescente, à quoi ressemblera Montréal à 400 ans ?

UN MARCHÉ « DOPÉ » PAR LA LOI ?

Le gouvernement fédéral a annoncé au printemps 2017 sa volonté de « légaliser et réglementer » le cannabis. Si le Parlement adopte le projet de loi, celui-ci pourrait devenir loi en juillet 2018.

Les modalités d'application de la loi reviennent aux provinces et sont déjà l'objet de débats dans la population. Une décision imposée aux provinces ?

Photo: Jacques Nadeau

Le commentaire de...

Lisa Birch
Directrice exécutive du Centre d'analyse des politiques publiques et professeure associée au Département de science politique de l'Université Laval

L'approche politique par le droit criminel n'a pas fonctionné. Il faut une politique bien pensée de légalisation avec contrôles.

Sondage

LES QUÉBÉCOIS NE CROIENT PLUS EN LA POLITIQUE POUR AMÉLIORER LEUR VIE

Sondage exclusif Léger / *L'état du Québec* / *L'actualité*

Il se passe des choses surprenantes dans l'arène internationale. Tandis que les attentats terroristes frappent à l'aveuglette un peu partout sur la planète, le monde n'a jamais été aussi petit et l'immigration s'intensifie. Nous sommes Charlie, Nice, Barcelone, Paris… Nous sommes aussi Québec, où la grande mosquée a été attaquée.

En ces temps incertains, sur quels piliers peut-on s'appuyer pour assurer notre sécurité et notre bien-être individuel et collectif ? À qui fait-on encore confiance ? À un an des prochaines élections provinciales, nous avons demandé à la firme Léger de sonder la perception des Québécois à l'égard des institutions et des acteurs de pouvoir qui régissent et influencent notre société[1]. Voici quelques constats intéressants.

ANNICK POITRAS
Journaliste indépendante et directrice de *L'état du Québec 2018*

D'abord, les créateurs de slogans électoraux seront contents : bien des Québécois jugent que ça va mal au Québec et souhaitent du changement ! En effet, 69 % des répondants, en majorité francophones et membres de la génération X (38 à 52 ans), estiment qu'il faut effectuer des changements importants afin d'améliorer notre sort. Les anglophones, les allophones et les aînés sont plutôt d'avis que tout va bien et qu'on devrait poursuivre dans la même direction.

Alors qu'environ 40 % pensent que les choses sont pires ou pareilles qu'il y a 10 ans, les Québécois ne sont pas plus optimistes face à l'avenir : 37 % croient que les choses seront pareilles dans 10 ans et 30 % qu'elles seront pires – les plus pessimistes sont les 35-54 ans (50 %). Aussi, un répondant sur deux ne croit pas que ses enfants auront une vie meilleure que la sienne.

Triste constat, certes, mais le pire est que, globalement, les Québécois semblent perdus : ils ne savent plus à qui faire confiance pour améliorer les choses. Sur ce plan, les citoyens (23 %) ont davantage la cote que les politiciens (17 %). Mais ce qui surprend le plus est que 39 % des participants ont refusé de répondre à cette question. Bien qu'on ne puisse déduire que ces individus ne font confiance en personne, c'est tout de même une possibilité à souligner.

Chose certaine, la confiance à l'égard de certains acteurs de la vie publique varie énormément. Si les scientifiques, la famille, les enseignants et les médecins recueillent des niveaux de confiance élevés (plus de 80 %), les tribunaux, le mariage et les médias traditionnels sont en queue de peloton, peinant à dépasser 50 % sur l'échelle de la confiance.

D'ailleurs, soulignons que la crédibilité des médias en prend pour son rhume : la moitié des Québécois croit qu'ils diffusent délibérément de fausses informations. Ce taux monte à 59 % chez les 18-34 ans, qui s'informent surtout sur le Web au moyen de leur téléphone.

Par ricochet, 35 % des Québécois font peu ou pas confiance aux nouvelles tirées de la télévision, de la radio et des journaux.

Le niveau d'attachement de la population envers les institutions est aussi très variable. Pour neuf Québécois sur dix, la famille est l'institution qui demeure encore la plus pertinente aujourd'hui. Les institutions qui assurent la sécurité, telles que les Nations unies (68 %), le Code criminel canadien (85 %), le Code civil du Québec (83 %) et les frontières entre les pays (76 %), sont encore très appréciées. Les Québécois croient aussi que les soldats et les policiers sont des professionnels qui remplissent adéquatement leur mandat et jouent un rôle positif dans la société. D'ailleurs, les Québécois estiment que la sécurité se rapportant au terrorisme (55 %) et la lutte contre le crime (52 %) sont parmi les choses qui vont le mieux au Québec, derrière les relations hommes-femmes, qui remportent la palme avec un score de 76 %...

L'IMPRESSION QUE DES INFORMATIONS FAUSSES SONT DÉLIBÉRÉMENT DIFFUSÉES PAR LES MÉDIAS

Pensez-vous que des informations fausses sont délibérément diffusées par les médias ?

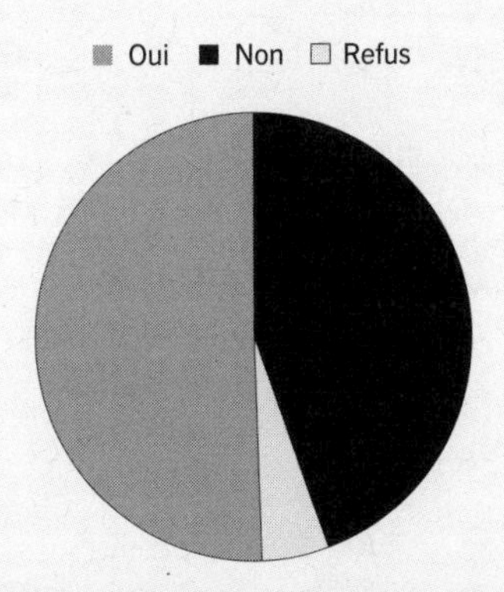

	Total	Âge			Région		
		18-34	35-54	55+	Mtl RMR	Qc RMR	Autres
	1 000	274	366	360	400	300	300
Oui	50 %	59 %	55 %	39 %	47 %	54 %	52 %
Non	44 %	35 %	42 %	54 %	46 %	44 %	42 %
Refus	5 %	6 %	3 %	8 %	6 %	3 %	5 %

PERTINENCE ET ATTACHEMENT

Selon vous, est-ce que les institutions suivantes sont encore pertinentes aujourd'hui ?
Quel est votre niveau d'attachement envers les institutions suivantes ?

	Total Institution pertinente	Total Répondant(e) attaché(e)
La famille	92 %	90 %
Le Code criminel	85 %	71 %
La propriété privée	84 %	79 %
Le Code civil du Québec	83 %	70 %
L'entreprise ou l'organisation pour laquelle vous travaillez (n=773)*	82 %	73 %
La Déclaration universelle des droits de l'Homme	79 %	68 %
Les groupes communautaires	77 %	57 %
Les frontières entre pays	76 %	64 %
La Charte canadienne des droits et libertés	75 %	69 %
La télévision	74 %	69 %
La Charte québécoise des droits et libertés de la personne	73 %	66 %
Les ordres professionnels	70 %	46 %
L'Organisation des Nations Unies	68 %	50 %
L'État québécois	67 %	60 %
Le journal quotidien	64 %	50 %
La loi 101	63 %	57 %
L'Assemblée nationale du Québec	61 %	40 %
Le Parlement fédéral	59 %	40 %
L'hymne national du Canada	58 %	47 %
L'État canadien / le fédéralisme canadien	58 %	53 %
L'impôt progressif	55 %	41 %
Les partis politiques	53 %	30 %
Le mariage	53 %	53 %
Les syndicats	47 %	27 %
La religion	28 %	25 %

*Base : tous les répondants – *excluant les Ne s'applique pas / Refus*

Le sondage web a été réalisé par Léger **du 22 juin au 2 juillet 2017**, auprès d'un échantillon représentatif de **1 000 Québécois âgés de 18 ans et plus** et pouvant s'exprimer en français ou en anglais.

Par ailleurs, on aime encore les institutions qui protègent les libertés individuelles telles que la propriété privée (84 %), la Charte canadienne des droits et libertés (75 %) et la Charte québécoise des droits et libertés de la personne (73 %). Et bien que la religion soit jugée dépassée par 69 % des répondants, 53 % se disent quand même très ou assez attachés à l'institution du mariage. Voilà pour ce qui tient toujours le coup.

Autrement, d'autres piliers traditionnels s'érodent : les syndicats et les partis politiques, qui recueillent respectivement des taux de confiance de 51 % et de 45 % sont identifiés comme des institutions qui ne sont plus parmi les plus pertinentes au Québec. Les lieux de pouvoir et les acteurs politiques traditionnels, comme l'Assemblée nationale du Québec, les élus provinciaux et fédéraux et le gouvernement, peinent à recueillir la confiance d'un Québécois sur trois.

On ne s'étonne donc pas que pour 54 % des répondants, l'expérience politique n'est pas un élément jugé pertinent quand vient le temps de choisir une personne de confiance pour améliorer les choses ! Fait à souligner : près d'un Québécois sur dix souhaiterait voir des gens sans aucune expérience politique prendre les commandes, une ouverture encourageante pour les générations montantes qui espèrent briguer des postes de pouvoir.

Le désenchantement envers les politiciens est tel que 70 % des Québécois croient que le système politique ne travaille pas pour eux. Parmi ce groupe se trouve une majorité de francophones et de membres de la génération X. On fait plus confiance aux dirigeants d'entreprise (49 %) qu'à l'Assemblée nationale du Québec (33 %) et qu'au gouvernement (27 %) pour jouer un rôle positif dans la société ! Il est donc logique que l'accès aux soins de santé et la lutte contre la corruption, qui sont des responsabilités gouvernementales, soient jugées parmi les choses les plus mal en point au Québec.

On aime encore les institutions qui protègent les libertés individuelles.

Cela dit, bien que le soutien au système politique traditionnel s'étiole, l'estime des Québécois envers les contre-pouvoirs fiables comme les scientifiques, les journalistes et les professeurs, entres autres, tient bon. Ainsi, le Québec reste encore un terreau plus ou moins fertile pour le populisme.

Finalement, plus de six Québécois sur dix – surtout des femmes et des francophones – sont d'avis que le système économique ne travaille pas non plus pour eux. Comme quoi il faudrait peut-être nuancer le dicton disant que quand l'économie va, tout va... ◊

Notes et sources, p. 332

LE SYSTÈME ÉCONOMIQUE TRAVAILLE POUR MOI ?

Quel est votre niveau d'accord avec l'énoncé suivant: « Le système économique travaille pour moi » ?

	Total	Âge			Région		
		18-34	35-54	55+	Mtl RMR	Qc RMR	Autres
	1 000	274	366	360	400	300	300
TOTAL EN ACCORD	33%	31%	30%	37%	35%	31%	31%
Tout à fait d'accord	3%	1%	2%	6%	4%	2%	3%
Plutôt d'accord	30%	30%	28%	31%	31%	29%	28%
TOTAL EN DÉSACCORD	64%	63%	68%	62%	63%	62%	67%
Plutôt en désaccord	45%	45%	43%	47%	43%	46%	48%
Tout à fait en désaccord	19%	18%	25%	15%	20%	17%	19%

Le sondage web a été réalisé par Léger **du 22 juin au 2 juillet 2017**, auprès d'un échantillon représentatif de **1 000 Québécois âgés de 18 ans et plus** et pouvant s'exprimer en français ou en anglais.

LE SYSTÈME POLITIQUE TRAVAILLE POUR MOI ?

Quel est votre niveau d'accord avec l'énoncé suivant: « Le système politique travaille pour moi » ?

	Total	Âge			Région		
		18-34	35-54	55+	Mtl RMR	Qc RMR	Autres
	1 000	274	366	360	400	300	300
TOTAL EN ACCORD	27%	28%	19%	32%	29%	32%	23%
Tout à fait d'accord	2%	2%	1%	4%	2%	-	3%
Plutôt d'accord	24%	27%	19%	29%	27%	31%	20%
TOTAL EN DÉSACCORD	70%	67%	79%	65%	68%	64%	75%
Plutôt en désaccord	48%	46%	51%	47%	47%	41%	51%
Tout à fait en désaccord	22%	20%	27%	18%	21%	23%	23%

Le sondage web a été réalisé par Léger **du 22 juin au 2 juillet 2017**, auprès d'un échantillon représentatif de **1 000 Québécois âgés de 18 ans et plus** et pouvant s'exprimer en français ou en anglais.

Elections Canada
JUSTIN
Cascal
2 FÉV 2017

Éducation

DU NOUVEAU À L'ÉCOLE DES RÉFORMES

Pour comprendre et apprécier la Politique de la réussite éducative, il faut prendre en compte le contexte particulier de son élaboration ainsi que le texte qui en a résulté. Reste encore à en mesurer les résultats...

CLAUDE LESSARD
Professeur émérite, Faculté des sciences de l'éducation, Université de Montréal
Ex-président du Conseil supérieur de l'éducation

Apprécier la Politique de la réussite éducative exige la prise en compte du contexte de son élaboration. Sur ce plan, on a l'impression que le ministre actuel de l'Éducation, Sébastien Proulx, a fait un parcours sans faute. En effet, il a écouté les acteurs de l'éducation, il s'est déplacé sur le terrain et il a semblé préoccupé par la réussite éducative des jeunes. Pas surprenant que cette politique ait été bien accueillie – en partie parce qu'elle a fait une place aux points de vue, aux souhaits et aux revendications exprimés ; en partie, aussi, parce que le consensus est bienvenu.

Nous sortons en effet d'une période chaotique et controversée : celle de la réforme Marois du cursus et du renouveau pédagogique (1999), mais aussi celle du débat sur l'avenir des commissions scolaires (2008). Les milieux scolaires et la population en général ne semblent pas disposés à reprendre ces débats, qui sont apaisés mais non pleinement résolus. D'ailleurs, depuis quelques décennies, ces milieux se sont attaqués prioritairement au décrochage scolaire et mobilisés autour de la réussite éducative. Le groupe Ménard–De Courcy a même tenté d'y associer le milieu des affaires, et la gestion axée sur les résultats (GAR) est venue renforcer cette orientation. Cette réussite, même si la Politique en élargit la définition, passe inévitablement par la diplomation et, donc, par le succès aux examens ministériels.

L'Ontario est redevenue notre référence : cette province a connu des progrès importants en ce qui a trait au taux de diplomation au secondaire (avec une note de passage de 50 % à ses examens, comparativement à 60 % pour le Québec).

CE QUE DIT LE TEXTE

De cette mouvance en faveur de la persévérance et de la réussite, la Politique de la réussite éducative prend acte tout en fixant des cibles nouvelles, et elle promet de lui insuffler ressources, connaissances et capacités de mobilisation sur un horizon de 13 ans (2030). Nous voilà donc en continuité et non en rupture.

Cela permet de comprendre trois caractéristiques de la Politique :

1) Elle se veut consensuelle et cherche à répondre à des vœux exprimés au cours de la consultation ; en conséquence, elle évite les sujets qui pourraient diviser, ou se limite alors à en parler de manière générale, sans compromettre d'éventuelles (non-)décisions. Songeons par exemple à l'ordre professionnel (les orthopédagogues l'appellent de leurs vœux, mais pas les enseignants : leurs associations syndicales n'en veulent pas), à la concurrence entre les écoles publiques et privées, ou encore aux projets particuliers sélectifs. Malgré quelques propos sur l'équité, on ne sent pas dans la Politique une réelle volonté de revoir la quasi-marchandisation de l'éducation.

La Politique de la réussite éducative se réfère à sept grands consensus, avec lesquels il est difficile de ne pas être d'accord. Parmi eux, plusieurs – dont l'intervention précoce et la prévention, les transitions entre les ordres et la concertation entre les acteurs – sont légitimes depuis un bon moment et ont fait l'objet d'actions. D'autres reviennent constamment à l'avant-scène (la valorisation de l'éducation, par exemple) sans que cela se traduise par des engagements précis.

2) Elle repose sur une vision de la réussite éducative qui entend prendre en compte la diversité des élèves : la Politique en nomme au moins huit catégories différentes, et plusieurs d'entre elles peuvent être déclinées en sous-groupes distincts. De cette diversité découle la nécessité de répondre aux besoins de chaque groupe et sous-groupe. Un objectif louable, auquel il manque une analyse plus fine qui ne se contente pas de lister des groupes, mais qui en montre de possibles facteurs communs par le jeu des mêmes causes. Quelques exemples : une proportion significative des élèves handicapés ou en difficulté d'adaptation et d'apprentissage est pauvre, à l'instar des élèves de familles immigrantes de première génération. De plus, ce ne sont pas tous les garçons qui décrochent plus que toutes les filles : ce sont plus souvent les garçons de milieux défavorisés, attachés à une identité de genre traditionnelle. Une telle analyse permettrait de ne pas enfermer les élèves dans des catégories et, surtout, de penser à des stratégies « transversales » – comme la lutte contre la pauvreté et la promotion de la mixité sociale et scolaire – qui serviraient à limiter les effets pervers de la « psychomédicalisation » et de la « culturalisation » des difficultés scolaires.

Telle quelle, la reconnaissance de la diversité par la Politique de la réussite éducative annonce la multiplication de programmes pour chaque catégorie d'élèves identifiée, combinée aux inévitables problèmes de priorisation, de coordination et de concurrence auxquels font face les ressources. Cela ne peut que mener au cul-de-sac déjà apparent en ce qui a trait aux catégories et au financement des élèves handicapés ou en difficulté d'adaptation et d'apprentissage.

3) Elle table aussi sur la continuité, dans la mesure où elle reprend les trois finalités (instruire, socialiser, qualifier) qui avaient été formulées en 1998, mais sans appuyer sur leur hiérarchisation. Elle renforce ainsi le sentiment que l'instruction cède le pas à la qualification, d'autant que la Politique s'inscrit dans le paradigme dominant de l'adaptation de l'éducation à l'évolution de la société (mondialisation) et à la concurrence – le Québec devant performer aussi bien (voire mieux) que ses voisins nord-américains en cette matière. En ce sens, l'éducation s'apparente davantage à un instrument qu'à une finalité intrinsèque.

On doit déplorer une accentuation de cette orientation utilitariste au détriment d'une vision plus culturelle.

On doit déplorer une accentuation de cette orientation utilitariste au détriment d'une vision plus culturelle. Depuis la Révolution tranquille, le Québec a tant bien que mal travaillé à équilibrer ces deux dimensions. Le fait que la Politique se réfère peu au cursus – sinon pour annoncer une révision de l'évaluation (le nombre des examens) – et que le ministre parle d'éducation financière, d'éducation physique, d'anglais intensif, d'éducation à la sexualité et de programmation informatique au primaire ne fait pas qu'inquiéter : cela témoigne de l'absence d'une vision humaniste et citoyenne de l'éducation.

On doit se demander s'il est légitime de déterminer des cibles quantitatives si on ne prend pas en compte, d'une part, la difficulté réelle de les atteindre et, d'autre part, leurs effets pervers qui sont documentés par des recherches, notamment dans les matières et les niveaux soumis aux évaluations ministérielles. Pensons par exemple à la réduction du cursus, à ce qui est évalué et à cette pression que ressentent les enseignants pour revoir à la hausse leurs évaluations en regard des « résultats » attendus.

La cible de diplomation pour les nouveaux inscrits en première secondaire est désormais fixée à 90 % du côté des élèves de moins de 20 ans qui obtiennent un premier diplôme ou une première qualification, et à 85 % pour la proportion de ces élèves qui obtiennent un diplôme d'études secondaires (DES) ou un diplôme d'études professionnelles (DEP). Suivant les chiffres du ministère de l'Éducation et de l'Enseignement supérieur, depuis 2006 (et jusqu'en 2014-2015), le taux de diplomation et de qualification a augmenté de presque 7 %, soit 1 % par année en moyenne ; un taux réparti à peu près également entre diplomation et qualification. Il faut l'augmenter d'environ 11 % en 13 ans, soit au même rythme qu'au cours de la dernière décennie.

Il est probable que les derniers kilomètres à parcourir en matière de diplomation seront les plus difficiles : les obstacles s'avèrent puissants et exigent parfois des changements qui n'apparaissaient pas nécessaires dans les étapes précédentes. Ces difficultés réelles – le Québec n'a pas encore atteint la cible de 80 %, bien qu'il la poursuive depuis plusieurs décennies – sont accentuées par trois réalités structurelles : a) l'enseignement privé draine les élèves du public « à fort capital culturel » (avec pour conséquence de limiter au sein du réseau public la mixité scolaire, qui est pourtant garante de réussite) ; b) ce qu'il reste de mixité scolaire dans le réseau public est réduit aux projets particuliers sélectifs ; c) la formation professionnelle au secondaire (qui représente à peine 2 % des détenteurs d'un premier diplôme) n'attire que très peu de jeunes avant qu'ils n'obtiennent leur DES. La politique ministérielle ne dit pas grand-chose sur ces réalités structurelles, si ce n'est qu'elle rappelle l'importance de l'équité et de la mixité sociale et scolaire, en plus d'annoncer un énième plan de relance de la formation professionnelle. Quant à l'enseignement privé, il n'est pas inclus dans la Politique de la réussite éducative ; on ne fait que rappeler sa responsabilité en matière d'accueil d'élèves en difficulté.

S'interroger sur la légitimité de l'établissement des cibles quantitatives, c'est remettre en question la gestion axée sur les résultats[1], un élément du consensus politique québécois depuis l'adoption, en 2000, de la Loi sur l'administration publique. On parle ici d'afficher des ambitions élevées, soit, mais aussi – et peut-être surtout – de s'assurer de déployer à cette étape les ressources appropriées (et en nombre suffisant), sans oublier de développer les savoirs et les compétences nécessaires. Prenons pour exemple la décision récente du ministre français de l'Éducation de réduire de 25 à 12 élèves la taille des groupes au primaire dans les zones d'éducation prioritaire. Voilà une mesure costaude et ciblée, mais coûteuse ; cependant, si on se fie aux recherches, elle devrait donner des résultats. Au Québec, pour progresser, il faut des mesures de cet ordre, qui commandent parfois des ressources importantes déployées aux bons endroits, et non pas saupoudrées ici et là.

Certaines cibles sont intéressantes. Mentionnons la réduction des écarts entre les groupes d'élèves (ce qui révèle un engagement en faveur de l'équité) ; la proportion d'enfants (80 %) commençant leur scolarité sans présenter de facteurs de vulnérabilité pour leur développement (ce qui souligne l'importance de la prévention et de l'intervention précoce) ; un taux de réussite à l'épreuve ministérielle d'écriture, langue d'enseignement, de la quatrième année du primaire (ce qui accentue l'importance de la littératie acquise dès le primaire) ; la réduction à 10 % de la proportion d'élèves entrant au secondaire à 13 ans ou plus, donc en retard (ce qui témoigne de la prévention du décrochage) ; l'augmentation de

5 points de pourcentage de la population adulte québécoise démontrant des compétences élevées en littératie (ce qui atteste de l'importance de l'éducation des adultes et de la littératie tout au long de la vie)... On devine que, derrière ces indicateurs, le ministère de l'Éducation nomme les leviers qui lui apparaissent déterminants : la petite enfance, la prévention et l'intervention précoce, la littératie au primaire, la résorption des retards tôt dans la scolarité, la transition primaire-secondaire et le maintien de la littératie des adultes.

Les véritables priorités ministérielles apparaîtront dans l'ordre et la périodicité, dans les ressources allouées et dans la manière de traiter ces différentes questions. Parions sur le numérique... Il y a un gros travail à faire ; un travail que la Politique ne fait qu'annoncer. Peut-être cela justifie-t-il l'horizon de 2030 ? Mais les aléas du monde politique joueront : un changement de gouvernement ou de ministre pourrait modifier les priorités. Poursuivre autant de lièvres sur un aussi long horizon... Qui donc en assumera la responsabilité et le suivi ?

Poursuivre autant de lièvres sur un aussi long horizon... Qui donc en assumera la responsabilité et le suivi ?

CE QU'IL RESTE À ÉCRIRE

La mise en œuvre de la Politique de la réussite éducative est particulière : il ne s'agit pas tant de faire appliquer des décisions par les commissions scolaires que d'élaborer – à partir de la liste d'objets, de plans, de chantiers ou de dossiers nommés dans la Politique – ce qu'il faudrait faire tout en décidant, par la suite, des actions prioritaires. La mise en œuvre de cette politique ministérielle passe donc par son explicitation dans plusieurs domaines, d'où l'horizon de 2030 ; elle annonce ainsi le lancement de trois chantiers, trois stratégies, quatre plans d'action, un groupe de travail, deux tables de concertation et six actions plus pointues.

LES DÉBATS À VENIR

Outre cette question, deux autres deviendront importantes. La première concerne le cursus[2]. À force de le modifier à la pièce – en encourageant l'élaboration de projets particuliers et en autorisant les conseils d'établissement à exercer de réels pouvoirs en cette matière –, on voit l'école publique évoluer vers un programme d'études à la carte, choisi par des groupes d'intérêt locaux ou nationaux. L'équilibre d'ensemble risque alors d'être en danger. Et tout cela au détriment de quelles dimensions de la formation ? Au profit de quelles orientations (plus utilitaires, peut-être) ? Ne faudrait-il pas rendre le temps d'enseignement plus prescriptif au primaire, du moins pour les matières de base ?

La seconde question est celle de l'autonomie professionnelle des enseignants. La gestion axée sur les résultats porte en elle une volonté d'encadrer le travail de ces professionnels. Les enseignants n'ont jamais joui d'une liberté totale en matière de cursus et d'évaluation : d'une part, les programmes sont prescriptifs et, d'autre part, les commissions scolaires et le ministère de l'Éducation imposent des examens. Entre ces deux pôles, l'enseignement proprement dit, les relations avec les élèves et les méthodes pédagogiques ont constitué la zone d'autonomie des enseignants. Cela est désormais remis en cause – d'abord par la recherche évaluative en éducation, qui montre qu'à certaines conditions des pratiques d'enseignement sont plus efficaces que d'autres (il faudrait donc que les enseignants les adoptent) ; ensuite par la gestion axée sur les résultats, qui entend « aligner » le cursus, l'enseignement et l'évaluation. Autour de l'autonomie professionnelle des enseignants se rencontrent plusieurs enjeux qu'il ne sera pas facile de clarifier et de dénouer. ◊

Notes et sources, p. 332

DIPLOMATION UNIVERSITAIRE CANADIENNE : ÉTONNANT REVIREMENT AU QUÉBEC

L'Ontario domine la diplomation universitaire, tandis que le Québec montre d'indéniables réussites, mais aussi des faiblesses préoccupantes. Si les femmes connaissent une remarquable ascension sur ce plan, les hommes affichent un ralentissement inquiétant. D'importantes variations entre les cycles de formation et les genres marquent la distribution disciplinaire des diplômés au Québec, qui se distingue également par ses diplômés en commerce et en gestion[1].

ROBERT LACROIX

Professeur émérite et recteur émérite à l'Université de Montréal et fellow au Centre interuniversitaire de recherche en analyse des organisations (CIRANO)

LOUIS MAHEU

Professeur émérite à l'Université de Montréal et fellow au Centre interuniversitaire de recherche en analyse des organisations (CIRANO)

De 2001 à 2012, les universités du pays ont décerné des diplômes à plus de deux millions de Canadiens (2 133 782 personnes). Les quatre cinquièmes d'entre eux ont obtenu un baccalauréat ; plus de 15 %, une maîtrise ; près de 2 %, un doctorat.

Pour l'ensemble de cette diplomation, c'est l'Ontario qui sort du lot haut la main.

DOMINATION FORTE DE L'ONTARIO

En 2011, l'Ontario ne regroupe que 38,5 % de la population canadienne, mais entre 2001 et 2012, les universités ontariennes, elles, décernent 45,6 % de tous les diplômes au pays. Durant cette période, la prédominance de l'Ontario augmente progressivement : à la fin de celle-ci, soit entre 2007 et 2012, la part de cette province dans le total de la diplomation s'élève à 46,8 %.

Le fait que l'Ontario occupe une telle position en matière de diplomation est relié à l'importance relative de sa population ainsi qu'à la croissance notable du groupe d'âge des 18-20 ans, qui alimente la fréquentation universitaire. La province se démarque également par une histoire riche et longue dans le domaine de l'enseignement supérieurs avec des universités de qualité, y compris de grandes universités de recherche. Enfin, s'y réalise depuis toujours une proportion très élevée des activités de recherche et développement de l'ensemble du pays. Tous ces facteurs aident évidemment l'Ontario à maintenir sa position prédominante en matière de diplomation universitaire.

LE QUÉBEC : UNE AUTRE PROVINCE CLÉ POUR LA DIPLOMATION

Le Québec représente 23,5 % de la population canadienne en 2011. Des universités de qualité y voient le jour très tôt dans l'histoire universitaire canadienne. À compter des années 1960, les universités francophones croissent en nombre, se transforment radicalement et multiplient leurs activités de recherche. Ces mutations engendrent une forte expansion des populations étudiantes, notamment à la maîtrise et au doctorat. Avec l'Ontario, le Québec constitue un acteur majeur des activités en recherche et développement du pays : en 2013, les deux provinces cumulent près de 70 % des dépenses dans ce domaine (44,1 % pour l'Ontario et 26,2 % pour le Québec).

Néanmoins, entre 2001 et 2012, le Québec ne parvient pas à obtenir une proportion de diplomation équivalente à son poids démographique (22 % contre 23,5 %). Le bât blesse surtout au baccalauréat : les Québécois ne comptent que pour 20,5 % des diplômés canadiens. En revanche, compte tenu de sa population, la fraction des diplômés du Québec dans l'ensemble canadien se démarque à la maîtrise (28,6 %) et au doctorat (30 %).

Toutefois, la très faible croissance des 18-20 ans y jouant notamment un rôle, la performance globale du Québec en diplomation universitaire en ce début de 21e siècle inquiète : elle est en déclin à tous les cycles de formation.

De plus, les universités québécoises ne réussissent pas aussi bien qu'ailleurs au Canada à mener à la diplomation les étudiants qui s'y inscrivent. En Ontario, pour la période 2001-2012, les universités décernent un diplôme à 20 % des inscrits au baccalauréat, alors que ce taux est de 22 % dans les universités québécoises ; le taux québécois doit toutefois être réduit d'au moins 15 ou 20 %, puisque l'entrée à l'université, compte tenu de l'enseignement postsecondaire obligatoire du cégep, exige au Québec une année de plus. Les études de baccalauréat y sont donc de trois ans, alors qu'ailleurs au Canada elles sont de quatre ans. Ainsi ajusté, le taux québécois de diplomation des inscrits au baccalauréat serait plutôt de l'ordre de 18 à 19 %. À la maîtrise, pour la même période, le taux de diplomation des inscrits est au Québec de l'ordre de 20 %, alors qu'en Ontario il dépasse les 30 % (36,1 % pour 2007-2012). Au doctorat, les taux de diplomation québécois sont très légèrement inférieurs à ceux de l'Ontario. Globalement, ces tendances laissent entrevoir un avenir immédiat nettement plus problématique pour la diplomation québécoise, tout particulièrement à la maîtrise, puis ultimement au doctorat.

> En 1990, au Canada, seulement 14 % des femmes de 25 à 54 ans détenaient un diplôme universitaire. En 2009, cette proportion est passée à 28 %.

La performance somme toute préoccupante du Québec en diplomation universitaire à tous les cycles de formation nécessite une analyse plus détaillée et approfondie. Nous examinons dans le chapitre « Les tendances de la diplomation universitaire québécoise et le retard des francophones », publié dans *Le Québec économique 2017* (CIRANO, 2017), divers facteurs aptes à mieux expliquer les défis que doit aujourd'hui affronter la diplomation universitaire québécoise.

REMARQUABLE ASCENSION CHEZ LES FEMMES

En 1990, au Canada, seulement 14 % des femmes de 25 à 54 ans détenaient un diplôme universitaire. En 2009, cette proportion est passée à 28 %. Cette remarquable croissance a inversé la tendance : en 20 ans, la proportion de détenteurs d'un diplôme universitaire est devenue plus forte chez les femmes que chez les hommes[2].

On constate aussi que plus de 60 % des diplômes canadiens sont décernés à des femmes entre 2001 et 2012. Majoritaires aux inscriptions à temps plein du baccalauréat et de la maîtrise, elles obtiennent respectivement plus de 60 % et plus de 55 % des diplômes de ces cycles de formation. Il n'y a qu'au doctorat qu'elles ne sont pas encore majoritaires aux inscriptions à temps plein, tout en s'en rapprochant beaucoup, car elles obtiennent déjà plus de 45 % des diplômes doctoraux. Durant cette période, ce sont les effectifs féminins qui progressent le plus parmi les diplômés partout au Canada, y compris au Québec, et tout particulièrement à la maîtrise et au doctorat.

Autre mesure qui illustre encore mieux l'écart entre hommes et femmes : les taux de diplomation calculés en divisant le nombre total de diplômés d'une année donnée, quel que soit leur âge, par le nombre d'individus dans la population ayant atteint l'âge usuel d'obtention du diplôme considéré. On part du principe que la population pertinente correspond à celle des individus de 22 ans pour le baccalauréat, de 24 ans pour la maîtrise et de 27 ans pour le doctorat.

Au Québec, au baccalauréat, entre 2001 et 2006 d'une part, et entre 2007 et 2012 d'autre part, l'écart entre ces taux – en faveur des femmes – passe de 13,8 à 15,4 points de pourcentage. En Ontario, il grimpe de 18,3 à 21,1 points. Pour les mêmes périodes, à la maîtrise, l'écart passe au Québec de 0,9 à 2,4 et, en Ontario, de 1,0 à 2,2 points. Au doctorat, l'écart, en faveur des hommes cette fois, est beaucoup moins significatif – de l'ordre de 0,1 point de pourcentage – et demeure stable.

Pour leur propre épanouissement personnel, pour une meilleure égalité des

la forte proportion québécoise des diplômes en commerce et en gestion étonne.

conditions de vie entre les genres, de même que pour la croissance de l'économie et l'amélioration du mieux-être démocratique de notre société, la performance universitaire des femmes est un accomplissement insigne. Il révèle toutefois en creux – sans qu'il y ait d'ailleurs de relation de causalité entre ces tendances contraires – un certain ralentissement quant à la progression du nombre d'hommes qui fréquentent l'université et en sortent avec des diplômes. Cette situation devient problématique, d'autant plus que le décrochage aux divers paliers de l'appareil scolaire situés en amont de l'université, au Québec comme ailleurs, affecte tout particulièrement les hommes.

SURPRENANTES CARACTÉRISTIQUES DISCIPLINAIRES

Ces caractéristiques concernent d'abord les cycles de formation et les genres. Au doctorat, les disciplines des sciences naturelles, de la technologie, du génie et des mathématiques (STEM) représentent au moins 50 % de la diplomation, sinon plus. Mais lorsqu'on s'éloigne des cycles supérieurs, cette distribution tend à s'inverser. Sauf rares exceptions, à la maîtrise, les formations professionnelles en commerce et en gestion (26,8 % du total) arrivent pratiquement à égalité avec les STEM (26,4 %). Au baccalauréat, la majorité des diplômes se déplace vers les sciences humaines et sociales. Avec en général 20 ou 25 % des diplômés, le secteur des sciences sociales et du droit occupe le tout premier rang, sauf dans les Prairies, où les STEM (21 %) restent fortes, et au Québec, où le secteur du commerce et de la gestion est bon premier (25,1 %).

La concentration selon les genres dans les secteurs disciplinaires révèle aussi deux univers bien distincts. Au Canada, de façon générale, les diplômes des hommes sont davantage concentrés dans les STEM, puis en commerce et en gestion. On retrouve les femmes dans les secteurs de la santé, de l'éducation, puis dans les sciences humaines, les arts et les communications, et enfin dans les sciences sociales et le droit.

L'hypothèse selon laquelle les femmes opteraient moins pour les sciences naturelles, les technologies et le génie à cause de compétences moindres en mathématiques ne résiste pas à l'analyse. En fait, seulement 23,2 % des femmes canadiennes présentant des résultats élevés aux examens internationaux du Programme international pour le suivi des acquis des élèves (PISA) en mathématiques optent pour une formation dans le secteur des STEM, alors que s'y dirigent en plus grande proportion les hommes ayant des scores plus faibles (39 %) ou équivalents (45,7 %). D'autres mesures, par exemple les résultats obtenus en mathématiques ou encore l'autoévaluation des élèves quant à leurs capacités personnelles en mathématiques au secondaire, donnent des résultats semblables. Comment expliquer le fait que les jeunes hommes choisissent systématiquement plus que les jeunes femmes un programme dans les STEM[3] ?

TABLEAU 1

Diplômes des Canadiens 2001-2012 en Ontario et au Québec

		Ontario N = 953, 304			Québec N = 468, 906		
		Bacc.	Maît.	Doct.	Bacc.	Maît.	Doct.
Distribution en %	2001-2012	83,4	14,6	2,0	76,2	20,8	3,1
% sur total Canadiens		*45,6*	*40,8*	*39,8*	*20,5*	*28,6*	*30,0*
Taux diplômés/inscrits	2001-2006	19,8	32,4	12,2	22,4	19,3	11,7
	2007-2012	21,0	36,1	13,5	22,6	20,2	13,3
% obtenu par les hommes	2001-2012	37,8	44,4	54,6	38,7	46,1	54,0
% obtenu par les femmes	2001-2012	62,2	55,6	45,4	61,3	53,9	46,0
Taux diplomation hommes	2001-2006	25,5	5,3	0,8	20,5	6,5	1,0
	2007-2012	31,2	6,6	1,2	23,8	7,8	1,4
Taux diplomation femmes	2001-2006	43,8	6,3	0,7	34,3	7,4	0,9
	2007-2012	52,3	8,8	1,0	39,2	10,2	1,3
% par discipline hommes	2001-2012						
Éducation		8,5	3,8	3,4	6,0	2,9	2,6
Arts/Comm./Sc. hum.		13,8	8,9	10,1	9,4	8,8	11,1
Sc. soc./Droit		21,3	12,3	13,3	16,5	10,7	15,5
Commerce/Gestion		16,3	34,8	3,2	26,8	35,4	4,9
STEM		32,1	34,4	64,3	32,8	36,9	61,0
Santé		7,5	5,4	5,4	7,0	5,3	5,0
% par discipline femmes	2001-2012						
Éducation		15,5	11,2	12,0	16,6	8,7	5,9
Arts/Comm./Sc. hum.		17,8	11,2	12,4	10,4	10,9	12,5
Sc. soc./Droit		27,7	16,1	23,6	20,8	17,0	32,5
Commerce/Gestion		11,2	24,1	3,4	24,0	26,0	4,2
STEM		14,4	20,3	37,2	11,1	22,5	37,1
Santé		12,9	16,6	11,1	14,6	14,8	7,7

Les données statistiques de ce tableau sont tirées de Robert Lacroix et Louis Maheu, *Les caractéristiques de la diplomation universitaire canadienne*, rapport de recherche du CIRANO, Montréal, avril 2017. On trouvera dans ce document toutes les informations relatives à la définition des variables et aux sources statistiques des données citées.

Tout se passe comme si les facteurs d'utilité liés à l'emploi – meilleurs salaires, taux de chômage plus bas et disparité plus faible entre emploi et compétences acquises – poussent les hommes vers le secteur des STEM. Ces facteurs attirent moins les femmes pourtant bien outillées pour ces disciplines. D'ailleurs, quand ces dernières s'y dirigent, elles n'optent pas en priorité pour le génie, où ces facteurs d'utilité prévalent davantage. Chez les femmes, des valeurs, des préférences et des orientations normatives à finalité non utilitaire semblent avoir un impact sur les attentes relatives à l'emploi, à la carrière et à la vie familiale. Ces valeurs non utilitaires auraient un effet sur les écarts entre hommes et femmes dans les choix disciplinaires.

LE QUÉBEC : CHAMPION DES DIPLÔMES EN COMMERCE ET EN GESTION

Parmi les quelques variations régionales marquant la distribution disciplinaire des diplômés de 2001-2012 au Canada, la forte proportion québécoise des diplômes en commerce et en gestion étonne. Il s'octroie au Québec, à tous les cycles de formation, proportionnellement plus de diplômes de cette discipline que dans toute autre région au pays. En commerce et en gestion, la province forme plus de 30 % des diplômés canadiens du baccalauréat et de la maîtrise, et près de 40 % de ceux du doctorat.

C'est un étonnant revirement de la culture québécoise francophone, traditionnellement vue comme fermée au monde des affaires et de la gestion ! Le Québec participe donc intensément au virage vers des valeurs dites plus matérialistes qui caractériserait bon nombre de sociétés contemporaines et jouerait en faveur d'une expansion des savoirs liés au milieu des entreprises, des affaires et de la gestion en général.

Les bonnes performances en milieu de travail des détenteurs d'une spécialité en commerce et en gestion y sont vraisemblablement pour quelque chose. Des enquêtes établissent que les diplômés québécois universitaires des années 2000 du baccalauréat, puis de la maîtrise en sciences de l'administration – catégorie incluant le secteur du commerce et de la gestion – atteignent régulièrement, près de deux ans après l'obtention du diplôme, de meilleurs taux d'emploi que ceux de la plupart des autres disciplines. De plus, des données canadiennes sur les 25-34 ans montrent que les hommes détenteurs d'un baccalauréat en administration ont, en 2005 et en 2010, un emploi à temps plein en proportion légèrement inférieure à celle des diplômés en sciences naturelles, en technologie et en génie, mais supérieure à celle des diplômés des autres secteurs. Chez les femmes, les détentrices d'un baccalauréat en administration affichent les meilleurs taux d'emploi à temps plein[4]. ◊

Notes et sources, p. 332

L'ÉDUCATION DES ADULTES, 35 ANS APRÈS LE RAPPORT JEAN

En 1982, la Commission d'étude sur la formation des adultes, aussi appelée la « commission Jean » (du nom de sa présidente), publiait son rapport. Trente-cinq ans plus tard, quel regard les membres de cette commission porteraient-ils sur la situation actuelle de l'éducation des adultes ?

PIERRE DORAY

Professeur au Département de sociologie et chercheur au Centre interuniversitaire de recherche sur la science et la technologie, Université du Québec à Montréal

DANIEL BARIL

Directeur général, Institut de coopération pour l'éducation des adultes

Au lendemain de sa victoire de 1976, le Parti québécois voulait donner un second souffle à la Révolution tranquille en éducation. Il faut dire que celle-ci avait été menée tambour battant et que peu de temps avait été consacré à un bilan. De nombreux comités et commissions d'études ont donc été mis sur pied pour réfléchir à la situation de l'éducation au Québec, du primaire à l'éducation des adultes en passant par les cégeps et les universités.

Or, le simple fait de créer la Commission d'étude sur la formation des adultes (CEFA) allait donner ses lettres de noblesse à ce volet de l'éducation au Québec. Le volumineux rapport, comptant 430 recommandations, portait sur les différentes dimensions de l'éducation des adultes (par exemple l'accessibilité, les conditions d'études, l'organisation de la formation, la formation des formateurs et des enseignants) et ses différents secteurs (éducation populaire, formation de la main-d'œuvre, formation créditée, médias, développement culturel et personnel, etc.).

Trente-cinq ans après la publication de ce rapport, que penseraient les membres de la commission de l'état actuel de l'éducation des adultes ? Il y a fort à parier que les commissaires souligneraient une situation paradoxale, où l'on trouve à la fois les déceptions et les progrès réalisés depuis les années 1980.

L'ACCÈS : UN PROJET INACHEVÉ

L'importance de combattre les inégalités dans le domaine de l'éducation des adultes est un volet central de la vision éducative de la CEFA. Dans son rapport, on constate que plusieurs groupes ou catégories de personnes sont au cœur des préoccupations, notamment les jeunes adultes, les préretraités ou retraités, les immigrants, les femmes, les personnes handicapées, la population en milieu carcéral et les populations autochtones. Les problèmes d'accès sont traités en fonction des différents lieux d'éducation.

La CEFA appelait à l'établissement d'un droit à la formation de base. Ainsi, l'inclusion en 1988 du droit à une formation de base dans la Loi sur l'instruction publique était une réponse à cette recommandation, et a été suivie par l'adoption d'un Régime pédagogique de la formation générale des adultes en 1993. Ces actions seraient certainement applaudies par les anciens commissaires, mais on ne manquerait pas de rappeler non plus que le droit à l'éducation pour les adultes pourrait être davantage affirmé et s'étendre au-delà de la formation de base.

Par ailleurs, les commissaires seraient probablement heureux de constater que la participation des adultes à des activités de formation a augmenté au fil des années, et que l'accès des femmes aux séances de formation à vocation professionnelle a rejoint et même dépassé celui des hommes. Cela dit, ils ne pourraient que déplorer plusieurs inégalités dans l'accès, selon que l'on fait partie de la population active ou non, selon la position socioprofessionnelle qu'on occupe en emploi, selon le type d'entreprise, etc.

De nombreux obstacles – identifiés depuis des années – limitent encore l'accès à la formation, comme l'accessibilité financière, les conditions d'études et une offre de formation peu adéquate, sans oublier des services éducatifs et une reconnaissance des acquis peu ou pas assez développés, ainsi que les difficultés de concilier travail, études et famille.

De nombreux obstacles – identifiés depuis des années – limitent encore l'accès à la formation, comme l'accessibilité financière, les conditions d'études et une offre de formation peu adéquate.

UN DÉVELOPPEMENT INÉGAL

L'une des principales raisons pour lesquelles le rapport de la CEFA est toujours resté une référence dans la constitution des politiques en éducation des adultes réside dans le fait qu'il adopte un point de vue global sur la situation des adultes en formation.

En comparaison, la Politique gouvernementale d'éducation des adultes et de formation continue élaborée en 2002 ne se penche que sur deux domaines d'apprentissage (l'alphabétisation et la formation liée à l'emploi) et laisse pour compte de nombreuses dimensions de l'éducation des adultes. Par exemple, l'éducation populaire, au même titre que la formation des adultes au cégep et dans les universités, est absente de cette politique.

Une autre source de déception chez les commissaires serait certainement la mise sur pied d'une éducation des adultes fortement centrée sur la formation liée à l'emploi, négligeant ainsi de larges pans de l'éducation des adultes. Ils seraient aussi probablement déçus au regard du caractère transversal des apprentissages, présent dans le projet même d'éducation permanente qui leur sert de fondement intellectuel.

Des portions entières de la population sont négligées. Alors que la population du Québec vieillit, quelles activités de formation sont offertes aux personnes âgées et aux retraités ? Comment compte-t-on améliorer la formation en milieu carcéral ? A-t-on favorisé l'accès des personnes qui vivent avec un handicap ? Quelles activités de formation offre-t-on aux personnes issues des Premières Nations ?

Depuis 1984, les politiques d'éducation des adultes et plusieurs plans d'action ont amorcé un mouvement de professionnalisation qui s'est manifesté à la fois par une diminution du soutien gouvernemental à l'éducation populaire et par diverses actions visant à structurer la formation de la main-d'œuvre. Parmi ces actions, soulignons la réforme des programmes de formation professionnelle et technique, ainsi que la systématisation des modes de planification de la formation professionnelle et technique avec l'adoption de l'ingénierie de ces deux types de formation. On a aussi misé sur la création d'un réseau d'organismes de statures nationale, régionale et sectorielle, dont la mission est non seulement de développer la main-d'œuvre, mais d'en arriver à une meilleure adéquation entre éducation et économie. Finalement, l'adoption d'une loi sur le développement de la main-d'œuvre s'inscrit dans cette tendance.

Cependant, les commissaires ne manqueraient pas de souligner la pertinence de certaines actions associées à la professionnalisation de l'éducation des adultes, comme le transfert des fonds fédéraux vers les provinces ou encore l'adoption, en 1995, de la Loi favorisant le développement et la reconnaissance des compétences de la main-d'œuvre. Cette loi a établi un mécanisme de financement obligatoire par les entreprises de la formation de leur personnel, une mesure que préconisait la CEFA. Ils souligneraient positivement la création d'un réseau de la main-d'œuvre permettant d'élargir l'offre de formation et de multiplier les intervenants d'origines diverses – dont les représentants syndicaux et les organismes communautaires de développement de l'employabilité – autour de l'enjeu éducatif. En revanche, ils seraient probablement déçus de l'absence d'un comité paritaire de formation dans les entreprises, qui aurait donné une voix formelle aux salariés sur les orientations des politiques de formation en milieu de travail.

Les membres de la Commission seraient aussi intervenus publiquement pour dénoncer le désinvestissement progressif en éducation populaire, alors même que les groupes de ce secteur rejoignent des portions de la population peu ou pas présentes en formation formelle et que les activités proposées vont de l'alphabétisation à l'amélioration des conditions de vie.

munautaires, des associations diverses et des lieux privés d'éducation dont les conditions d'existence ont fluctué selon les contextes économiques et politiques. Il est encore à propos de chercher à décloisonner ces espaces, dans un contexte où les adultes apprenants passent par plus d'un lieu d'éducation dans leur parcours d'apprentissage, alors même que la

Dans nos sociétés fondées sur le savoir, les connaissances et les compétences sont devenues tout autant des conditions d'insertion que des facteurs d'exclusion et, de plus en plus, des causes de discrimination systémique.

formation doit assurer une plus grande insertion sociale des citoyens.

POUR UNE POLITIQUE GLOBALE

En somme, plusieurs orientations préconisées par la CEFA semblent être encore d'actualité aujourd'hui. L'appel au décloisonnement et à la mise en œuvre d'une vision globale et transversale des apprentissages demeure toujours aussi pertinent. En déployant une politique et des stratégies globales d'éducation des adultes, nous pouvons en accroître l'accès et espérer agir pour réduire les paradoxes présents dans ce type d'éducation. Au cours des six dernières décennies, le Québec a mis au point une infrastructure diversifiée dans ce domaine, incluant des établissements publics, des organismes com-

La demande d'adopter une politique globale sur l'éducation des adultes reste d'intérêt. Nous vivons dans des sociétés fortement basées sur les connaissances et les compétences. Ce phénomène accentue la nécessité pour les Québécois et Québécoises d'aller chercher une formation initiale de qualité et de poursuivre l'acquisition de connaissances et de compétences, et ce, tout au long (et dans toutes les dimensions) de leur vie. En outre, dans nos sociétés fondées sur le savoir, les connaissances et les compétences sont devenues tout autant des conditions d'insertion que des facteurs d'exclusion et, de plus en plus, des causes de discrimination systémique. Il est donc pertinent de remettre à l'ordre du jour cette idée – proposée par la CEFA – d'une loi-cadre sur l'éducation des adultes, question de tenir compte des nouvelles exigences d'apprentissage et des conséquences possibles si l'on ne s'y conforme pas. Appuyée par une loi-cadre, une politique globale de l'éducation des adultes pourrait aussi permettre de mieux saisir la contribution des différentes formes d'éducation des adultes dans le développement personnel et collectif.

Trente-cinq ans après sa publication, le rapport de la Commission d'étude sur la formation des adultes nous rappelle cet idéal d'une politique globale de l'éducation des adultes.

Trente-cinq ans après sa publication, le rapport de la Commission d'étude sur la formation des adultes nous rappelle cet idéal d'une telle politique globale. Avec le recul, ce document apparaît comme le point culminant de l'élaboration d'une conception humaniste large de l'éducation des adultes ; une conception dont les racines remontent aux années suivant la Seconde Guerre mondiale et la mise en place de l'État-providence. De nos jours, alors que les exigences de connaissances et de compétences posent des défis d'apprentissage de grande envergure – que ne peuvent relever des politiques d'éducation des adultes centrées uniquement sur le développement de l'employabilité –, le projet éducatif du rapport de la CEFA demeure un point de référence qui devrait servir de guide dans l'élaboration de politiques d'éducation des adultes. ◊

Notes et sources, p. 332

Les services éducatifs à la petite enfance doivent faire leurs devoirs

ANOUK LAVOIE-ISEBAERT
Analyste pour l'Institut du Nouveau Monde durant la Commission sur l'éducation à la petite enfance

Il y a 20 ans naissaient les CPE grâce à une politique familiale qui aura notamment permis à plus de femmes d'accéder au marché du travail. Malheureusement, la qualité des services offerts par nos services éducatifs est inquiétante.

L'année 2017 a marqué le 20e anniversaire de la politique familiale du Québec intitulée «Les enfants au cœur de nos choix», qui misait notamment sur le développement des services de garde éducatifs grâce au réseau des centres de la petite enfance (CPE).

Cette politique avait trois grands objectifs:

- Assurer l'équité par un soutien universel aux familles et une aide accrue aux familles à faible revenu;
- Faciliter la conciliation des responsabilités parentales et professionnelles;
- Favoriser le développement des enfants et l'égalité des chances[1].

Sur le plan de la conciliation famille-travail, le succès est indéniable: le taux d'activité des mères d'enfants de cinq ans et moins a augmenté entre 1998 et 2014, et il est plus élevé chez les mères québécoises que chez les mères des autres provinces canadiennes[2]. Mais qu'en est-il des effets de la politique sur le plan du développement des enfants et de l'égalité des chances?

Pour le savoir, l'Association québécoise des centres de la petite enfance a mis sur pied, en 2016, la Commission sur l'éducation à la petite enfance[3]. Chapeautée par l'Institut du Nouveau Monde, cette commission a parcouru la province afin de rencontrer des experts, des organismes et des citoyens impliqués dans les services éducatifs à la petite enfance. Au final, elle a dressé un bilan des services de garde éducatifs et proposé des pistes d'amélioration.

DES SERVICES ÉDUCATIFS DE QUALITÉ « PASSABLE »

Sans nier l'actif important que représentent les services éducatifs et les gens qui y travaillent, les commissaires ont conclu que les résultats de la politique sont mitigés sur le plan du développement optimal des enfants et de l'égalité des chances.

En effet, ils ont constaté que les services éducatifs sont difficiles d'accès pour les enfants issus de milieux défavorisés ou en situation de vulnérabilité. Ils déplorent aussi le fait que les tarifs actuels et les compressions budgétaires ont des effets délétères sur la qualité des services. Ils ajoutent que le manque de collaboration entre les acteurs qui œuvrent en petite enfance nuit à la continuité des services entre les services éducatifs et les milieux scolaire, communautaire et de la santé.

Surtout, les commissaires notent la nécessité d'améliorer la qualité des services, dans la mesure où des études démontrent un niveau de qualité « passable » pour l'ensemble des services éducatifs au Québec. Il s'agit là d'une problématique majeure si l'on tient à favoriser le développement optimal des enfants. Comme le proposent les commissaires, la qualité des services pourrait être bonifiée par une hausse des exigences de formation initiale des éducateurs et des éducatrices, de même que par une évaluation soutenue de la qualité des services accompagnée de soutien pédagogique[4].

LA CLÉ : AGIR TÔT ET MIEUX

Les recommandations des commissaires reposent sur une prémisse fondamentale: la petite enfance est une période cruciale du développement des enfants et est déterminante pour leur réussite éducative. À noter que la nouvelle Politique de la réussite éducative du ministère de l'Éducation et de l'Enseignement supérieur reconnaît également l'importance « de l'agir tôt » et prône une vision du parcours éducatif débutant dès la naissance[5]. Voilà une occasion pour les artisans des services éducatifs de faire valoir leur rôle essentiel et de bénéficier d'une reconnaissance renouvelée... à condition que soit rehaussée la qualité de leurs services. ¶

Notes et sources, p. 332

MON PLAN DE RÉUSSITE
par Sébastien Proulx
.Période de
.Fréquentation obligatoire
.Valorisation de l'enseignant
Chantier
.Place du numérique
Taux de diplomation
TDAH ?
MATERNELLE 4 ANS
Aa Bb Cc Dd

Culture

LA LOI 101 ET L'ENJEU LINGUISTIQUE : UN « *COLD CASE* » ?

Il y a 40 ans, au moment de l'adoption de la Charte de la langue française, l'enjeu linguistique constituait la principale polémique dans l'espace public québécois. Aujourd'hui, le débat est moins ardent que pendant les années 1967-1977, mais est-il révolu pour autant ?

MARTIN PÂQUET
Titulaire de la Chaire pour le développement de la recherche sur la culture d'expression française en Amérique du Nord, Université Laval

L'enjeu linguistique relève de la gestion politique de la différence sociale : devant la pluralité des sociétés et l'effervescence des opinions, tout État a pour mission de sauvegarder la paix civile. Il doit aménager les conditions de la différence afin de réduire le potentiel de violence engendré par les polémiques fondées sur la différence et les inégalités sociales. Dans le cas précis de l'enjeu linguistique, le centre de gravité de la polémique est celui du statut socioéconomique d'une langue par rapport aux autres : ce statut attribue aux locuteurs de cette langue la capacité (ou l'incapacité) d'assurer leur promotion socioéconomique et, ce faisant, de leur permettre d'être reconnus au sein de la communauté politique. D'où l'élément sensible de la langue d'enseignement : l'école est le lieu où les citoyens acquièrent les outils qui favorisent leur promotion sociale. En intervenant en cette matière, la Charte de la langue française vise donc, en 1977, la réduction du potentiel de violence sociale – potentiel particulièrement élevé depuis les émeutes de Saint-Léonard de 1968, la controverse de 1969 autour de la loi 63 sur le libre choix des parents et celle de 1974 autour de la loi 22 sur les tests linguistiques.

S'inscrivant « dans le mouvement universel de revalorisation des cultures nationales qui confère à chaque peuple l'obligation d'apporter une contribution particulière à la communauté internationale », la Charte fait du français « la langue de l'État et de la Loi », tout en le promouvant comme « la langue normale et habituelle du travail, de l'enseignement, des communications, du commerce et des affaires ». Poursuivant des objectifs d'unité nationale et de paix civile sur le territoire québécois, les responsables provinciaux se réclament aussi d'« un esprit de justice et d'ouverture », s'exprimant dès 1983 dans « le respect des institutions de la communauté québécoise d'expression anglaise et celui des minorités ethniques », ainsi que « des Amérindiens et des Inuits[1] ».

Outre la régulation de l'explosive question de la langue d'enseignement, l'État québécois met en place des mesures coercitives pour faire du français une langue d'usage dans les lieux de travail. Ainsi, l'affichage commercial doit être uniquement en français. Plus qu'une simple mesure de protection linguistique, la Charte de la langue française implique une solution globale au problème du statut du français au Québec. Elle s'accompagne en 1978 d'une politique de développement culturel, élément d'« un projet commun, collectif, d'une société moderne et démocratique[2] », ainsi que d'une entente entre les États fédéral et québécois en matière de sélection des immigrants.

Même si l'État intervient pour calmer le jeu, la polémique reste vive dans l'espace public, et plusieurs acteurs de l'enjeu linguistique restent mobilisés. Au cours des années suivantes, la polémique s'apaise progressivement, en deux temps[3] : celui de l'ajustement et des jugements, puis celui de l'apaisement et des glissements.

LE TEMPS DE L'AJUSTEMENT ET DES JUGEMENTS

L'adoption de la Charte de la langue française n'est pas exempte de polémiques, qui tendent désormais à se manifester devant les tribunaux. À la suite de la contestation d'un aspect de la loi 101 par un avocat montréalais, la Cour suprême du Canada invalide en 1979, avec l'arrêt Blaikie, les dispositions relatives à la langue d'usage des tribunaux, en vertu de l'article 133 de la Loi constitutionnelle de 1867. Ce premier succès encourage des militants à se rassembler en groupes de pression institutionnalisés qui se font les porte-parole de leurs communautés et qui bénéficient à ce titre de l'aide financière de l'État. À l'exemple d'Alliance Quebec fondé en 1981, ces groupes de pression privilégient les démarches devant les tribunaux. La Loi constitutionnelle de 1982 et l'enchâssement de la Charte canadienne des droits et libertés leur offrent alors des arguments puissants avec le principe des libertés individuelles. Avec l'arrêt *Quebec Protestant School Boards* de 1984, la Cour suprême du Canada déclare inopérante

> La polarisation se fait autour de nouveaux centres de gravité, notamment ceux du pluralisme culturel et de la qualité de la langue.

la « clause Québec », réservant à l'origine l'accès aux écoles de langue anglaise aux enfants de parents qui ont reçu leur éducation en anglais au Québec. Fondé sur une interprétation des chartes canadienne et québécoise des droits et libertés, l'arrêt Ford invalide en 1988 les aspects de la loi 101 portant sur la langue d'affichage[4]. Ces jugements, surtout celui de 1988, provoquent parmi les militants francophones une mobilisation importante : le 12 mars 1989, à Montréal, 60 000 personnes exigent le maintien plein et entier de la loi 101. Cette manifestation monstre est suivie par d'autres ailleurs au Québec. Toujours dans le but d'assurer la paix civile, le gouvernement de Robert Bourassa dès 1989, puis celui de Lucien Bouchard après 1995 temporisent. Avec les lois 178, 86 et 40, ils ajustent les dispositions de la Charte de la langue française afin d'exiger la prépondérance du français dans la publicité commerciale.

Les deux jugements de 1984 et de 1988 marquent néanmoins les limites de la stratégie juridique des groupes de pression anglophones. Après le référendum québécois sur la souveraineté-partenariat, en octobre 1995, le gouvernement fédéral de Jean Chrétien saisit la Cour suprême du Canada de l'invalidation d'une éventuelle déclaration unilatérale d'indépendance. Dans son Renvoi relatif à la sécession du Québec rendu en 1998[5], le plus haut tribunal du pays établit quatre principes sous-jacents animant l'ensemble de la Constitution canadienne : le fédéralisme ; la démocratie ; le constitutionnalisme et la primauté du droit ; ainsi que le respect des minorités, notamment sur le plan linguistique. Le Renvoi a deux conséquences sur l'enjeu linguistique : il renforce l'argumentaire des militants francophones de l'extérieur du Québec pour le respect de leurs droits et il incite le gouvernement de Lucien Bouchard à resserrer le régime de la Charte de la langue française. Pièce centrale de l'action gouvernementale, la loi 99 définit le peuple québécois comme étant majoritairement francophone. Elle réaffirme aussi l'article 1 de la Charte de la langue française et la légitimité de toute politique d'unilinguisme, tout en reconnaissant l'apport des peuples autochtones et de la communauté anglophone.

LE TEMPS DE L'APAISEMENT ET DES GLISSEMENTS

L'enjeu linguistique demeure sensible au cours des années 2000. Il y a certes des jugements d'ajustements limités, à l'instar des jugements Solski de 2005 et Nguyen de 2009 sur l'accès à l'école subventionnée de langue anglaise. Toutefois, les intervenants tendent à accepter la visée étatique de réduction de la violence et, ce faisant, la polémique linguistique s'en trouve apaisée.

En fait, depuis les années 2000, on observe plutôt un glissement. Désormais, le statut d'une langue au chapitre de la promotion socioéconomique suscite moins les antagonismes dans l'espace public. La polarisation se fait autour de nouveaux centres de gravité, notamment ceux du pluralisme culturel et de la qualité de la langue.

La question du pluralisme culturel bouleverse le paysage politique québécois dès 2007, avec la controverse sur les pratiques d'accommodement raisonnable. Fondé sur la laïcité, le principe de l'égalité entre les hommes et les femmes ainsi que la primauté du français, le modèle civique québécois fait l'objet de vifs débats. Devant le mécontentement citoyen grandissant, le premier ministre Jean Charest instaure une commission d'enquête sous la double présidence de Gérard Bouchard et de Charles Taylor. Au sujet de l'enjeu linguistique, le rapport de la commission Bouchard-Taylor témoigne de son attachement au modèle civique québécois. Aux critiques énoncées sur le sort réservé à la primauté du français dans un espace public interculturel, les commissaires rétorquent en 2008 que « l'anglais qu'il faut apprendre et parler aujourd'hui, ce n'est pas celui que Lord Durham voulait imposer », mais « celui qui permet d'accéder à toutes les connaissances et d'échanger avec tous les peuples de la terre ». Plaidant pour un trilinguisme québécois à la manière de celui des autres « petites nations », les commissaires sont d'avis que « cette question mérite la plus grande attention » : « Sinon, c'est une génération de jeunes francophones qui risque d'être injustement pénalisée[6]. » Le pluralisme culturel fait toujours litige, mais le statut linguistique n'en est plus le motif.

L'autre centre de gravité des polémiques concerne la précarité du français comme langue publique, plus précisément en ce qui touche la qualité de la langue parlée. La norme de la qualité fait toujours, au cours des années 1990 et 2000, l'objet de dissensions, comme le montrent le débat sur le « renouveau pédagogique » depuis le milieu des années 2000 ou celui sur les déficiences de l'usage dans les médias, les réseaux sociaux et le monde culturel. Devant les préoccupations relatives à la qualité du français, de nouvelles mobilisations prennent forme pour assurer

Le débat relatif au statut socioéconomique des langues pourrait-il renaître ou sommes-nous devant un « *cold case* », une affaire qui intéresse surtout les chercheurs et, particulièrement, les historiens ?

le maintien des dispositions de la Charte de la langue française, à l'instar du Mouvement Québec français, recréé en 2011.

UN « *COLD CASE* » ?

Le débat relatif au statut socioéconomique des langues pourrait-il renaître aujourd'hui ou sommes-nous devant un « *cold case* », une affaire qui intéresse surtout les chercheurs et, particulièrement, les historiens ?

Toute polémique relève de la capacité des protagonistes à faire des gains durables. Si le prétexte peut venir des émotions, la polarisation et le maintien des débats s'alimentent des calculs stratégiques qui reposent sur une estimation des coûts et des bénéfices. Les antagonismes linguistiques n'y échappent pas, avec une spécificité : l'enjeu relève à la fois de la fonction identitaire et de la fonction utilitaire d'une langue[7]. En effet, une langue fonde l'identité d'un individu en lui assurant une appartenance sociale – on parle ainsi de « langue maternelle ». Une langue est aussi utile pour communiquer et échanger avec les autres – il sera alors question de la « langue de travail » ou de la « langue publique ». Les polémiques linguistiques peuvent éclater avec un prétexte identitaire ; elles s'enveniment et se prolongent pour des motifs utilitaires.

Sur un plan identitaire, dans une société pluraliste et ouverte à l'immigration, la langue maternelle relève moins de l'espace public et davantage de la sphère privée. Tant et aussi longtemps que la langue maternelle ne fait pas l'objet d'une discrimination publique, les motifs reliés à l'identité ne sont pas polarisants. Le rôle de l'État est donc d'assurer les conditions de reconnaissance publique de l'identité linguistique, et ce, de concert avec la société civile. Conçu dans cet esprit, le régime linguistique de la Charte refroidit considérablement la polémique linguistique. En matière identitaire, la polémique devient alors un « *cold case* ».

> Plus la fonction utilitaire d'une langue est favorisée et valorisée, plus la promotion sociale est assurée ; conséquemment, le potentiel de polémique s'en trouve réduit.

Sur le plan utilitaire, est-ce le cas ? Plus la fonction utilitaire d'une langue est favorisée et valorisée, plus la promotion sociale est assurée ; conséquemment, le potentiel de polémique s'en trouve réduit. Toutefois, si une langue utilitaire ne permet plus la promotion sociale pour des raisons économiques, les citoyens ne voient plus d'intérêt à l'employer. Dès lors, les locuteurs de cette langue, qui sont laissés pour compte, trouvent des motifs qui nourrissent leur mécontentement.

D'où l'importance des indicateurs relatifs à la langue publique et à la langue de travail, comme la capacité à soutenir une conversation en français seulement et la langue de communication avec l'État québécois. Le recensement canadien de 2016 indique ainsi que 94,5 % de la population québécoise peut soutenir une conversation en français, soit une proportion similaire à celle observée au recensement de 2011 (94,4 %)[8]. Quant à l'emploi du français dans les communications avec l'État, une enquête du journal *La Presse* montre en 2015 l'importance du milieu environnant : 66 % des résidents de l'île de Montréal se servent du français, comparativement à 99 % des citoyens vivant dans des régions francophones[9]. Dans ce contexte utilitaire, le

Quant à l'emploi du français dans les communications avec l'État, une enquête du journal *La Presse* montre en 2015 l'importance du milieu environnant : 66 % des résidents de l'île de Montréal se servent du français, comparativement à 99 % des citoyens vivant dans des régions francophones. Dans ce contexte utilitaire, le potentiel de polémique demeure actuellement réduit.

potentiel de polémique demeure actuellement réduit.

Certes, les indicateurs relatifs à la langue utilitaire brossent un portrait de la situation actuelle, et non une projection de l'avenir : dans un monde d'incertitudes, la situation socioéconomique peut connaître des soubresauts et la paix civile n'est jamais assurée. En matière de polémique linguistique, il est donc prudent de reprendre la boutade de Mark Twain : l'annonce de sa mort est grandement exagérée. ◊

Notes et sources, p. 332

Aujourd'hui, le gouvernement a annoncé qu'il allait répandre la culture québécoise partout!
Pascal
30 juin 17

Économie

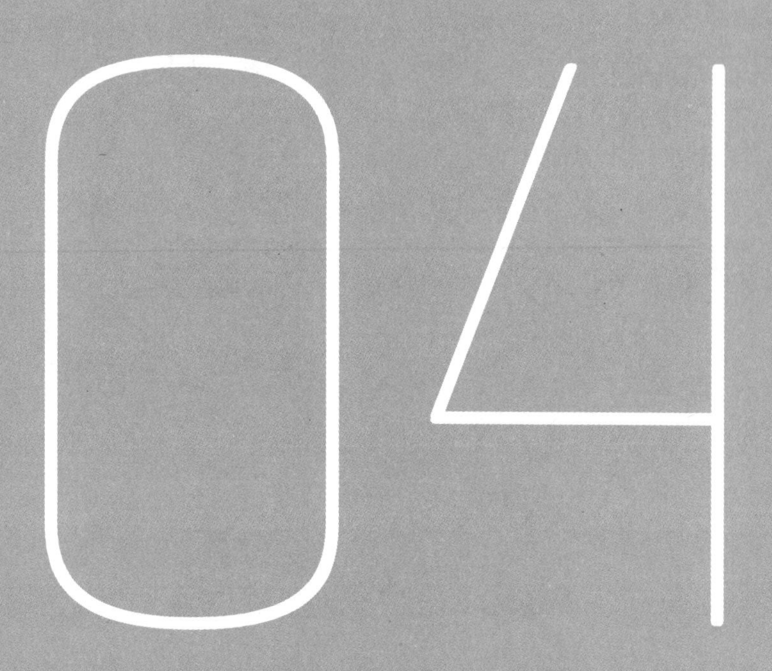

QUI SONT NOS ENTREPRENEURS ?

Se « partir une *business* » au Québec ? Nous sommes plus nombreux que jamais à le vouloir. Mais pour prendre conscience de cette réalité, il fallait commencer par la mesurer. C'est chose faite depuis la création de l'Indice entrepreneurial québécois !

RINA MARCHAND
Directrice principale des contenus et de l'innovation, Fondation de l'entrepreneurship

Créé et lancé en 2009 par la Fondation de l'entrepreneurship, l'Indice entrepreneurial québécois est le plus important sondage annuel sur les entrepreneurs actuels et en devenir jamais réalisé au Québec. Il constitue un outil stratégique permettant aux entrepreneurs, gens d'affaires, intervenants socioéconomiques et journalistes de mieux comprendre comment se vit l'entrepreneuriat au Québec et de suivre son évolution.

Cet indice, présenté depuis 2010 par la Caisse de dépôt et placement du Québec et produit en partenariat avec l'Institut d'entrepreneuriat Banque Nationale–HEC Montréal et Léger, nous permet donc de mesurer l'ensemble du processus entrepreneurial. Quelques exemples : la culture entrepreneuriale ; l'intention de créer ou de reprendre une entreprise ; les démarches de création ou de reprise ; les propriétaires d'entreprise ; la fermeture d'entreprise ; la relève entrepreneuriale ; l'intention de croissance et d'innovation ; l'exportation ; le développement durable ; l'environnement externe ; etc. L'indice précise également l'horizon temporel dans lequel ce processus se déroule.

UNE PROGRESSION NOTABLE

Depuis le début de la publication de l'indice, en 2009, l'entrepreneuriat québécois a résolument progressé. Pour s'en rendre compte, il suffit d'observer le bond spectaculaire du taux d'intention d'entreprendre de l'ensemble de la population québécoise. Alors qu'il se situait à 7 % en 2009, il a triplé et a atteint 21 % en 2016 ! Quant au taux de propriétaires d'entreprise, il était de 7,2 % pour s'établir à 7,5 % en 2016, après avoir connu certaines petites variations.

Oui, un long chemin a été parcouru en matière de culture entrepreneuriale. Ces changements ne sont pas encore très visibles en ce qui a trait au nombre de nouveaux entrepreneurs, mais ils semblent avoir réussi à donner un réel coup d'envoi et redressé le cap de notre dynamisme entrepreneurial. En effet, beaucoup d'efforts ont été déployés ces dernières années, particulièrement en matière de sensibilisation et de promotion de l'entrepreneuriat, ainsi que du côté de la médiatisation de nos entrepreneurs. Tout cela, parfois, au grand dam de certains d'entre eux, qui estiment qu'on porte trop d'attention au côté *glamour* de la chose… et pas suffisamment à la difficulté et à la complexité du processus.

Mais qu'à cela ne tienne : ces efforts ont permis de faire évoluer l'acceptabilité du métier d'entrepreneur dans notre société. Au point où il est devenu le choix de carrière le plus en vue dans la population, et tout particulièrement chez les jeunes (18-34 ans).

Par conséquent, faut-il cesser de faire la promotion de l'entrepreneuriat ? Surtout pas ! En plus de soutenir ce potentiel « pipeline » d'entrepreneurs, notre société a pour défi d'encourager ceux qui souhaitent devenir entrepreneurs à sauter le pas et à faciliter cette conversion. Son autre défi – encore plus grand, celui-là – consiste à leur offrir les outils et les conditions nécessaires afin qu'ils puissent affronter les premières années périlleuses de leur entreprise, tout en réussissant à concevoir une entreprise installée au Québec, mais tournée vers l'international dans toutes ses dimensions.

Par ailleurs, sans se lancer dans une analyse poussée des secteurs d'activité les plus prisés, il faut rappeler que le secteur manufacturier demeure l'un de ceux qui sont les plus boudés par les personnes ayant l'intention d'entreprendre ou faisant des démarches pour se lancer en affaires. Il y a donc lieu de fournir des efforts de sensibilisation et de promotion de l'entrepreneuriat à cet égard.

Le secteur manufacturier demeure l'un de ceux qui sont les plus boudés par les personnes ayant l'intention d'entreprendre.

QUATRE PROFILS

Tous les entrepreneurs québécois sont indispensables à notre économie. Une majorité d'entre eux jouent un rôle spécifique et indispensable au tissu local et régional de notre développement. D'autres, beaucoup moins nombreux, ont le potentiel de créer un effet de levier important sur notre économie et sur la présence du Québec sur l'échiquier mondial. Mais pour bien accompagner ces entrepreneurs, quels qu'ils soient, il est essentiel de mieux les connaître. Ainsi, la plus récente édition (novembre 2016) de l'Indice entrepreneurial québécois s'est attachée à tracer le portrait de l'entrepreneur d'ici et a permis de dégager quatre profils distincts. À eux quatre, ces profils regroupent la totalité des propriétaires d'entreprise du Québec.

L'« individualiste » représente presque la moitié des répondants entrepreneurs (propriétaires d'entreprise) de l'indice, soit 43,2 %. Il entreprend pour créer son propre emploi et pour occuper une niche bien ciblée dans sa localité.

L'« enraciné » représente plus du tiers des entrepreneurs (37,4 %). Son entreprise a souvent une certaine envergure sur le plan régional et constitue par conséquent une source d'emplois significative.

Il est à noter que les individualistes et les enracinés ne semblent pas être portés à faire des études universitaires (taux respectifs de 47,6 et de 45,9 %).

Inversement, le « prudent » se démarque à cet égard : il a fait des études universitaires dans une proportion de 68,1 %. Ce profil occupe toutefois la position la plus marginale au sein du bassin d'entrepreneurs, puisqu'il ne représente que 7,3 % d'entre eux. Une faible propension à prendre des risques et un manque de volonté à embaucher représentent deux freins importants pour les personnes qui font partie de ce groupe.

L'ADN du « chef de file » (12,1 % des propriétaires) est lui aussi caractérisé par un haut niveau de scolarisation (taux de diplomation universitaire de 67,4 %) ; sans oublier une intention de s'internationaliser dès le démarrage de son entreprise, une volonté d'embaucher et d'innover, ainsi qu'une propension à prendre des risques. Précisons que le chef de file est aussi le profil où le pourcentage d'hommes est le plus important (77,1 % des chefs de file sont de sexe masculin), contrairement à l'individualiste, un profil qu'on trouve presque autant chez les femmes que chez les hommes.

Les résultats de l'Indice entrepreneurial québécois 2016 suggèrent aussi que l'université, avec tout le bagage de connaissances, d'expérience et de contacts qu'elle apporte, est en train de court-circuiter le cycle usuel d'internationalisation des entreprises. Ainsi, au lieu de

La différence entre la propension des hommes à devenir des entrepreneurs et celle des femmes à faire la même chose se traduit par une perte théorique de dizaines de milliers d'entreprises au Québec !

songer « un jour » à exporter ou à faire du commerce à l'international, de nombreux jeunes entrepreneurs élaborent des modèles d'affaires basés sur une internationalisation de leur entreprise dès le jour 1.

UN IMPORTANT POTENTIEL

Force est d'admettre que tout n'est pas encore gagné pour le Québec. Il reste encore du chemin à parcourir, mais plusieurs « clientèles » présentent un important potentiel d'entrepreneuriat. Pensons d'abord aux immigrants, qui sont de véritables contributeurs à la chaîne entrepreneuriale. Nous avons tout avantage à soutenir ces preneurs de risques nés, qui, bien souvent, arrivent avec un fort bagage en éducation – et, par conséquent, des atouts supplémentaires pour bâtir une entreprise solide.

Par ailleurs, il faut impérativement soutenir l'entrepreneuriat féminin québécois. En 2016, on dénombrait 9,9 % d'hommes qui étaient propriétaires d'entreprise, alors qu'on en comptait 5,3 % du côté des femmes. La différence entre la propension des hommes à devenir des entrepreneurs et celle des femmes à faire la même chose se traduit par une perte théorique de dizaines de milliers d'entreprises au Québec !

Enfin, est-il possible de faire émerger d'autres fleurons au sein de Québec inc. ? Oui, mais pour y parvenir, nous devrons tabler sur des entrepreneurs qui voudront défoncer le fameux plafond de verre qui arrête les propriétaires atteignant un certain niveau de prospérité. Un niveau confortable qui, lorsqu'on le franchit, nécessite de remettre beaucoup de choses en jeu, comme sa stabilité financière et sa qualité de vie personnelle.

Difficile de prédire si le Québec pourra compter davantage de « marathoniens » de l'entrepreneuriat dans ses rangs. Mais une chose est sûre : beaucoup plus de personnes se trouvent déjà sur la ligne de départ !

Auteurs de l'Indice entrepreneurial québécois 2016

Mihai Ibanescu, Ph. D., chercheur, Institut d'entrepreneuriat Banque Nationale–HEC Montréal (iebn.hec.ca), et Rina Marchand

À propos de la Fondation de l'entrepreneurship

En plus de publier l'Indice entrepreneurial québécois, la Fondation de l'entrepreneurship anime et gère depuis l'an 2000 le Réseau M – mentorat pour entrepreneurs (quelque 4 500 mentors et mentorés). Sa mission : développer le plein potentiel des entrepreneurs grâce au mentorat. Pour plus de détails sur l'indice et le Réseau M : www.reseaum.com. ◊

LES GÉANTS DÉBARQUENT DANS VOTRE ASSIETTE

Sans contredit, la distribution mène le monde agroalimentaire et dicte ce que la plupart des Canadiens mangent chaque jour. Pendant des années, l'expérience, la fraîcheur et surtout les bons prix assuraient le succès aux distributeurs. Mais aujourd'hui, de nouveaux joueurs viennent changer la donne dans cet important secteur économique.

SYLVAIN CHARLEBOIS

Doyen de la Faculté de management et professeur en distribution et politiques agroalimentaires, Université Dalhousie

Séduire le consommateur qui cherche à se nourrir selon ses besoins, jour après jour, est dorénavant un défi de taille. Pour bien cerner les goûts et les tendances qui affectent la consommation alimentaire, l'art et l'intuition ne suffisent plus. La science de l'information et l'analytique s'emparent peu à peu d'un secteur relativement traditionnel jusqu'à maintenant. Les trois plus gros joueurs de la distribution au Canada, soit Loblaw-Provigo, Sobeys-IGA et Metro, se font bousculer par les acteurs non traditionnels de l'industrie. Costco et Walmart ont déjà fait leurs marques au Canada, mais d'autres détaillants menaçants se profilent à l'horizon, comme Amazon, Aldi et Lidl. Bref, l'univers de la distribution vit une véritable métamorphose ces dernières années, et les choses risquent de se compliquer encore davantage en 2018.

PORTRAIT D'UN SECTEUR

Le leader incontestable de l'alimentation au Canada demeure Loblaw-Provigo. Armée de ses marques privées chéries, soit Sans nom et Le Choix du Président, l'entreprise génère annuellement près de 47 milliards de dollars en ventes. Au fil du temps, Loblaw-Provigo est devenu l'un des plus grands employeurs privés du pays avec 135 000 employés, et il gère la cinquième chaîne d'approvisionnement sur le plan de la taille en Amérique du Nord. L'achat de Pharmaprix en 2013 pour la somme de 12,4 milliards de dollars – un coup de maître pour l'entreprise – lui a permis de consolider la position de ses marques privées au cœur de plusieurs centres urbains, et ce, en un temps record.

De plus, le programme de récompenses de Pharmaprix, un modèle du genre dans l'industrie du détail, a permis à Loblaw d'augmenter la fréquence des visites dans ses magasins. Malgré une bonne performance financière au cours de la dernière année, Loblaw-Provigo a toutefois prévenu que l'avenir ne serait pas simple...

Pour sa part, depuis qu'il a mis la main sur Safeway, en 2013, Sobeys-IGA

– le deuxième joueur en matière de distribution alimentaire, générant des ventes annuelles de 24 milliards de dollars – éprouve des difficultés. Avec cette acquisition, deux cultures s'affrontent, et la réconciliation stratégique entre les deux ne s'est pas réellement concrétisée avant l'arrivée du nouveau PDG, Michael Medline. Sobeys-IGA a également commencé à faire des licenciements et se préoccupe de son efficacité. L'entreprise a beaucoup à faire pour maintenir son deuxième rang au Canada ; toutefois, 2017 a été sa meilleure année depuis 2013.

Seule chaîne québécoise encore en service, Metro affiche quant à elle une belle performance et maîtrise son marché. Contrairement à ses deux concurrents, elle demeure un joueur régional. Si elle est encore numéro un au Québec, ses jours au sommet du palmarès sont peut-être comptés...

WALMART CANADA, COSTCO... ET AMAZON

Walmart, une entreprise établie à Bentonville, en Arkansas, n'a jamais caché son ambition de devenir le détaillant en alimentation le plus important au Canada. Depuis le premier trimestre de 2017, le détaillant se classe bon troisième au pays, tout juste devant Metro, mais derrière Loblaw-Provigo et Sobeys-IGA. Walmart vend maintenant environ 14 milliards de dollars en produits alimentaires au Canada. Depuis que l'entreprise a déployé sa stratégie des Supercentres (dont la moitié de la surface est garnie de produits alimentaires), ses ventes ont augmenté de 700 à 900 millions de dollars par année. Bien évidemment, cette performance en rend plusieurs nerveux. Si la tendance se maintient, d'ici 20 ans, Walmart ravira à Loblaw la couronne du plus grand détaillant alimentaire. Et le géant y parviendra grâce à sa logistique remarquable.

> Amazon investit dans Amazon Go, un magasin sans caissier où quiconque peut prendre des produits et partir sans payer, étant donné que les transactions s'effectuent par téléphone intelligent.

Mais un élément pourrait bien changer la donne : dans 20 ans, les millénariaux domineront le marché. Cette génération, qui a grandi avec Internet, ne se gêne pas pour acheter en ligne – même l'épicerie. Aussi le successeur de Walmart à titre de premier distributeur alimentaire pourrait bien être Amazon.

Amazon est un véritable mastodonte, dont l'objectif avoué est de dominer le marché. Depuis ses débuts, en 1994, il a affaibli plusieurs secteurs de notre économie en raison de son imposante main-d'œuvre, constituée de 235 000 employés. Le domaine du livre et les librairies, sans oublier les centres commerciaux et plusieurs détaillants bien connus, ont ressenti les remous causés par ce géant du commerce électronique, et ce, depuis longtemps. Puis, avec l'achat récent de Whole Foods, Amazon pourrait bien faire trembler le secteur de la distribution alimentaire des deux côtés de la frontière.

Personne n'a été surpris de voir Whole Foods passer entre les mains d'une autre entreprise, en 2017. Mais le nom de l'acquéreur, Amazon, en a étonné plus d'un, puisque plusieurs perçoivent ce dernier comme un nouveau venu en alimentation. Or, cette transaction s'inscrit dans une stratégie mise en place il y a déjà un certain temps. Amazon investit dans Amazon Go, un magasin sans caissier où quiconque peut prendre des produits et partir sans payer, étant donné que les transactions s'effectuent par téléphone intelligent. Le géant de la vente en ligne a même élaboré de nouvelles marques privées afin de fidéliser sa clientèle.

Contrairement à d'autres détaillants, Amazon maîtrise les sciences de l'information. Ainsi, il tente de comprendre le client avant même que celui-ci sache exactement ce qu'il recherche. Les algorithmes permettent à Amazon d'anticiper les achats, les comportements et les hésitations entre certaines marques ; bref, absolument tout. Mieux que quiconque, il a acquis parfaitement cette connaissance, et ce, alors même que les chaînes traditionnelles de supermarchés commencent à peine à mieux saisir le sens du marché, surtout en ce qui concerne l'achat en ligne. Car pendant des années, les trois grands de l'alimentation, soit Loblaw, Sobeys et Metro, ont rejeté l'idée d'adopter une stratégie agressive de commerce en ligne. Mais ces derniers temps, peu à peu, les marchands traditionnels ont apprivoisé le monde de l'achat en ligne en vue de défendre leurs acquis. La raison principale ? Amazon. Même Walmart se prête au jeu.

L'attrait de Whole Foods pour Amazon n'a rien à voir avec les quelque 450 magasins situés un peu partout en Amérique du Nord. D'ailleurs, loin d'Amazon l'idée de se diriger vers le magasin fait de briques et de mortier, mais cette acquisition offre une logistique en distribution. Reconnue pour être la façade d'une gigantesque filière biologique, Whole Foods fournira à son nouveau propriétaire une capacité de production hors pair. Et puisque la production biologique est variable et difficile à gérer, Whole Foods donne à Amazon un avantage énorme sur d'autres concurrents (comme Walmart).

Cependant, Amazon demeure une énigme pour les investisseurs. Malgré le fait que ses revenus dépassent les 130 milliards de dollars, son niveau de profitabilité n'a jamais été constant. On note toutefois un rendement financier intéressant au cours de plusieurs trimestres consécutifs. Depuis deux ans, Amazon démontre ainsi sa volonté d'attirer des investisseurs en devenant de plus en plus profitable. C'est d'ailleurs fort probablement son action – laquelle vaut pratiquement 1 000 dollars – qui a permis à Amazon d'acheter Whole Foods pour 13 milliards de dollars en argent comptant. On a alors assisté à la plus grosse transaction, et de loin, de la jeune histoire de l'entreprise. Mais au lieu d'augmenter ses profits, Amazon a choisi de réinvestir en recherche... et c'est payant.

Amazon veut devenir le plus grand détaillant du monde, et il y parviendra sûrement. Il offre une variété incroyable de produits à prix avantageux et un service de livraison imbattable. Il projette même de livrer par drone afin de réduire ses coûts ! L'entreprise de Seattle a rapidement compris que, pour atteindre son objectif, elle doit vendre des produits alimentaires. Le commerce de détail en alimentation sur le continent nord-américain représente plus de 900 milliards de dollars – un secteur trop alléchant pour pouvoir être ignoré. En outre, l'achat alimentaire crée des habitudes chez les consommateurs, et si Amazon veut davantage de clients, il veut surtout plus de clients fidèles.

L'INVASION ALLEMANDE

Pendant que les joueurs non traditionnels prennent position sur l'échiquier, Lidl, le géant allemand de la distribution alimentaire, s'est installé aux États-Unis en 2017. Aldi, un autre mastodonte allemand, planifie également d'ouvrir plus de 900 magasins supplémentaires aux États-Unis. En alimentation, les Américains vivent donc une véritable invasion germanique, mais le cas de Lidl est particulier. Pendant qu'Aldi propose la simplicité, Lidl minimalise. Cette dernière exploite déjà plus de 10 000 magasins dans 27 pays, ce qui en fait la cinquième au monde sur le plan du nombre de commerces. L'entreprise emploie plus de 325 000 personnes et génère plus de 120 milliards de dollars de revenus, soit trois fois plus que le numéro un canadien en alimentation, Loblaw. Autrement dit, Lidl est un autre monstre du détail.

Lidl privilégie l'approche minimaliste au plus haut niveau en invitant les clients à sortir eux-mêmes les produits des boîtes d'expédition. Le nombre d'employés dans chaque point de vente est maintenu au strict minimum. De plus, la taille moyenne d'un magasin de cette chaîne ne dépasse guère 1 951 mètres carrés (21 000 pieds carrés), une surface nettement plus petite que celle de plusieurs supermarchés. Le commerce moyen n'a que 6 allées, comparativement à plus de 20 chez ses concurrents. Les clients peuvent donc mettre la main sur le produit recherché en un rien de temps. La confusion des marques, des saveurs et des quantités offertes n'existe pas chez Lidl, puisque dans 90 % des cas seule la marque maison se retrouve sur les tablettes. C'est le minimum au prix minimum tandis que le concept de l'expérience client est complètement évacué.

Lidl aborde aussi la notion de gaspillage avec art, ce qui contribue grandement à son succès. Ses magasins utilisent beaucoup la lumière naturelle, et sont donc moins énergivores que ceux de ses concurrents. Il y a peu d'espace pour l'entreposage, la gestion ne requiert à peu près pas de papier et la faible manipulation des produits limite les pertes, surtout pour ce qui est des fruits et légumes. Bien sûr, il ne faut pas s'attendre à voir de belles pyramides de tomates ou de pommes dans ces magasins. Au contraire, le détaillant étale son offre afin de standardiser le « temps tablette » de ses produits.

Il sera intéressant de voir si l'une de ces chaînes allemandes, ou les deux, pénétreront le marché canadien d'ici les prochaines années, et de quelle façon elles le feront. Sobeys-IGA est très vulnérable, mais Metro pourrait aussi devenir une proie intéressante.

LA NÉCESSAIRE TRANSFORMATION NUMÉRIQUE

Les forces démographiques sont telles que les distributeurs alimentaires devront s'adapter rapidement. Les chaînes traditionnelles vont vraisemblablement devoir gérer une décroissance. Le secteur n'aura d'autre choix que de s'ajuster à cette réalité. La numérisation prend d'assaut le commerce de détail, et la distribution alimentaire ne fait pas exception. Certains s'adapteront, alors que d'autres disparaîtront, tout simplement pour faire place à des joueurs qui comprendront l'influence des millénariaux et de la fragmentation du marché alimentaire.

Pendant longtemps, l'offre dictait au client ce qu'il devait acheter. Désormais, c'est à l'offre de s'adapter à une demande qui jouit d'une autonomisation sans précédent par l'entremise des réseaux sociaux, générant ainsi une crise identitaire du côté des chaînes de supermarchés traditionnelles. Le consommateur n'a certes pas toujours raison ; il ne sait pas tout et il est même parfois très confus, mais son pouvoir d'achat restera toujours influencé par les perceptions. Certains l'ont déjà compris. ◊

RECONNAISSANCE DES ACQUIS ET DES COMPÉTENCES DES IMMIGRANTS : LES DÉFIS DERRIÈRE LES MYTHES

Au-delà des clichés commodes sur les ordres professionnels, quels sont les enjeux de la reconnaissance des acquis et des compétences des personnes immigrantes ? Ces enjeux interpellent l'État québécois dans sa capacité – et sa difficulté – à proposer une réponse cohérente dans ce domaine. L'État n'a pas encore fait la démonstration convaincante qu'il a réuni les conditions pour réussir.

JEAN-FRANÇOIS THUOT
Politologue et administrateur agréé,
ancien directeur général du Conseil interprofessionnel du Québec

L'année 2017 a donné lieu à des actions gouvernementales soutenues concernant l'enjeu de la reconnaissance des acquis et des compétences (RAC), une clé indispensable à l'équilibre et à la vitalité du marché du travail québécois.

La tenue, en février 2017, du Rendez-vous national sur la main-d'œuvre, convoqué par le premier ministre Philippe Couillard, a souligné l'importance du dossier. Quelques semaines plus tard, en avril, la nouvelle Politique internationale du Québec était dévoilée, mettant l'accent sur la mobilité de la main-d'œuvre. En juin était adopté le projet de loi 98 modifiant le Code des professions, dont l'un des objectifs est d'accélérer la reconnaissance des compétences des personnes immigrantes qui se destinent à l'exercice d'une profession réglementée. En juin toujours, le rapport du Comité interministériel sur la reconnaissance des compétences des personnes immigrantes était rendu public. Début septembre, une mise à jour des arrangements de reconnaissance mutuelle, en vertu de l'Entente France-Québec sur la reconnaissance des qualifications professionnelles, était annoncée. En octobre, enfin, le premier ministre convoquait les principaux acteurs de la RAC à une rencontre destinée à donner une nouvelle impulsion au dossier[1].

Sur le terrain médiatique, l'effervescence de la dernière année a surtout mis sur la sellette les ordres professionnels, accusés par plusieurs de faire obstacle à la fluidité du marché du travail, particulièrement en matière d'intégration des personnes immigrantes.

Deux dossiers ont été éloquents en cette matière : le projet de loi 98 et le rapport du comité interministériel. Nous allons, dans les pages qui suivent, examiner ces dossiers au-delà des pseudo-vérités sur les ordres professionnels, afin de recentrer le regard sur des enjeux véritables de la RAC. Ces enjeux interpellent l'État québécois dans sa capacité – et sa difficulté – à proposer une réponse cohérente dans ce domaine. À ce jour, l'État n'a pas encore démontré de façon convaincante qu'il a réuni les conditions gagnantes. Mais la prochaine année sera déterminante, comme on le constatera plus loin.

QU'EST-CE QUE LA RAC ?

La reconnaissance des acquis et des compétences est un dispositif favorisant l'intégration au marché du travail, sur la base des qualifications obtenues par une personne et d'une certification de ses compétences acquises en milieu de travail ou autrement, selon un référentiel valide, fiable et légitime.

La RAC constitue un outil de gestion de la main-d'œuvre approprié au contexte actuel de mobilité nourri par la mondialisation, les changements technologiques et l'évolution démographique, cette dernière étant marquée au Québec par le déclin de la population en âge de travailler. La RAC est un ingrédient essentiel de l'arrimage des politiques de l'emploi, de l'éducation et de l'immigration. Les personnes immigrantes et d'autres populations adultes en repositionnement de carrière constituent les clientèles privilégiées de la RAC.

Il n'y a pas qu'une RAC, mais plusieurs. Ainsi, la RAC des commissions scolaires, des cégeps et des universités, axée sur l'obtention d'un diplôme, diffère-t-elle de celle des milieux de travail, orientée vers l'obtention d'un emploi, ou de celle des organismes de réglementation (métiers et professions), axée sur l'obtention de la capacité légale d'exercer. Quant à la RAC des ordres professionnels, elle se distingue par le fait que la capacité légale d'exercer a pour finalité la protection du public.

En somme, la RAC met en scène une grande diversité d'acteurs. Si le terrain est complexe, il est toutefois balisé. Il est aussi contraint par des ressources limitées, provenant pour l'essentiel de l'État.

LES ORDRES PROFESSIONNELS ET LA RAC

Les ordres traitent sur une base annuelle environ 4 500 demandes de RAC de candidats formés à l'extérieur du Québec, une hausse de plus de 500 % depuis 2000. Ce volume ne représente toutefois que 9 % du nombre total de personnes immigrantes sélectionnées par le Québec (environ 50 000 par année).

Le Code des professions, la loi-cadre des ordres professionnels, oblige chaque ordre à adopter un règlement sur la « reconnaissance de l'équivalence de la formation ou du diplôme » pour les candidats qui ne possèdent pas le diplôme reconnu pour obtenir un permis professionnel, et à faire approuver ce règlement par le conseil des ministres. Le règlement fixe les normes et le processus devant être mis en œuvre par un ordre pour traiter les demandes de reconnaissance, incluant un mécanisme d'appel des décisions. Tout projet de règlement est examiné par l'Office des professions du Québec, qui le recommande ensuite au gouvernement. Le règlement a force de loi une fois qu'il est sanctionné par ce dernier.

Par ailleurs, un commissaire aux plaintes en matière de reconnaissance des compétences professionnelles, rattaché à l'Office des professions, reçoit et traite les plaintes des candidats insatisfaits de la décision d'un ordre.

QUELQUES CHIFFRES

Contrairement aux idées reçues, les résultats des ordres au chapitre de la RAC sont plutôt positifs. Ainsi, le taux de reconnaissance complète ou partielle des demandes a connu une progression remarquable : de 66 % au début des années 2000 à 95 % aujourd'hui. De 2012 à 2016, seulement 6,1 % des demandes ont été refusées, alors qu'en 1997 le taux de refus avoisinait les 30 %.

Chaque année, 15 % des permis sont délivrés par les ordres à des personnes immigrantes formées hors du Québec, et 2 000 permis professionnels ont été délivrés par les ordres en vertu de l'Entente France-Québec depuis 2010.

Pour sa part, le commissaire aux plaintes ne reçoit qu'une dizaine de plaintes par année (73 au total depuis 2010), alors que les ordres ont traité plus de 23 000 demandes pendant la même période. Sur le nombre de plaintes, seulement 21 ont requis une intervention du commissaire auprès des ordres ciblés.

Alors, quel est le problème ? En fait, la moitié des candidats acceptés doivent suivre une formation d'appoint ou faire un stage afin d'obtenir le niveau de compétence équivalent à celui exigé des diplômés du Québec. À cette étape surgissent deux difficultés majeures : l'offre de formation d'appoint dans les établissements d'enseignement est insuffisante ; l'accès aux stages est compromis dans les milieux d'emploi par le manque de places disponibles, en particulier dans le réseau de la santé et des services sociaux. Or, la moitié des professions réglementées sont dans le domaine de la santé.

> Dans un contexte de médiatisation des difficultés d'intégration des personnes immigrantes, la pression s'est centrée sur les ordres professionnels tout au long de l'année 2017.

Ces obstacles se trouvent en aval de la RAC effectuée par les ordres et échappent à leur contrôle. Les établissements d'enseignement et les établissements du réseau de la santé et des services sociaux, pour leur part, plaident les coûts élevés et l'insuffisance de ressources. La situation est compliquée par le fait que les candidats reçoivent peu ou pas de soutien financier.

Résultat : on estime qu'au moins 50 % du contingent faisant l'objet d'une prescription de formation d'appoint ou de stages ne se rendra pas au bout du processus.

LE PROJET DE LOI 98

Dans un contexte de médiatisation des difficultés d'intégration des personnes immigrantes, la pression s'est centrée sur les ordres professionnels tout au long de l'année 2017. On leur reproche leur fermeture à l'égard des personnes immigrantes[2], même si les données existantes ne permettent pas de conclure au manque d'équité et d'efficacité des ordres.

Le projet de loi 98 adopté en juin 2017 s'inscrit dans cette conjoncture. Une disposition majeure du projet de loi, qui modifie le Code des professions, concerne l'élargissement des compétences du commissaire aux plaintes en matière de reconnaissance des compétences professionnelles, qui devient le « commissaire à l'admission ». De nouvelles obligations relatives au processus d'admission des ordres sont également inscrites au Code des professions. Enfin, le projet institue un « pôle de coordination pour l'accès à la formation » composé de représentants d'organismes et de ministères concernés par le sujet, sous les auspices de l'Office des professions.

L'approche dominante du projet de loi 98 au chapitre de la RAC est celle du contrôle et de la surveillance accrue des ordres professionnels. Dans une entrevue radiophonique accordée au journaliste Paul Arcand en mai 2016, la ministre de la Justice et ministre responsable de l'application des lois professionnelles, Stéphanie Vallée, admettait sans ambages que l'objectif gouvernemental était de contrer le « corporatisme » allégué des ordres.

Qualifiant l'approche de bureaucratique et de coûteuse, les ordres et leur association, le Conseil interprofessionnel du Québec, se sont opposés à la transformation du poste de commissaire et ont dénoncé l'absence de solutions concrètes aux difficultés d'accès à la formation d'appoint et aux stages. Quant au pôle de coordination, son institutionnalisation ne modifierait en rien son absence de pouvoir effectif, d'autant que l'organisme, qui existe depuis 2010, n'a généré aucun résultat probant.

LE RAPPORT DU COMITÉ INTERMINISTÉRIEL

Au moment où était adopté le projet de loi 98, le portail gouvernemental mettait discrètement en ligne le rapport du Comité interministériel sur la reconnaissance des compétences des personnes immigrantes. Le changement de ton, comme on le constatera, est radical.

Mis sur pied en 2014 à la demande du premier ministre, le comité regroupait, sous la responsabilité du ministère de l'Immigration, de la Diversité et de l'Inclusion, les représentants de quatre autres ministères, de trois organismes gouvernementaux et d'un organisme non gouvernemental[3]. On y notera toutefois l'absence d'employeurs du secteur privé.

Le rapport est à large spectre : il établit un diagnostic documenté des difficultés en matière de RAC des personnes immigrantes, insistant sur le fait que ces difficultés sont de nature « systémique » et « transversale », faisant apparaître le manque de cohérence des interventions publiques en la matière, notamment au sein de l'appareil étatique.

Trois difficultés majeures sont identifiées : la faible concertation des acteurs ; le partage insuffisant des informations et l'absence de données probantes pour orienter les interventions publiques ; l'absence d'aiguillage dans la panoplie de services offerts.

Les pistes de solution avancées par le comité sont principalement à caractère opérationnel et concernent tous les niveaux d'intervention. Le comité constate cependant que leur mise en œuvre requiert une impulsion du sommet. À cet égard, la recommandation la plus puissante du rapport est de nature stratégique : la création d'un « comité ministériel » composé des ministres concernés – dont la ministre de l'Enseignement supérieur et le ministre de la Santé et des Services sociaux – et chargé de réaliser les recommandations du rapport et de mettre en place un plan d'action.

Le message est clair : une stratégie coordonnée en matière de RAC est dorénavant requise ; le succès de cette stratégie passe par la responsabilisation des titulaires de portefeuilles ministériels eux-mêmes.

Ironiquement, le rapport fait écho à ce que les ordres professionnels avaient réclamé pendant la controverse sur le projet de loi 98, soit le déploiement d'une approche collaborative qui responsabilise les partenaires. Quant à la formation d'un comité ministériel, elle avait été proposée par le Conseil interprofessionnel du Québec (CIQ)[4].

Cependant, le rapport est pratiquement muet en ce qui concerne la RAC dans le secteur privé. La responsabilité des employeurs privés n'est pourtant pas la moindre ; il est temps que leurs pratiques tombent aussi sous le regard public.

La prochaine étape sera de connaître les intentions gouvernementales à l'égard des pistes proposées dans le rapport. De source officieuse au moment d'écrire ces lignes, le comité ministériel verrait le jour. Mais le succès du plan d'action annoncé pour l'automne 2017 dépendra des ressources réellement consenties, notamment au chapitre du développement de la formation d'appoint et de l'accès aux stages, particulièrement dans le domaine de la santé et des services sociaux. ◊

Notes et sources, p. 332

Classe moyenne : qui pense en faire partie et l'impact sur la perception de sa contribution fiscale

ANTOINE GENEST-GRÉGOIRE
Professionnel de recherche à la Chaire de recherche en fiscalité et en finances publiques de l'Université de Sherbrooke

LUC GODBOUT
Professeur de fiscalité et titulaire de la Chaire de recherche en fiscalité et en finances publiques de l'Université de Sherbrooke

JEAN-HERMAN GUAY
Professeur titulaire à l'École de politique appliquée de l'Université de Sherbrooke

Dans les médias, chez les acteurs publics comme chez le simple citoyen, la notion de classe moyenne est omniprésente. Il existe pourtant un flou important autour de la composition réelle de ce groupe qui semble englober un peu tout le monde. Il est donc intéressant de se demander: qui pense faire partie de la classe moyenne et comment cette perception influe-t-elle sur la perception des inégalités entre classes sociales au Québec ?

Une récente étude[1] produite par la Chaire de recherche en fiscalité et en finances publiques de l'Université de Sherbrooke a exploré cette question. On s'y demandait si les Québécois ont la bonne perception de la classe moyenne. Ont-ils tendance à croire qu'elle s'applique à eux alors qu'ils seraient dans les faits trop pauvres ou trop riches pour en faire partie? Comment leur perception des classes sociales influence-t-elle leur opinion sur la répartition des impôts?

UN SONDAGE RÉVÉLATEUR

Pour répondre à ces questions, on a d'abord demandé directement aux Québécois s'ils considéraient faire partie de la classe moyenne, par le biais d'un sondage réalisé par la firme CROP. On a également comparé ces données avec un classement établi en fonction des revenus et de la taille du ménage des mêmes répondants. Selon l'étalon de comparaison internationale de la classe moyenne, y appartiennent les personnes ayant entre 75 et 150 % du revenu médian, ajusté pour la taille du être englobées dans la classe moyenne, malgré ce que semblait indiquer leur niveau de revenu. La même tendance s'est observée lorsque l'on a demandé aux répondants de se placer sur une échelle de revenu allant de 1 à 10 : les catégories du centre sont bien plus

> Une fiscalité sur laquelle les citoyens n'ont pas d'emprise est une source importante de cynisme.

ménage. Par exemple, une personne seule était réputée dans la classe moyenne si son revenu annuel, avant impôt mais après transferts publics, était compris entre 29 000 et 57 000 $. Il en allait de même pour les familles de quatre personnes si leur revenu annuel total s'établissait entre 57 000 et 114 000 $. Par ailleurs, si l'on s'en tient à ces balises, certaines personnes peuvent être considérées comme en dessous de la classe moyenne, parce que leur revenu ajusté est trop faible, ou au-dessus, pour les raisons inverses.

Il ressort de cette enquête que près des deux tiers des membres de la classe moyenne ou de la classe moins favorisée se sont identifiés correctement à leur classe, selon leur revenu ajusté. Toutefois, près des deux tiers des gens dont les revenus sont trop élevés pour appartenir à la classe moyenne considéraient malgré tout en faire partie. Ainsi, bon nombre de personnes trop pauvres, mais surtout de personnes trop riches, estimaient populaires, et les membres des catégories supérieures avaient aussi particulièrement tendance à se voir plus proches du centre qu'ils ne le sont réellement.

LA THÉORIE DU GROUPE DE RÉFÉRENCE

La tendance à se considérer plus souvent qu'on le devrait dans la classe moyenne est fréquemment[2] expliquée par la « théorie du groupe de référence ». L'idée est simple : lorsque l'on se compare à ses amis, à sa famille et à ses collègues de travail, on se croit en général dans la moyenne. Comme les gens ont tendance à être entourés de personnes au statut social similaire au leur, ils en viennent à sous-estimer les différences de revenus qui peuvent exister dans l'ensemble de la société. Tout le monde en viendrait donc à penser qu'il fait partie de la classe moyenne.

Le Québec ne semble pas confirmer cette théorie. En effet, les études montrent habituellement que tous ont tendance à surestimer leurs chances de faire partie de la classe moyenne, alors qu'au Québec ce sont principalement les plus riches qui commettent cette erreur. On a donc cherché à comprendre les déterminants de cette gêne par rapport à la richesse.

On pourrait penser que les francophones, historiquement marqués par une culture judéo-chrétienne, seraient plus enclins à sous-estimer la classe à laquelle ils appartiennent. On pourrait également envisager que les femmes sont plus enclines à partager cette gêne, étant historiquement moins présentes dans les classes supérieures et les postes de pouvoir. Ni l'âge, ni le genre, ni la langue maternelle ne semblent toutefois susceptibles d'expliquer cette résistance.

Le ressentiment face à la montée réelle et perçue des inégalités dans les sociétés occidentales fournit peut-être une indication sur cette réticence à s'affirmer comme appartenant à une classe plus privilégiée. À cet égard, les données quant aux perceptions et aux souhaits relatifs à la progressivité de l'impôt sont évocatrices. Une nette majorité des répondants au sondage estimaient en effet que l'impôt sur le revenu, tel qu'il est appliqué au Québec, n'est pas progressif et, par conséquent, que les plus riches ne paient pas plus d'impôt que le reste de la population.

Les Québécois sondés sont d'ailleurs très conséquents avec la perception selon laquelle l'impôt sur le revenu repose davantage sur la classe moyenne et les moins fortunés: ils estiment très majoritairement que les « riches » ne paient pas suffisamment de cet impôt.

LA PERCEPTION DES INÉGALITÉS

Les chercheurs qui étudient les déterminants derrière les politiques économiques et fiscales ont démontré[3], depuis quelques années, que la perception des inégalités, plutôt que les inégalités effectives, est un facteur expliquant la demande de politiques fiscales ou économiques plus redistributives. Les résultats de l'étude prouvent toutefois qu'il existe une perception paradoxale chez bien des Québécois: ils désirent une contribution accrue des plus riches, sans savoir qu'ils sont eux-mêmes parmi les plus fortunés!

Une étude précédente des auteurs[4] montrait que les Québécois ont une certaine méconnaissance de la progressivité de l'impôt sur le revenu. Cette recherche insistait sur l'importance des connaissances, mais également des perceptions, par rapport au système fiscal, afin d'en assurer le bon fonctionnement. Or, une fiscalité sur laquelle les citoyens n'ont pas d'emprise, que ce soit parce qu'ils ne la comprennent pas ou parce qu'ils estiment qu'elle joue contre eux, est une source importante de cynisme et de perte de confiance envers les institutions publiques et les liens sociaux qu'elles sous-tendent.¶

Notes et sources, p. 332

NOUVELLE PERFORMANCE
LE GRAND
LEITÃO
ÎTRE DE
LLUSION
CONTRI-
BUABLE
27 oct 2016

Intelligence artificielle

AUTOMATISATION ET EMPLOI : QUELS DÉFIS DEVANT ?

D'ici 2030, environ le tiers des emplois traditionnels muteront ou disparaîtront sous l'effet des nouvelles technologies. L'intelligence artificielle permettra d'automatiser autant des emplois professionnels que des emplois de techniciens et de travailleurs manuels. Sur le plan socioéconomique, les experts prévoient des pertes, mais aussi des gains. Le point.

ERIC NOËL
Concepteur, projet Canada vers 2030
Vice-président principal pour l'Amérique du Nord, Oxford Analytica
Executive Fellow, Université de Calgary

Ce texte est une version abrégée d'un essai publié par l'Institut du Québec.

On parle depuis longtemps de ce qui semble être l'irréversible marche du Québec vers un choc démographique. D'ici 2030, le nombre de Québécois de 23 à 67 ans, soit la population réellement en âge de travailler, déclinera de 140 000 personnes. En revanche, celle des 68 ans et plus augmentera de plus de 630 000 personnes.

Faute d'un fulgurant essor de sa productivité, le Québec souffrira de sérieux problèmes de rareté de la main-d'œuvre. En conséquence, des économistes envisagent un recul du potentiel du PIB québécois, variant entre -0,7 % et -1,0 %[1]. Ce besoin de productivité et cette rareté de la main-d'œuvre peuvent-ils se résoudre grâce aux technologies de robotisation et d'automatisation ? Ou, au contraire, les 48 % de Québécois qui croient que celles-ci créeront d'énormes problèmes de chômage auront-ils raison[2] ?

Une chose est sûre : après les révolutions technologiques des secteurs primaire (agriculture), secondaire (industrie manufacturière) et tertiaire (informatisation), celle de l'automatisation et de la robotisation du secteur des services – incluant les services professionnels et spécialisés – ira en s'accélérant[3]. Rappelons ici que le secteur des services représente 80 % de l'emploi au Québec. Les technologies numériques dites cognitives sont celles de l'apprentissage automatique ainsi que celles de la reconnaissance et du traitement du langage naturel (écrit), de la parole, des images et des configurations de données par la machine. Elles sont toutes en train d'évoluer rapidement et de converger, permettant à des logiciels et à des automates non seulement de prendre des décisions complexes, mais de procéder à des applications hautement évoluées et entièrement automatisées. L'intelligence artificielle[4] (IA) permettra d'automatiser autant des emplois professionnels (actuaires, comptables, ingénieurs, notaires, analystes en tous genres, rédacteurs, radiologues et autres travailleurs de la santé, etc.) que des emplois de techniciens (légaux, administratifs ou associés au service à la clientèle, traducteurs, employés de laboratoire ou de bureau, etc.) et de travailleurs manuels (employés d'hôtels, de la construction, des mines ou de la distribution, camionneurs, caissiers, agriculteurs, etc.). Améliorant certaines professions, mais en fragilisant d'autres, ces systèmes intelligents et automatisés vont penser et choisir plus vite – mieux, aussi – que l'humain, tout en le libérant de ses préjugés et de sa fatigue mentale.

Au Québec, 34 % des emplois seraient à risque, soit 1,4 million, un chiffre important, certes, mais qui inclut des postes faiblement ou partiellement touchés.

DES GAINS POSSIBLES

L'imagination nous manque pour anticiper assurément les répercussions positives que ce phénomène aura sur le monde du travail. Par exemple :

- amélioration de la qualité et de la productivité du travail (ce qui générera davantage de richesse et d'emplois) ;
- assouplissement des conditions de travail pour les travailleurs âgés (réduction du temps de travail) et les plus jeunes (conciliation travail–famille–loisirs) ;
- création de nouveaux métiers : réparateurs de robots domestiques[5], de systèmes de domotique ou d'applications de télématique pour véhicules autonomes ; programmeurs-psychologues d'intelligence émotionnelle artificielle et avocats spécialisés en IA pour les défendre ; experts en cybersimulation tactile ; techniciens en capteurs, drones ou images satellites ; superviseurs-correcteurs en systèmes automatisés ; experts en cybersécurité appliquée aux systèmes et aux objets dits « intelligents » ; etc.

Ces nouveaux métiers ne remplaceront pas parfaitement les emplois perdus, car ils exigeront des personnes aux compétences différentes, offriront des salaires qui ne seront pas les mêmes et seront parfois dans d'autres villes.

ROBOTS ET LOGICIELS INTELLIGENTS : PAS SANS PÉPINS

Il est important de considérer les freins et les obstacles potentiels à l'automatisation :

- absence ou déficience des ressources au sein des organisations pour investir et profiter des technologies ;

- manque de fiabilité, et dangers pour la sécurité humaine liés aux nouvelles applications et aux nouveaux robots ;
- problèmes de cybersécurité (vol, espionnage, manipulation, attaques, contamination, etc.) ;
- querelles de standardisation et d'incompatibilité des interfaces permettant la transmission des données et la communication entre objets et utilisateurs ;
- avancées technologiques mal synchronisées, retardant la commercialisation croisée (convergence) des innovations ;
- obsolescence du droit commercial et civil, incluant des problèmes liés à la responsabilité, à la protection des informations personnelles et de la propriété intellectuelle, à la réponse légale aux cybercrimes, aux monopoles et à la concurrence déloyale ;
- fiscalité inapplicable rendant une application ou un service en ligne quasi (ou totalement) illégal.

Isolés, simultanés ou interreliés, ces problèmes pourraient ralentir la tendance et transformer nos angoisses face aux automates.

DES PERTES À PRÉVOIR

Aujourd'hui, l'estimation des métiers qui seront à risque demeure une recherche spéculative. Les failles dans cette quantification du taux de remplacement « humains-machines » surestimeront autant qu'elles sous-estimeront les technologies, les individus et la perméabilité des organisations aux changements.

Malgré tout, mentionnons que le cabinet de conseil McKinsey (spécialisé dans la consultation auprès des directions d'entreprises) affirmait, en janvier 2017, que 47 % des 19,5 millions d'emplois au Canada seraient potentiellement automatisables, mettant particulièrement à risque 7,2 millions de travailleurs – qui gagnent des salaires totalisant 225,7 milliards de dollars américains (ou 273 milliards en dollars canadiens)[6]. De son côté, l'Organisation de coopération et de développement économiques (OCDE) évalue que le risque d'automatisation presque complète touche 9,2 % des emplois canadiens, tandis que 23,5 % sont à risque de grands changements (total : 32,7 %)[7]. Dans une étude parue en mars 2017, l'institut C.D. Howe – un groupe de réflexion économique et sociale établi à Toronto – présente une vision plus optimiste. Les auteurs affirment que la main-d'œuvre canadienne est employée dans des secteurs à faible risque d'automatisation[8] et qu'elle continue son évolution vers des industries, des tâches et des expertises difficilement numérisables. Selon l'institut, au Québec, 34 % des emplois seraient à risque, soit 1,4 million, un chiffre important, certes, mais qui inclut des postes faiblement ou partiellement touchés.

LES MÉTIERS À RISQUE

Le travail manuel routinier est le plus susceptible d'être exécuté par une machine ou par un logiciel intelligent dans un proche avenir. Des exemples : la préparation de médicaments en milieu hospitalier, ou d'aliments dans une usine ou un restaurant ; la récolte des céréales et des petits fruits ; la conduite d'une rame de métro ou d'un camion lourd dans une mine ; le classement d'objets ou de documents ; le déchargement d'un navire ou d'un train ; etc.

Le travail cognitif routinier – requis par les secteurs des services administratifs, de la santé, de la finance et du commerce de détail, par exemple – sera ciblé par l'intelligence artificielle avec plus ou moins de succès ou de rapidité, selon la répétition et la complexité des tâches.

Le travail routinier dans son ensemble représente peut-être 57,7 % des emplois, rapporte l'institut C.D. Howe. Le tiers de ces emplois risquent de disparaître d'ici 2025 ; une situation qui affectera en particulier les travailleurs peu scolarisés.

Le travail manuel non routinier, dont la proportion totale au Canada aurait grimpé de 7,2 % à 8,8 % entre 1987 et 2015, sera plus difficile à automatiser, surtout si les tâches incluent des éléments sensoriels moteurs (faisant appel à la dextérité), l'improvisation de plans et de décisions, un grand espace de travail (par exemple un chantier de construction, un édifice à plusieurs étages ou un centre des congrès) et des communications complexes. Assez bien protégés, des emplois comme ceux de préposé aux malades, de technicien en santé ou de policier pourraient mieux s'en sortir, mais des avancées en visualisation et en motricité fine pourraient chambarder diverses professions, touchant le cuisinier comme le plombier en passant par le concierge et le contremaître.

Le travail cognitif non routinier sera plus à l'abri des robots et des logiciels intelligents. Comptant pour 30,6 % de l'emploi au Canada, il exige, entre autres compétences, des capacités d'analyse non standardisée et d'improvisation ; de l'initiative ; du talent pour résoudre de nouveaux problèmes ; de la créativité ; des aptitudes pour la transmission du savoir, la direction ou la supervision d'autres personnes (ou de machines) ; de l'autonomie dans le style de gestion (décisions, temps ou façons de faire) ; et, enfin, des aptitudes sociales telles que l'écoute, l'empathie ou l'entraide. Des exemples de métiers qui y sont rattachés : nutritionniste, professionnel au service des handicapés et des accidentés, conseiller pédagogique, psychologue, agronome, infirmière spécialisée, enseignant du primaire et du secondaire, technicien en service de garde, ingénieur (cadre), artiste, chef cuisinier, athlète et entraîneur, gestionnaire d'événements, entrepreneur.

L'AJUSTEMENT TECHNOLOGIQUE : UN DÉFI IMPORTANT POUR LES TRAVAILLEURS

Aucune organisation – peu importe sa taille, son secteur ou son emplacement – ne sera immunisée contre les effets de ces technologies venant perturber la main-d'œuvre. On assistera à l'élimination et à la réduction d'emplois, de même qu'à la réaffectation de plus d'un million de travailleurs québécois d'ici 2030, ce qui atténuera les effets des départs à la retraite ou provoquera une lutte entre citoyens employables et inemployables.

Sans faire abstraction de notre sens de l'adaptation et du courage, rappelons que la meilleure défense contre la perte d'employabilité créée par la robotisation ou l'automatisation est une éducation pragmatique, avancée et continue. La révolution technologique appliquée au secteur de l'enseignement offre d'immenses occasions d'en améliorer la qualité et l'accès ; des occasions qui seront saisies dans le réseau, et hors de ce dernier. Sans décourager les formations et l'obtention de diplômes, il faudra informer les étudiants des progrès faits par les automates et de la baisse possible du recrutement, ou alors peut-être même contingenter certains programmes pour cause de « non-employabilité future ».

Par-dessus tout, il s'avérera essentiel d'indiquer aux jeunes les aptitudes transversales gagnantes face aux changements de profession liés aux technologies, ce qui suppose une priorisation des formations scolaires et professionnelles centrées sur l'autonomie personnelle à long terme – sans oublier la nécessité d'appuyer les travailleurs d'expérience dans leur changement de carrière. Les formations pourraient se financer et les acquis être répertoriés au sein d'un compte individuel[9] permanent qui permettrait l'accumulation de l'épargne, de fonds du régime enregistré d'épargne-études (REEE) non utilisés ou de subventions publiques et privées, voire d'une banque de temps ; ce temps si nécessaire à l'effort requis pour rester à jour... et toujours faire mieux que les robots. ◊

Il faudra informer les étudiants des progrès faits par les automates et de la baisse possible du recrutement, ou alors peut-être même contingenter certains programmes pour cause de « non-employabilité future ».

Notes et sources, p. 332

LES EFFETS DE L'AUTOMATISATION ET DE LA ROBOTISATION

Socioéconomiques. Polarisation entre travailleurs «spécialisés et bien payés» et «faiblement qualifiés et mal payés», ce qui explique deux mouvements: celui de la hausse du nombre de catégories d'emplois à fort potentiel d'automatisation (et donc de désuétude), et celui de l'écart accru entre riches et pauvres. Le débat passera du niveau de vie au niveau d'employabilité, soit du «posséder ou ne pas posséder» au «pouvoir ou ne pas pouvoir travailler».

Géographiques. Gravitation autour de pôles urbains forts en infrastructures et de centres de savoir avancé. Il y a un «biais de présence de main-d'œuvre» qui influe sur l'emplacement et la vitesse de déploiement des industries du numérique. Celles-ci établies, de nouveaux travailleurs du savoir y migrent, menaçant l'avenir des petites villes si elles ne se réinventent pas. La livraison de services à distance (notamment gouvernementaux) pourrait aussi affaiblir les centres régionaux. Mais à l'avantage de ces petites villes, la délocalisation que permettent les technologies numériques – rendant distance et lieu moins cruciaux dans l'exploitation d'une entreprise innovante – pourrait leur donner un nouvel élan en offrant une bonne qualité de vie et une accessibilité sur le plan des coûts (salaires, immobilier, taxation, etc.).

Politiques. Revendication des travailleurs vulnérables, selon leur niveau de compétence, leur âge, la «portabilité» de leur savoir-faire dans des métiers connexes et leur protection syndicale ou professionnelle. Après l'antimondialisation et l'antidéveloppement, la classe politique fera face au populisme des antirobots. Ses partisans proposeront-ils de taxer les robots ou de hausser les impôts sur les entreprises du secteur numérique – ou, tout simplement, d'empêcher l'adoption des technologies d'automatisation? Ou verrons-nous alors des syndicats et des ordres professionnels perdre des membres et s'atrophier (étant donné que les robots ne paient pas de cotisations)?

Fiscaux. L'essor des entreprises comptant plus d'automates et moins de salariés fera réduire les cotisations salariales versées à l'État, voire la valeur totale des impôts personnels. Même chose du côté des travailleurs qui sont le plus souvent en situation de formation ou de chômage technologique. La question de taxer ou non la livraison de services virtuels au Québec par des entités qui sont établies à l'étranger – et qui n'ont aucune activité physique sur notre territoire – se pose déjà. L'inventeur d'algorithmes, de robots ou de logiciels d'impression 3D pourrait délocaliser ses revenus de propriété intellectuelle dans un paradis fiscal (comme Apple).

VERS LA PME 4.0

L'industrie 4.0 au Québec n'en est encore qu'à ses premiers pas. La place croissante qu'occupent les outils numériques dans la vie quotidienne force les entreprises à se transformer. Comment l'industrie 4.0 peut-elle révolutionner la gestion des PME ? En voici les principaux enjeux.

SÉBASTIEN GAMACHE
Ingénieur, doctorant en recherche appliquée à l'Université du Québec à Trois-Rivières (UQTR) et doctorant-chercheur en génie industriel à Productique Québec

En 2011, à la foire annuelle de Hanovre, en Allemagne – le plus grand salon de la technologie industrielle du monde –, l'institut de recherche appliquée Fraunhofer-Gesellschaft dévoilait une nouvelle politique gouvernementale visant à améliorer les pratiques industrielles de ce pays européen. Son nom : l'industrie 4.0. C'était la première fois que ce terme faisait surface.

Parfois appelé « industrie du futur », le concept fait référence à la quatrième révolution industrielle après la mécanisation, le taylorisme et le fordisme et, enfin, l'informatique et la robotisation. Il s'agit d'une connectivité entre toutes les parties d'un système, d'une industrie ou d'une organisation. Basée sur la récolte, l'analyse et l'utilisation des données et de l'information en temps réel, l'industrie 4.0 brise les paradigmes actuels en repensant les modèles d'affaires, les modes de production et l'expérience client. Tous les secteurs de la production industrielle ou des services sont touchés par ces nouveaux modes de partage de l'information véhiculés par l'Internet des objets, les réseaux sociaux, les procédés machine à machine (M2M) et l'infonuagique.

Dans les universités comme dans les entreprises manufacturières, les technologies de l'information et des communications (TIC), en continuel développement, occupent une place croissante. Elles ont déjà prouvé les avantages qu'elles peuvent apporter à une organisation – gain de temps ou création de valeur, par exemple –, et elles sont d'ailleurs de plus en plus intégrées aux pratiques manufacturières.

Dans le contexte de la mondialisation, les petites et moyennes entreprises (PME) sont aujourd'hui vulnérables aux géants de leur secteur d'activité ainsi qu'aux entreprises émergentes (*start-ups*), qui peuvent rapidement prendre le contrôle du marché. Conséquemment, les exigences de la personnalisation de masse et la menace que représentent les géants mondiaux amènent les industries québécoises à améliorer leur performance, leur efficacité et leur agilité.

L'industrie 4.0, soit l'automatisation intelligente ainsi que l'intégration de nouvelles technologies et des données à l'ensemble de la chaîne de valeur d'une entreprise, est l'un des outils permettant aux PME de maintenir leur compétitivité.

OÙ EN SONT LES PME QUÉBÉCOISES ?

La majorité des PME québécoises n'ont pas entamé le virage numérique, dévoile notre étude publiée à la fin de 2017[1] sur l'analyse de l'excellence opérationnelle et l'intégration des technologies numériques dans 148 d'entre elles. On remarque par exemple que moins du tiers des entreprises détiennent un progiciel de gestion de type ERP (pour *Enterprise Resource Planning*), qu'environ 30 % d'entre elles utilisent des outils d'amélioration continue en vue de bonifier leur performance et que 62 % ont recours à des logiciels d'aide à la conception de produits.

On y apprend aussi que le taux de rendement global moyen des PME québécoises est de seulement 21 %. En outre, plus du tiers d'entre elles (38 %) n'ont pas fait de plan stratégique durant les 12 mois qui ont précédé la publication de l'étude, et seules 12 % faisaient du commerce en ligne[2].

Comment expliquer ces résultats ? D'une part, les entreprises manquent de ressources à la fois humaines, financières et technologiques. On constate aussi que les connaissances théoriques (bonnes pratiques) et empiriques (ce qui se fait ailleurs) leur font souvent défaut. Enfin, le manque de soutien dans les projets d'amélioration et d'acquisition de technologies figure également parmi les causes de cette contre-performance.

> Les entreprises québécoises ont besoin de l'aide de l'État afin de s'entourer de spécialistes pouvant guider leurs actions en matière de transition technologique et de bonnes pratiques de gestion.

Pourtant, les recherches réalisées sur le terrain montrent que les entrepreneurs québécois sont créatifs et innovateurs. Nous croyons cependant qu'ils ont besoin de soutien gouvernemental à plusieurs égards pour se développer et prospérer davantage. Une telle aide leur permettrait par exemple de mieux maîtriser les aspects suivants :

1. Comprendre et implanter les outils du *lean* (production à valeur ajoutée) et ceux de l'amélioration continue ;
2. Réduire le niveau des stocks et des manutentions en revoyant l'aménagement de l'usine et des postes de travail ;
3. Migrer vers la modularisation et la standardisation des produits et processus pour faciliter et améliorer la performance et la flexibilité. Autrement dit, les entreprises doivent implanter de petites cellules de travail dynamiques plutôt que de miser sur une grosse chaîne de production inflexible et rigide ;
4. Améliorer le système de planification de production par l'implantation et la maîtrise des systèmes de gestion intégrés, tels que ERP et MES (pour *Manufacturing Execution Systems*) ;
5. Collecter, comprendre et valoriser les données et l'information disponibles dans l'usine de même qu'en dehors de l'organisation.

Les entreprises québécoises ont besoin de l'aide de l'État afin de s'entourer de spécialistes pouvant guider leurs actions en matière de transition technologique et de bonnes pratiques de gestion. C'est la condition essentielle qui leur permettra éventuellement de naviguer sur la vague de la quatrième révolution industrielle.

LES CONDITIONS GAGNANTES DU PASSAGE AU 4.0

La transformation numérique d'une PME doit toutefois s'inscrire dans une démarche claire et réfléchie. Avant de transiter vers l'industrie 4.0, l'entreprise doit analyser sa culture d'organisation en portant une attention particulière aux éléments suivants :

Alignement : définir sa raison d'être, sa vision, ses valeurs et sa passion, puis les partager et les communiquer. Une stratégie d'alignement réfléchie donne une direction et assure une cohérence dans les prises de décisions.
Ambition et évolutivité : viser haut en se fixant des objectifs ambitieux appelés à évoluer au fur et à mesure que l'entreprise avance.
Innovation et prise de risques : inventer et se réinventer pour rester compétitif. Exit le surplace : il faut prendre des risques et ne pas craindre l'erreur.
Orientation client-utilisateur : offrir des produits ou des services pertinents et centrés sur les besoins réels des clients.
Agilité et adaptabilité : devenir plus agile grâce à la mise en marché rapide, l'intégration, l'innovation ouverte, la curiosité, la flexibilité, la collaboration, la communication et l'interopérabilité afin de mieux s'adapter à son contexte d'affaires.
Valeurs : s'appuyer sur des valeurs généreuses comme la transparence, l'autonomie, la passion, la responsabilisation, la confiance et le partage. L'entreprise a tout intérêt à cultiver des sentiments de communauté, de découverte et d'ouverture au monde.

Pour réussir leur transition numérique, les entreprises 4.0 doivent également se doter de nouvelles compétences. Plus précisément, elles doivent veiller à s'entourer de ressources expertes en matière de sécurité, d'analyse et de gestion des données – ou science des données –, d'interaction humain-machine, de programmation, de conception d'interfaces utilisateurs, de gestion de projets numériques et de mise au point de logiciels. Il va sans dire que l'acquisition de ces compétences clés doit reposer sur un programme de développement réfléchi et efficace.

Mais ce n'est pas tout : la réussite du virage dépend aussi d'une capacité d'investissement suffisante. En outre, l'entreprise doit savoir où aller chercher l'information porteuse de valeur en vue de prendre des décisions optimales. En ce sens, voici les actions qui garantiront l'efficacité de l'implantation d'une culture du numérique :

- Adapter sa gouvernance et privilégier de bonnes pratiques de gestion ;
- Engager tous les niveaux de l'organisation dans sa transformation (haute direction, cadres, employés d'usine) afin que tous adhèrent à sa vision ;
- Connaître, utiliser et maîtriser les différents outils technologiques ainsi que les procédés d'automatisation ;
- Favoriser la standardisation et la modularisation des produits, services et méthodes de travail ;
- S'ouvrir à la collaboration avec l'externe ;
- Optimiser ses produits, services et méthodes de production dès la phase du design du produit ;
- Procéder par étapes, favoriser les *quick wins* (projets rapportant un maximum de résultats avec un minimum d'efforts) et viser l'atteinte de résultats ;
- Investir dans une infrastructure technologique agile et interopérable ;
- Revoir ses programmes de formation, de développement et d'acquisition de compétences ;
- Mettre au point des indicateurs de performance adaptés et efficaces pour la prise de décisions dans son nouvel environnement numérique.

En dépit des meilleures stratégies du monde, la transformation vers l'industrie 4.0 ne se fera sans doute pas sans heurts. L'entreprise qui s'engage sur cette voie doit être préparée à affronter certains obstacles, comme la réticence au changement – celle des employés, mais possiblement celle des clients, aussi –, le manque de financement ou de ressources suffisantes, des difficultés à automatiser ou à standardiser, l'incompatibilité avec le système ERP ou encore l'absence d'un retour sur investissement visible. Elle se frottera aussi peut-être à son déficit d'expertise dans le 4.0, ou alors à des lois ou règlements restrictifs. Pour établir les priorités, elle doit donc se préparer en conséquence, créer un plan et considérer les obstacles potentiels afin de limiter les conséquences négatives et l'échec des projets.

LES ÉTAPES D'IMPLANTATION

L'entreprise qui a l'ambition de surfer sur la vague 4.0 doit nécessairement concevoir un plan numérique solide et fondé sur des objectifs organisationnels concrets et ambitieux. Ce projet se décline en cinq étapes : l'audit, la planification, le test, le déploiement et l'optimisation. Afin de déterminer la direction à prendre, il faut d'abord savoir d'où part l'entreprise. Les dirigeants pourront notamment se poser des questions

Au début, par exemple, les tests à petite échelle facilitent l'implantation en misant sur les projets stimulants et rapidement payants. Lorsque les changements sont maîtrisés à petite échelle, la nouvelle méthode peut alors être déployée, puis ultimement optimisée.

comme : où en suis-je sur le plan de l'excellence informationnelle ? Est-ce que je maîtrise les principes du *lean* ? Est-ce que les bonnes données sont collectées, compilées, analysées ? L'amélioration continue fait-elle partie des pratiques courantes ? Ces pratiques – envers les clients, les produits ou les objectifs – sont-elles remises en question au gré des nouvelles réalités, comme les technologies disponibles ou les attentes des clients ?

En d'autres mots, seule l'introspection organisationnelle permettra de déterminer les objectifs, puis de mesurer la progression. Plusieurs audits sont aisément accessibles sur le marché. Trop souvent, les entreprises intéressées par l'industrie 4.0 concentrent leurs efforts sur le volet technologique au détriment de l'élaboration d'une vision et de la stratégie à adopter pour atteindre les objectifs. N'oublions pas que la technologie n'est qu'un moyen pour réaliser un objectif d'affaires et non l'inverse. Il faut se demander quelle valeur on souhaite apporter au marché. Quels sont les objectifs d'affaires ? Quelles ressources, technologies, compétences faut-il acquérir pour les atteindre ? Une fois qu'on a la réponse à ces questions, il faut passer à l'action en procédant par étapes. Au début, par exemple, les tests à petite échelle facilitent l'implantation en misant sur les projets stimulants et rapidement payants. Lorsque les changements sont maîtrisés à petite échelle, la nouvelle méthode peut alors être déployée, puis ultimement optimisée.

SE DÉMARQUER DE LA CONCURRENCE

Entrer dans l'ère de l'industrie 4.0 demande de revoir ses façons de faire. La standardisation des produits et des procédés, notamment à l'aide de la conception modulaire, de la créativité, de l'innovation et du design collaboratif, améliorera le processus opérationnel tout en garantissant flexibilité et agilité. Ultimement, l'intégration de ce nouveau paradigme permettra à la PME de se démarquer de ses concurrents.

À la suite de l'achat de son entreprise par Microsoft, en 2016, le président de Nokia disait : « Nous n'avons rien fait de mal, et pourtant, nous avons perdu. » L'avantage d'hier n'est pas garanti : il ne suffit pas de ne rien faire de mal, il faut plutôt bien prendre la vague. Un jour ou l'autre, les entreprises qui refusent d'apprendre et de s'améliorer n'auront plus leur place dans leur secteur d'activité et provoqueront éventuellement leur fin.

Finalement, l'industrie 4.0 n'est que le terme qui incite à mettre à jour ses méthodes, ses produits et sa raison d'être dans un monde hautement numérique. La technologie n'est qu'un outil et non une fin en soi : souvenons-nous de cette époque – pourtant pas si lointaine – où l'on enregistrait des données sur des disquettes aux capacités de stockage dérisoires en comparaison de celles de l'infonuagique ! Bien utilisées, les nouvelles technologies peuvent révolutionner la PME et l'industrie en entier. À chacun de définir sa nouvelle stratégie et d'y intégrer ou non le potentiel du numérique... ◊

> L'entreprise qui s'engage sur cette voie doit être préparée à affronter certains obstacles, comme la réticence au changement.

Notes et sources, p. 332

DU SAUMON TRANSGÉNIQUE VENDU SANS ÉTIQUETAGE...
...CETTE FOIS, ILS ONT AJOUTÉ UN GÈNE DE POULET... TRÈS SÉCURITAIRE!
SPÉCIAL
CUISSES DE SAUMON DE L'ATLANTIQUE 17,99/Kg
COOT!
GARNOTTE 2017-08-09

Santé

REVOIR LE MODE DE RÉMUNÉRATION DES MÉDECINS EST UNE OPÉRATION DÉLICATE

La rémunération des médecins québécois a plus que doublé depuis 10 ans, et elle absorbe maintenant 15 % du budget santé. Est-ce trop ? Comment bien payer les médecins tout en restant équitable envers les autres travailleurs et les contribuables ? Le Québec n'est pas le seul à se poser ces questions qui n'ont pas de réponses simples. Voici un aperçu du casse-tête et quelques pistes de réflexion.

JEAN-LOUIS DENIS

Professeur titulaire à l'École de santé publique de l'Université de Montréal, chercheur au Centre de recherche du Centre hospitalier de l'Université de Montréal (CRCHUM), titulaire de la Chaire de recherche du Canada – Design et adaptation des systèmes de santé

MARIE-PASCALE POMEY

Professeure titulaire à l'École de santé publique de l'Université de Montréal, chercheuse au Centre de recherche du Centre hospitalier de l'Université de Montréal (CRCHUM), chercheuse boursière principale du programme de Chaire en évaluation des technologies et des modalités de pointe du Centre hospitalier universitaire de Montréal (CHUM)

CAROLINE CAMBOURIEU

Économiste de la santé, chercheuse indépendante, chargée de cours à l'Université de Montréal

JOHANNE PRÉVAL

Agente de recherche et de planification à l'École nationale d'administration publique (ENAP), agente de recherche et de planification au Centre de recherche du Centre hospitalier de l'Université de Montréal (CRCHUM)

En 2015, le vérificateur général du Québec publiait un rapport[1] sur la conception et le suivi des ententes relatives à la rémunération des médecins entre 2010 et 2015. Il y soulevait d'abord le fait que les enveloppes allouées aux médecins – qu'ils soient omnipraticiens ou spécialistes – dépassent les sommes prévues dans les ententes de rémunération, et que les mesures de contrôle mises en place par la Régie de l'assurance maladie du Québec (RAMQ) et le ministère de la Santé et des Services sociaux pour respecter ces ententes sont insuffisantes. En effet, entre 2004 et 2014[2], les dépenses de rémunération des médecins ont augmenté de 66 %, et en 2014 elles représentaient 15 % du budget alloué à la santé au Québec[3].

Fort de ces constats, le vérificateur général invitait le gouvernement du Québec à réfléchir à des modalités de rémunération qui puissent entraîner des « changements de comportement significatifs chez les médecins et [à] inscrire ces mesures dans une stratégie globale afin de favoriser une efficacité et une efficience accrues de la prestation de services des médecins[4] ».

Dans ce contexte, à l'occasion d'une action concertée avec le Fonds de recherche du Québec – Société et culture (FRQSC), le Fonds de recherche du Québec – Santé (FRQS), édition 2015-2016, a commandé une étude visant à mettre en lumière les grandes tendances nationales et internationales en matière de politique de rémunération médicale, le tout en collaboration avec le Commissaire à la santé et au bien-être, qui a pour mission d'apporter un éclairage pertinent au débat public en matière de santé. Le but de l'étude était aussi de proposer des pistes pour tirer le meilleur parti des ressources consacrées à cet important poste budgétaire en santé.

De cette initiative est né le rapport de recherche intitulé *Rémunération médicale et gouvernance clinique performante : une analyse comparative*[5]. Cet article en reprend les grandes lignes. Nous présentons d'abord les tendances de fond en matière de politiques de rémunération médicale à l'international et, ensuite, quelques pistes de réflexion qui pourraient guider le gouvernement du Québec à ce sujet.

LES TENDANCES EN MATIÈRE DE POLITIQUES DE RÉMUNÉRATION MÉDICALE

Une synthèse de la littérature consacrée aux modes de rémunération des médecins dans différents systèmes de santé nous a mené à six constats.

1. La rémunération médicale préoccupe les responsables des politiques de santé dans une majorité des pays de l'OCDE

Ces instances sont à la recherche de politiques alternatives en matière de rémunération médicale. Si, bien souvent, l'objectif de mieux contrôler les coûts de santé incite les pouvoirs publics ou les payeurs (assureurs publics et privés) à vouloir réviser les politiques de rémunération médicale, il importe aussi d'ajuster les modes de rémunération afin de mieux répondre aux besoins croissants et changeants de la population. L'allongement de l'espérance de vie et les avancées de la science et des technologies, sans oublier les transitions épidémiologiques (dont l'augmentation des maladies chroniques), exigent une transformation du travail des médecins. La rémunération à l'acte est jugée insuffisante ou inadaptée pour répondre aux besoins d'adaptation et de coordination de l'offre de soins ainsi qu'à celui d'une plus grande collaboration entre professionnels de la santé.

Les publications qui se penchent sur les effets de l'incitation économique pour atteindre des objectifs de performance présentent des résultats mitigés.

2. La mixité croissante des modes de rémunération

Les systèmes de santé ont recours à une diversité de modes de rémunération afin de pallier les effets non souhaités que certains d'entre eux peuvent produire. Trois modes traditionnels de rémunération des médecins sont identifiés : il s'agit de la rémunération à l'acte, du salariat et de la capitation[6]. Les revenus de base des médecins, selon les systèmes de santé, peuvent provenir d'une combinaison de ces trois modes. C'est ainsi que cohabitent et se juxtaposent simultanément différentes modalités de rémunération. Les combinaisons de ces modes de rétribution tendent à se complexifier et impliquent de nombreuses retombées. Ainsi, la mixité des modes a pour conséquence, d'une part, de rendre plus difficile le suivi des dépenses de rémunération médicale en l'absence d'un système d'information performant et, d'autre part, de rendre peu lisibles les effets de chacun d'entre eux sur les comportements de pratique des médecins et sur l'offre de soins et services. Un certain désenchantement quant aux bénéfices d'une plus grande mixité des modes de rémunération a amené à concevoir la rétribution en fonction d'objectifs de performance. La rémunération à la performance est un mécanisme d'intéressement qui prend la forme de multiples incitatifs – financiers et non financiers – octroyés en fonction de la performance observée des médecins, et elle s'ajoute à un modèle de rémunération traditionnel.

3. La recherche d'une rémunération médicale axée sur des objectifs de performance

Les publications actuelles qui se penchent sur les effets de l'incitation économique pour atteindre des objectifs de performance présentent des résultats mitigés[7]. Elles soulignent l'importance d'aborder la question de l'incitation avec prudence. S'il est relativement facile de montrer les effets négatifs ou non souhaitables associés à un mode ou à une mixité de modes traditionnels de rémunération – dans les contextes du paiement à l'acte, du salariat et de la capitation, ces effets représentent la dominante des travaux effectués sur la rémunération médicale depuis une quarantaine d'années –, il est plus difficile de statuer sur une politique idéale en matière de rémunération médicale permettant de compenser les insuffisances des modes traditionnels. Tout, ici, est affaire de contexte et de choix au sujet des politiques de santé, dont l'importance de tenir compte de la complémentarité entre les modes de rémunération des médecins et les modes de financement des établissements de santé. Les expériences d'autres systèmes ailleurs dans le monde peuvent cependant aider le Québec à mettre sur pied des politiques qui touchent autant à la rémunération médicale qu'à l'organisation de la pratique médicale.

4. Une tension entre qualité des soins médicaux et maîtrise de la dépense médicale

L'objectif de contrôle des dépenses médicales semble difficile à concilier avec celui d'une amélioration de l'accessibilité et de la qualité des soins médicaux. Aussi tout changement dans les modes de rémunération des médecins devrait-il être accompagné d'une augmentation des capacités des pouvoirs publics à bien documenter les coûts et la qualité des soins médicaux. L'expérience de l'Ontario – qui, depuis une vingtaine d'années, a changé le mode de rémunération des médecins de soins de première ligne – illustre bien cette tension. Cette province a misé sur l'implantation de modes de rémunération mixtes pour les médecins en soins primaires (capitation, rémunération à l'acte, salariat, rémunération à la performance), jugés mieux adaptés. La mise en place de cette nouvelle forme de mixité a permis de réaliser des gains sur le plan de l'accès aux soins de santé mais, en contrepartie, elle s'est avérée très onéreuse pour les fonds publics.

5. L'importance de mieux intégrer les médecins à l'organisation

Une politique efficace en matière de rémunération médicale ne doit pas se limiter à l'identification du ou des modes de rémunération les plus prometteurs, mais doit s'inscrire dans la recherche d'un modèle optimal d'organisation de la pratique médicale. La question d'une plus grande intégration des médecins aux organisations et au système de santé doit être au centre de toute politique visant une meilleure adéquation de la rémunération médicale aux besoins. Plusieurs systèmes de santé (par exemple celui des Pays-Bas ou de l'Angleterre, ou encore des États-Unis avec les *accountable care organizations*) sont déterminés à faire participer les médecins à la gestion des ressources et à l'organisation des soins. Il y a aussi une forte volonté de les rendre imputables de l'atteinte de certains objectifs en matière non seulement de qualité et de sécurité des soins, mais de maîtrise des dépenses.

6. L'importance de réfléchir à la notion de valeur des soins médicaux et de la rémunération médicale

Une autre tendance observée dans la littérature est la volonté d'intégrer la notion de valeur (*value-based purchasing*) dans la détermination des politiques de rémunération médicale. Cette tendance se traduit d'abord par des questionnements sur la juste valeur du soin médical ; l'ajustement de la rémunération à l'acte en fonction de l'évolution technologique en est un exemple.

On dénote une reconnaissance croissante des limites des politiques de rémunération médicale et des négociations directes bipartites entre la profession médicale et l'État.

Les débats sur la juste rémunération des médecins par rapport à d'autres catégories professionnelles et au salaire moyen dans une région donnée sont une autre façon d'aborder la question de la valeur. Les Pays-Bas ont soulevé explicitement cette question, et cela a eu pour répercussion l'émergence de deux idées : une volonté forte de contrôler la progression de la rémunération des médecins spécialistes, et la recherche d'une convergence plus grande entre la rémunération des médecins spécialistes salariés et celle des médecins spécialistes libéraux. En imposant récemment une baisse de salaire à ses médecins, l'Ontario a aussi posé la question de la juste valeur de la rémunération.

Une autre manifestation de cette réflexion sur la valeur du soin médical est la configuration de différentes formes de paiements liés (*bundle payments*). Celle-ci pousse à une intégration plus forte des différents dispensateurs de soins (médecins, groupes de médecins ou organisations de santé) et, ultimement, à une plus grande efficience de la production des soins. En filigrane, on recherche ici de nouvelles formes de médiation entre la profession médicale, les organisations et le système de santé en vue de mobiliser des leviers autres que la rémunération pour améliorer la performance de l'offre de soins. Il en ressort que ces politiques en matière de financement des soins de santé (plafonnement des dépenses de santé, croissance du rôle du paiement lié à des soins particuliers dans le système) pourraient favoriser une meilleure intégration des médecins à l'organisation des soins.

De plus, on dénote une reconnaissance croissante des limites des politiques de rémunération médicale et des négociations directes bipartites entre la profession médicale et l'État en cette matière. On peut aussi faire l'hypothèse qu'un investissement accru – non seulement au chapitre de l'organisation du travail, mais dans un environnement de pratique facilitant pour les médecins, les autres professionnels et les travailleurs de la santé – peut contribuer à une intégration plus grande des médecins à l'organisation.

Ces différents constats incitent à proposer un recadrage des politiques en matière de rémunération médicale au Québec.

> Les changements à apporter aux politiques de rémunération médicale demandent des investissements accrus en systèmes d'information.

PISTES DE RÉFLEXION POUR MIEUX RÉGULER LES RESSOURCES MÉDICALES ET EN TIRER LE MEILLEUR PARTI

D'abord, comme le mettait en évidence le vérificateur général du Québec, le paiement à l'acte – qui représentait 61 % des modes de rémunération des médecins en 2014 – repose sur un système regroupant 11 000 codes d'actes médicaux distincts peu connus des médecins et, conséquemment, peu utilisés pour encadrer leur pratique. Ce système pourrait être simplifié afin de resserrer le suivi des activités médicales et répondre ainsi à l'une des préoccupations à l'échelle internationale, qui consiste à disposer des données pertinentes pour mieux réguler les dépenses.

Au Québec, au cours des 15 dernières années, de nouvelles modalités de rétribution se sont ajoutées à la rémunération à l'acte afin d'amener les médecins à adopter de nouveaux comportements et à réaliser de nouvelles tâches cliniques ou administratives. De plus en plus de médecins (omnipraticiens et spécialistes) bénéficient donc d'une rémunération mixte – 22 % en 2014 – ou d'une rémunération à la performance. Du côté des omnipraticiens, mentionnons par exemple le forfait d'inscription générale de la clientèle, le forfait annuel de prise en charge de la clientèle vulnérable et les compensations pour les frais de cabinet. Pour les médecins spécialistes, on parle plutôt des forfaits destinés à accroître l'accès des patients aux blocs opératoires et aux équipements spécialisés, ou alors de bonifications pour la formation continue. Axées sur des volumes à atteindre, ces premières démarches ne prennent pas en compte les dimensions de la qualité des soins et des services ou la valeur de l'acte médical par rapport aux soins offerts par d'autres professionnels de la santé. Mais le projet de loi 130, qui est actuellement à l'étude, vise à modifier les rapports entre les médecins et les établissements de santé[8].

Ces démarches, sans que l'on puisse présumer de leurs résultats, s'inscrivent dans une vision élargie où la rémunération médicale serait de plus en plus liée à des résultats de processus (réorganisation de la gestion et de l'administration des cabinets médicaux, coordination des services de soins, équipe de soins pluridisciplinaire, continuum de soins...) de même qu'à des résultats de performance – maîtrise ou réduction des coûts des services, amélioration de la qualité et de la sécurité des soins, satisfaction des patients, amélioration de l'accès, etc. – et, ultimement, à l'amélioration de l'état de santé de la population (dépistage et prévention, suivi des maladies chroniques, etc.).

> Le système de santé québécois est mûr pour laisser place à un plus grand nombre d'essais quant aux modalités de rémunération des médecins et des équipes de soins.

Les nouveaux modes de rémunération basés sur la notion de valeur visent des soins de qualité à moindre coût. Les évaluations de certaines expériences de paiement lié semblent démontrer une meilleure collaboration des membres de l'équipe médicale (médecins, infirmières et autres professionnels de la santé) afin de mieux coordonner les soins, mais ces démarches n'ont pas contribué à réduire les dépenses en matière de rémunération. Les changements à apporter aux politiques de rémunération médicale demandent des investissements accrus en systèmes d'information et de capacité organisationnelle dans l'optique de mieux réguler les dépenses de santé. À cet égard, la RAMQ se veut un acteur incontournable pour assurer le suivi des retombées de l'introduction de nouvelles modalités de rémunération dans le domaine médical.

Une piste encore peu explorée au Québec est la recherche d'une rémunération médicale qui refléterait un meilleur alignement des intérêts et des valeurs des organisations, des médecins et des patients. Aussi, nous croyons que le système de santé québécois est mûr pour laisser place à un plus grand nombre d'essais quant aux modalités de rémunération des médecins et des équipes de soins ou aux différentes stratégies de responsabilisation. Une plus grande attention doit également être portée à la création d'organisations qui misent sur une forte intégration des professionnels de la santé – dont les médecins – dans le système de soins. À ce jour, le Québec a démontré davantage d'empressement à signer des ententes en matière de rémunération médicale qu'à instaurer des politiques visant un renouveau profond des rapports entre la profession médicale et le système de santé. ◊

Notes et sources, p. 332

LES TRANSFERTS FÉDÉRAUX EN SANTÉ…
GARNOTTE
2017-03-11

Énergie

POLITIQUE ÉNERGÉTIQUE DU QUÉBEC : LE FLOU PERSISTE

Deux ans après le dévoilement de la nouvelle politique énergétique du Québec, on attend toujours une véritable stratégie gouvernementale qui changera les choses. Pendant ce temps, alors qu'on promet de réduire de 40 % la consommation de pétrole d'ici 2030, la part de l'énergie renouvelable recule. À quand un peu de cohérence dans nos actions ?

NORMAND MOUSSEAU

Professeur de physique à l'Université de Montréal et directeur académique de l'Institut de l'énergie Trottier à Polytechnique Montréal

Présentée en grande pompe en avril 2016, la Politique énergétique 2030 du gouvernement du Québec aura bientôt deux ans. Intitulée *L'énergie des Québécois, source de croissance*, elle fixe des objectifs ambitieux afin de transformer le portrait énergétique du Québec, dont la réduction de 40 % de l'utilisation des produits pétroliers d'ici 2030 (voyez l'encadré en page 117). Mais elle a rapidement perdu l'attention du grand public, qui attend toujours les actions l'impliquant dans son quotidien.

Celles-ci se font attendre. Ce n'est pas surprenant, car la mise en œuvre de cette politique dépend largement d'une nouvelle structure créée le 1er avril 2017, Transition énergétique Québec (TEQ), et dont le plan directeur sera dévoilé au début de 2018. Dirigée par Johanne Gélinas – notamment ex-commissaire permanente du Bureau d'audiences publiques sur l'environnement (BAPE) et ex-commissaire fédérale à l'environnement et au développement durable au Bureau du vérificateur général du Canada –, TEQ a reçu un mandat large qui vise ni plus ni moins à bouleverser le paysage énergétique du Québec sur une douzaine d'années.

Pourra-t-elle y parvenir ? La question n'est pas anodine. Alors que le Québec s'engage à réduire de manière importante ses émissions de gaz à effet de serre (GES), dont plus de 70 % proviennent de la combustion des énergies fossiles, le succès ou l'échec de la politique énergétique aura des répercussions importantes sur son économie, son environnement et le quotidien de ses citoyens – et, de manière plus large, sur son positionnement dans une communauté internationale qui prend la question climatique de plus en plus au sérieux.

POURQUOI UNE POLITIQUE SUR L'ÉNERGIE ?

Selon l'*État de l'énergie au Québec 2017*, bilan annuel publié par la Chaire de gestion du secteur de l'énergie de HEC Montréal, l'achat d'énergie au Québec atteignait 36,4 milliards de dollars en 2014, soit près de 10 % de l'ensemble des dépenses intérieures brutes. La majorité de ces achats était liée aux produits pétroliers servant au transport des personnes et des marchandises. Malgré leur ampleur, ces données ne décrivent pas le véritable poids économique de l'énergie, qui joue un rôle central dans presque tous les aspects de notre société : transport, chauffage, éclairage, production agricole, distribution des marchandises, etc. C'est sans parler du fonctionnement de presque tous les appareils qui nous entourent ! Sans énergie, il n'y aurait ni téléphone, ni télévision, ni ordinateur...

Vu ce rôle central dans l'économie moderne, les politiques énergétiques visent traditionnellement à assurer un approvisionnement énergétique suffisant – particulièrement en ce qui a trait à l'électricité, à l'essence, au mazout et au gaz naturel –, ce qui permet à la société de développer et de maximiser les retombées économiques liées à la production, à la transformation et à la distribution de cette ressource.

Aujourd'hui, comme une bonne partie du monde développé, le Québec n'a pas vraiment à se soucier de protéger son approvisionnement énergétique. L'offre d'électricité sur son territoire, qui ne cesse d'augmenter, dépasse une demande qui stagne depuis le début des années 2000. Au chapitre du pétrole et du gaz naturel, l'explosion de la production nord-américaine a contribué à faire chuter les prix tout en favorisant l'émergence de projets d'oléoducs et de gazoducs partout sur le continent. Le Québec aura donc accès, pour un avenir prévisible, à plus d'énergie qu'il ne pourra en consommer.

Les retombées économiques liées à l'approvisionnement énergétique sont faciles à saisir. *Primo*, le Québec ne produit ni pétrole ni gaz naturel et compte deux raffineries de pétrole appartenant à des entreprises privées ; il a donc tout intérêt à diminuer sa consommation

Incapable d'avancer, le Québec est condamné à régresser.

de pétrole et de gaz naturel tout en protégeant son industrie pétrochimique. Ensuite, la production de l'électricité est largement contrôlée par Hydro-Québec, qui doit verser des dividendes chaque année plus importants au gouvernement alors que la demande interne stagne. Conséquemment, les pressions sur les exportations d'électricité sont fortes afin de limiter la hausse des tarifs pour les ménages québécois.

Dans ces conditions, les politiques énergétiques traditionnelles – qui visent à sécuriser l'approvisionnement – ne sont pas d'un grand intérêt pour le Québec. Au 21e siècle, le défi ne réside pas tant dans l'accès à l'énergie que dans la nature de celle qui est consommée et dans ses répercussions sur les changements climatiques, un enjeu planétaire.

Cette nouvelle réalité justifie la Politique énergétique 2030, qui propose, sans vraiment y faire référence, de terminer la transition énergétique entamée dans les années 1980 avec l'électrification massive du chauffage résidentiel ainsi que celle de nombreux procédés industriels (voyez l'encadré à la page suivante). Mais contrairement à ce qu'on observe dans la majorité des pays de l'Organisation de coopération et de développement économiques (OCDE), elle n'intègre pas les engagements du Québec en matière de réduction des GES : nulle part dans l'énoncé de la politique ne trouve-t-on d'objectifs liés au bilan en matière de gaz à effet de serre. Comme l'analysait le journaliste Philipe Mercure dans un éditorial publié dans *La Presse+*, pour le ministre de l'Énergie et des Ressources naturelles de l'époque, Pierre Arcand, « [l]a politique énergétique est une politique de transition énergétique et non une politique de réduction de GES[1] ».

Cette absence de lien entre énergie et climat ne manque pas de surprendre. Comme on l'a vu, la consommation d'énergie est responsable de la majorité des émissions de GES du Québec. Il est donc impossible d'atteindre les objectifs de réduction de 20 % de ces émissions d'ici 2020 et de 37,5 % d'ici 2030 sans transformer le secteur énergétique. Au moment de publier ces lignes, Québec s'apprêtait à annoncer qu'il n'exigerait qu'une contribution mineure de la part des grandes industries dans l'atteinte de sa cible de 2030. Autrement dit, le secteur énergétique devra pratiquement travailler seul à la réduction des émissions de GES, ce qui augmente d'autant l'importance d'arrimer les programmes de la Politique énergétique 2030 et du plan de réduction des GES. Or, l'atteinte des objectifs de la politique ne permettrait même pas de réduire de plus de 30 % les émissions du secteur de l'énergie. On se retrouve donc avec des directives fondamentalement incompatibles, ce qui rendra difficile la mise en œuvre de mesures efficaces pour transformer l'économie québécoise en une petite douzaine d'années seulement.

DES ÉCHECS À RÉPÉTITION

Les objectifs du Québec en matière de GES et d'énergie sont particulièrement ambitieux. Alors que 44 % de l'énergie qu'elle consomme provient de sources renouvelables, la province est déjà très en avance sur le reste de la planète. En comparaison, la part de l'énergie renouvelable au Canada est de 23 %, celle des États-Unis de 9 %, et celle de l'Union européenne de 16 %. Ce positionnement avantageux signifie toutefois que Québec devra faire plus d'efforts que la plupart des autres gouvernements pour réduire du même pourcentage les émissions de GES. Par exemple, l'Ontario a réduit les siennes de 17 % en fermant quatre centrales thermiques au charbon pour les remplacer essentiellement par des centrales au gaz. Le Québec ne peut suivre cette voie puisque son électricité est déjà « décarbonisée » à plus de 99 %.

LES OBJECTIFS DE LA POLITIQUE ÉNERGÉTIQUE 2030

La politique énergétique du Québec propose de faire passer la part des énergies renouvelables consommées de 44,7 % – seuil qu'elles atteignaient vers 2009 – à 60,9 % en 2030.

Pour y arriver, elle prévoit notamment :

- une réduction de 40 % de l'utilisation du pétrole ;
- une augmentation de 25 % de la production d'énergie renouvelable ;
- une augmentation de 50 % de la production de bioénergie ;
- une amélioration de 15 % de l'efficacité énergétique.

Le secteur du gaz naturel pourra quant à lui continuer de se développer sans contrainte, malgré sa contribution aux changements climatiques.

Pas un mot sur la façon dont cette politique s'inscrit dans le plan de réduction de 37,5 % des émissions de GES adopté quelques mois plus tôt par le même gouvernement, les libéraux de Philippe Couillard. Aussi incroyable que cela puisse paraître, la Politique énergétique 2030 ne vise, au mieux, qu'une réduction de 33 % des émissions de GES du secteur de l'énergie !

Pas un mot non plus sur la stratégie que Québec compte adopter pour atteindre ces objectifs. Le document d'avril 2016 se contente plutôt d'annoncer la création de Transition énergétique Québec (TEQ), dont le mandat principal sera de coordonner les programmes d'efficacité énergétique et d'énoncer des orientations générales qui ne sont ni chiffrées ni appuyées par des stratégies détaillées.

Qu'il s'agisse de performance énergétique ou de réduction des émissions de GES, la province est contrainte d'agir en amont dans des secteurs (tels que ceux des transports, des bâtiments et des procédés industriels) qui ne sont pas encore au cœur des préoccupations de ses concurrents. Autrement dit, elle doit innover tout en préservant sa compétitivité et la force de son économie ; elle ne peut tout simplement pas se contenter de suivre le mouvement mondial, soit la production d'énergie propre. Le fait d'avoir un pas d'avance amplifie d'autant les défis à relever.

Le Fonds vert aurait pu être l'élément déclencheur d'une prise de conscience collective quant à l'ampleur des défis environnementaux du 21e siècle. Créé en 2006 – année où la Loi sur le développement durable a été votée –, il vise à soutenir le développement durable par la protection de l'environnement, la préservation de la biodiversité ainsi que la lutte contre les changements climatiques. Il laissait d'ailleurs supposer que le gouvernement québécois comprenait que la prise en compte des enjeux environnementaux exige des transformations profondes s'intégrant dans une vision à long terme mieux servie par un fonds dédié que par des programmes ministériels.

Près de 12 ans plus tard, force est d'admettre que cette apparente clairvoyance n'a pas livré les résultats promis. Alors que le Fonds vert s'est traduit par un investissement de plus de 700 millions de dollars dans l'économie québécoise, ses effets sont négligeables : selon les *Comptes du Fonds vert 2015-2016*, publiés en 2017 par le ministère du Développement durable, de l'Environnement et de la Lutte contre les changements climatiques (MDDELCC), ces dépenses ont permis de réduire de seulement 0,2 % les émissions de GES de la province. À ce rythme, même en incluant les effets de levier, celle-ci devra investir bien au-delà de 10 milliards de dollars seulement pour atteindre sa cible de 2020.

Les programmes liés à la Politique énergétique 2030 annoncés en juin dernier ne livreront pas davantage la marchandise : aucune exigence de rendement ou évaluation n'est imposée, qu'il s'agisse de l'atteinte des objectifs de la politique ou de celles des objectifs de réduction des émissions de GES. Le gouvernement se contente de saupoudrer les millions de dollars sans se demander s'ils aideront à rencontrer ses objectifs ou s'ils ne pourraient pas être mieux dépensés ailleurs.

Devant l'absence de progrès, et malgré des coûts qui ne cessent de grimper, les citoyens risquent de tourner le dos aux objectifs environnementaux pour épouser les positions « climatosceptiques ».

Incapable d'avancer, le Québec est condamné à régresser. Entre 2009 et 2014, l'utilisation de la biomasse, qui inclut le bois de chauffage et les résidus forestiers, a fait du surplace alors que la part de l'électricité dans le panier énergétique a reculé de près de 10 %, passant de 39 à 36 %. Étonnamment, personne ne semble s'être inquiété de cette tendance, qui s'inscrit à l'opposé des objectifs de la nouvelle politique énergétique. Pourtant, ce mouvement a un coût important sur les plans environnemental, compétitif et financier. Ainsi, chaque année depuis 2015, les Québécois se voient obligés d'acheter des crédits de carbone de la Californie (dans le cadre du marché du carbone qu'ils partagent avec cet État), faute de réussir à respecter leur calendrier de réduction des émissions de GES. Ils se retrouvent ainsi à financer directement la modernisation du système énergétique de leur partenaire. En 2020, le gouvernement québécois prévoit même qu'au moins 200 millions de dollars sortiront de son économie pour financer cet État – une somme qui continuera de grossir et qui limitera la capacité du Québec à réussir sa transition énergétique, étant donné que cet argent ne sera plus disponible pour acheter des équipements plus performants ou pour financer l'innovation.

Ces échecs à répétition ont un coût social et politique considérable : devant l'absence de progrès, et malgré des coûts qui ne cessent de grimper, les citoyens risquent de tourner le dos aux objectifs environnementaux pour épouser les positions « climatosceptiques ». Or, en reculant sur ses objectifs et en se repliant sur lui-même, le Québec perdrait d'autant plus que le reste de la planète progresse dans la réduction des émissions de GES. Cette situation n'est pas acceptable : des objectifs populaires sans plan réel ne valent pas mieux qu'une opposition viscérale au changement.

UN DÉFI PLUS COMPLEXE

Grâce à la richesse hydraulique de leur territoire, les Québécois sont particulièrement sensibles aux enjeux environnementaux. Malheureusement, à l'exception de la production d'électricité, le Québec peine à transformer ces préoccupations en actions tangibles capables de convertir les aspirations publiques en avancées pour la société.

Ces difficultés ne sont pas propres au Québec : les émissions de GES provenant des transports, par exemple, augmentent presque partout sur la planète. La différence, c'est qu'ailleurs il est plus facile pour les gouvernements de cacher leurs incohérences en matière climatique en fermant des centrales au charbon ou en ajoutant quelques éoliennes. Comme le Québec a déjà terminé la transition de la production électrique, ce subterfuge lui est interdit, et la nudité de l'empereur n'en est que plus visible : champion de l'électricité « verte », il manque d'expertise pour agir efficacement sur l'utilisation de l'énergie. Les compétences, les technologies et les enjeux liés à la construction d'un barrage hydroélectrique n'ont rien à voir avec ceux rattachés à la transformation du secteur des transports, à la révision des procédés industriels ou à l'élimination du gaz naturel comme source de chauffage des grands bâtiments.

Au-delà de l'aspect environnemental, les retombées économiques d'un grand ouvrage hydraulique sont évidentes : emplois, développement régional et contrôle de la production de l'énergie sans recours à l'importation. Elles jouent d'ailleurs un rôle essentiel pour recueillir l'appui des communautés d'affaires, des syndicats, des municipalités et du grand public, qui se montrent souvent assez réticents lorsque vient le temps de dépenser pour préserver l'environnement.

Ce même public est perdu lorsqu'il observe les actions gouvernementales actuelles visant l'utilisation de l'énergie, étant donné que les liens entre les investissements massifs et les retombées climatiques et économiques sont plus que minces. Aujourd'hui, tant les efforts en réduction des émissions de GES que ceux qui visent l'efficacité énergétique se font sur une base dont la finalité échappe à la plupart des observateurs.

Conscient de son incapacité à atteindre ses propres objectifs, le gouvernement québécois a commencé à réorganiser son action : il a ainsi dissocié le Fonds vert du MDDELCC, en plus de mettre sur pied Transition énergétique Québec (TEQ).

Toutefois, ces transformations ne s'attaquent pas au cœur du problème. Elles placent plutôt ces deux organismes, dont les mandats se recoupent, sous la tutelle de ministères aux mandats très différents (l'Environnement et l'Énergie), plutôt que de créer une seule structure proche des centres de décision – que ce soit au ministère de l'Économie, de la Science et de l'Innovation ou au cabinet du premier ministre. Comme la majorité des investissements et des orientations touchant à l'énergie demeurent hors de portée de TEQ et du MDDELCC, cette structure multicéphale complique le déploiement d'actions qui intégreraient la réduction des émissions de GES, l'utilisation de l'énergie et le développement économique et social du Québec.

Deux ans après le dévoilement de sa politique énergétique, le gouvernement du Québec n'a donc pas réussi à l'intégrer à l'ensemble de ses actions. À court terme, cette approche en silo limite les conflits entre ministères et facilite le saupoudrage des subventions auprès des habitués du ministère de l'Énergie et des Ressources naturelles et du MDDELCC. Mais à moyen terme, elle risque plutôt de rebuter les citoyens de même que l'ensemble des acteurs économiques, qui verront le Québec reculer par rapport au reste de la planète sous l'effet de politiques ne contribuant pas à l'amélioration du bilan environnemental.

Pour le moment, en l'absence de lien direct avec les objectifs de réduction des émissions de GES, impossible de saisir le but de la nouvelle politique énergétique du Québec. Vise-t-elle à améliorer la qualité de vie des Québécois ? À accélérer le développement économique ? Ou encore à aider les amis du parti ? On ne le sait pas. Impossible, également, de savoir ce que cette politique implique pour les citoyens, les communautés et le secteur économique, puisqu'aucune stratégie ne soutient la transition énergétique proposée.

S'il désire réellement devenir un chef de file en énergie propre, le Québec doit revoir sa gouvernance énergétique et l'intégrer à ses objectifs climatiques, économiques et sociaux afin de se donner les outils nécessaires à la transformation en profondeur de tous les aspects de son économie. Il n'est pas trop tard pour s'y mettre, mais le temps est compté. ◊

Notes et sources, p. 332

LE RÉSEAU ÉLECTRIQUE MÉTROPOLITAIN : LE TRAIN DE LA CONTROVERSE

Six milliards de dollars, 67 kilomètres, 27 stations. Le projet de Réseau électrique métropolitain, qui a pour locomotive la Caisse de dépôt et placement du Québec et le gouvernement provincial, verra le jour en 2020 malgré de nombreuses critiques. Le point sur ce projet hors normes qui chamboule l'écosystème des transports collectifs montréalais.

FLORENCE PAULHIAC SCHERRER
Titulaire de la Chaire de recherche-innovation en stratégies intégrées transport-urbanisme (In.SITU) de l'École des sciences de la gestion, Université du Québec à Montréal

La région métropolitaine de Montréal réunit une population de 4,3 millions d'habitants qui effectuent quotidiennement 8,8 millions de déplacements[1], dont environ 70 % se font au moyen d'une voiture personnelle. Bien que l'utilisation des transports collectifs augmente – hausse de 10 % entre 2008 et 2013[2] –, la dépendance des Montréalais à leur auto se renforce aussi[3], générant des impacts négatifs aux coûts socioéconomiques élevés : congestion et temps perdu dans le trafic, stress, accidents, sédentarité, pollution et contribution aux changements climatiques, dégradation des espaces naturels, etc.

Dans ce contexte, le développement d'une offre de transport collectif concurrentielle apparaît comme un enjeu environnemental, économique et social majeur pour la région. Le projet du Réseau électrique métropolitain (REM), présenté au printemps 2016 par le gouvernement du Québec et la Caisse de dépôt et placement du Québec (CDPQ) sous l'enseigne du promoteur CDPQ Infra, propose une réponse à ce besoin. Visant à améliorer les conditions de déplacement dans la région métropolitaine, le REM, un projet pourtant innovant, demeure controversé, révélant qu'une solution pour contrer l'usage de l'automobile est difficile à définir et loin d'être univoque.

LE REM CHANGE LES RÈGLES DU JEU

Le REM est un projet nouveau genre dans le domaine des transports collectifs montréalais. Il a régulièrement été qualifié par ses partisans de projet « innovant », voire hors du commun, sur la base de plusieurs caractéristiques stratégiques (tracé, antennes) et technologiques (choix du mode électrique, capacité). Ce projet est aussi hors du commun de par le montage financier partenarial qui en permettra la construction et les processus décisionnels sous-tendant sa réalisation.

En effet, s'appuyant sur un investissement d'environ six milliards de dollars, l'un des plus importants investissements en transport collectif depuis la construction du métro montréalais il y a 50 ans, le projet du REM s'accompagne également de nouvelles modalités d'action collective. Le gouvernement provincial, qui a initié le projet, a changé les règles du jeu qui prévalaient jusqu'à présent dans le domaine de la planification régionale des transports collectifs. En concluant, en 2015, une entente avec la CDPQ, il a introduit un nouvel acteur dans le domaine. Ayant pour mission de réaliser, de gérer et de financer des projets d'infrastructures, la Caisse a créé une filiale, CDPQ Infra, qui a depuis eu pour mandat de proposer un projet de transport collectif dans le corridor du pont Champlain, fortement congestionné aux heures de pointe. Dans ce dossier, CDPQ Infra a pris la relève de l'Agence métropolitaine de transport (AMT), qui était en charge de la planification et de la réalisation des transports collectifs dans la région de Montréal.

Or, ce qui frappe, c'est le statut de quasi-novice de la Caisse et de sa filiale CDPQ Infra dans le domaine des transports urbains et de la mobilité des personnes. CDPQ Infra n'est *a priori* ni un planificateur, ni un constructeur, ni un gestionnaire d'infrastructures de transport de personnes. L'expérience de la société mère (CDPQ) dans le domaine se limite à celle d'un actionnaire et d'un investisseur au sein d'un consortium finançant la réalisation d'une antenne du SkyTrain à Vancouver (la Canada Line, longue de 19 km). Dans le cas montréalais, CDPQ Infra devient le maître d'œuvre unique d'un projet de plus grande envergure, soit la planification, la construction et l'exploitation d'un tout nouveau réseau de transport collectif de 67 km.

Le promoteur du REM a surpris en dévoilant un projet dépassant largement le mandat initial donné par le gouvernement.

Le montage financier retient aussi l'attention : à titre de promoteur du REM, la CDPQ, par le biais de CDPQ Infra, investit 3 milliards de dollars ; le gouvernement du Québec et le gouvernement fédéral contribuent à parts égales, à hauteur d'environ 1,3 milliard de dollars ; Hydro-Québec ajoute autour de 295 millions de dollars. CDPQ Infra est donc actionnaire principal et le gouvernement du Québec est actionnaire minoritaire, avec 24,5 % du capital-actions du projet.

Parallèlement, le gouvernement du Québec a créé des conditions particulières pour l'application des compétences de CDPQ Infra. Alors qu'il impose à la métropole de nouvelles règles de gouvernance régionale des transports, il en exclut CDPQ Infra, lui conférant ainsi une grande autonomie.

Dans ce contexte, la récente structure de gouvernance régionale des transports (l'Autorité régionale de transport métropolitain, ARTM) pourrait être potentiellement fragilisée dans ses choix stratégiques et dans sa capacité d'action à long terme. Avec une CDPQ Infra autonome, l'ARTM voit sa capacité de coordination des choix de transports et des investissements dans la région limitée.

Par ailleurs, le fait que CDPQ Infra soit actionnaire principal et gestionnaire unique soulève deux questions : le REM contribuera-t-il, pour l'usager, à des services de mobilité dans des conditions intégrées aux réseaux de transport existants ? Et les choix de CDPQ Infra seront-ils cohérents avec les besoins de mobilité et les stratégies de transport élaborées par l'ARTM ?

UNE MOBILITÉ AUGMENTÉE ?

Le promoteur du REM a également surpris en dévoilant un projet dépassant largement le mandat initial donné par le gouvernement. Alors que l'étude visait à relier la Rive-Sud au centre-ville, CDPQ Infra a présenté un réseau de 27 stations déployé sur 67 km dans la région métropolitaine. Constitué de quatre antennes, le REM reliera Deux-Montagnes, Brossard, Sainte-Anne-de-Bellevue et l'aéroport au centre-ville (se substituant ici à des dessertes en bus).

Le mode de transport retenu est aussi nouveau pour la région : un système léger sur rail, aérien ou en tunnel, automatisé et exploité en site propre pour minimiser les conflits avec d'autres modes de transport terrestre. Ainsi, plus de 45 km de rails seront surélevés. L'automatisation des véhicules et l'absence de conducteur permettront un service 20 heures sur 24 et des temps de déplacement garantis entre les stations. L'offre est également modulaire (2 à 4 voitures par passage, selon les heures, pour déplacer entre 300 et 600 personnes), avec des fréquences soutenues à élevées en fonction du moment de la journée (toutes les 2,5 minutes aux heures de pointe, par exemple).

S'il est vrai que la réalisation du métro et celle du REM sont parfois mises en parallèle (réseaux de transport en site propre et à fréquence élevée, investissement massif, etc.), la comparaison est peu aisée ou s'essouffle dès qu'on considère l'achalandage actuel du métro et celui attendu du REM. Si le métro de Montréal est juste un peu plus long que le REM (71 km contre 67 km), il dessert 68 stations (contre 27) et permet le déplacement d'environ 760 000 personnes quotidiennement (contre les 170 000 projetées à l'ouverture du REM).

D'ailleurs, l'achalandage attendu pour le projet mérite une attention particulière. Le REM se substitue à des lignes de transport collectif préexistantes dans différents corridors desservis actuellement par des autobus ou un train de banlieue. Un tel service de transport sur ces axes offre des garanties nouvelles : fiabilité des temps de déplacement, fréquence élevée, confort, sécurité. De ce point de vue, le REM offrirait une meilleure qualité de service. Cependant, pour de nombreux usagers, accéder au réseau du REM supposera d'effectuer des correspondances en autobus, en automobile ou en modes actifs. Comme on sait actuellement peu de chose sur les temps réels de déplacement de ces usagers, la pénibilité des correspondances n'est pas mesurée par le promoteur.

Enfin, le REM est-il un moyen de lutter contre la dépendance à l'automobile et la congestion routière ? Les études du promoteur estiment que seulement 10 % des futurs usagers du REM, soit environ 17 000 personnes, délaisseront leur automobile. Comme on estime actuellement à six millions les déplacements quotidiens en automobile dans la région montréalaise, le gain de parts de marché du transport collectif sera donc *a priori* très faible, soit moins de 1 %.

UN PROJET CRITIQUÉ

Le REM a suscité de vifs débats à l'occasion du processus d'évaluation environnementale mené sous la houlette du Bureau des audiences publiques sur l'environnement (BAPE) à l'automne 2016. Ces débats se poursuivent depuis que l'organisme a émis un avis négatif sur le projet et que le gouvernement a décidé d'aller de l'avant malgré tout. De ces débats est née une controverse entre les tenants du projet et ceux qui souhaitaient que le promoteur retourne à la table à dessin.

Les critiques affirment que le projet du REM est porteur d'iniquités métropolitaines de mobilité et d'aménagement.

Le BAPE a émis un avis négatif sur le projet, mais le gouvernement a décidé d'aller de l'avant.

Ils soulignent la potentielle concurrence entre le REM et plusieurs réseaux de transport collectif existants, ainsi que le faible arrimage du REM aux autres projets de transport, actuels et futurs. Par ailleurs, des territoires apparaissent lésés ou oubliés par le projet (l'est contre l'ouest de la ville, par exemple). Enfin, un tel investissement est perçu comme risqué : des projets futurs pourraient être hypothéqués ou fragilisés par un manque de ressources financières dans l'avenir.

Dans le domaine de l'aménagement du territoire, les avis critiques soulignent le manque d'arrimage du REM aux récentes planifications existantes et l'absence de coordination urbanisme-transport. La controverse porte également sur la capacité du REM à contribuer efficacement à la lutte contre les changements climatiques en réduisant les émissions de GES. Ainsi, le REM apparaît comme un réseau distinctif qui ne remplirait pas de mission universelle, soit de contribuer à un développement durable et équilibré des territoires et de satisfaire les besoins de mobilité de tous.

UNE OCCASION DE VOIR PLUS LOIN

Ces critiques se sont avérées en grande partie stériles puisque le REM sera construit. La loi permettant sa réalisation a été adoptée par l'Assemblée nationale en septembre 2017, et la première ligne devrait voir le jour aux alentours de 2020. Cependant, une question fondamentale demeure : un tel projet peut-il servir le bien commun métropolitain ? La réalisation du REM appelle à penser collectivement « le coup d'après ». Garantir son intégration à l'écosystème de transport collectif montréalais et sa contribution au bien commun reste une cible à atteindre.

Repenser ainsi le grand Montréal pourrait se faire à l'échelle régionale et locale. Une vision régionale intégrée du transport et de l'aménagement, à partir du REM, appelle une collaboration partenariale entre les acteurs provinciaux, régionaux et locaux en charge de ces différents domaines. C'est l'occasion d'anticiper le développement de nouvelles offres de transport sur d'autres territoires de la région, mais aussi d'approfondir des expériences innovantes, en cours ou à créer, à l'échelle locale : nouveaux quartiers de gare, nouvelle mobilité en banlieue, intermodalité innovante autour de nouveaux services de mobilité autonome ou intelligente. ◊

Notes et sources, p. 332

HO! HO! HO!
JOYEUX NOËL À TOUS LES PROSPECTEURS!
PROJET DE LOI 106
DRILL, BABY, DRILL
JEU DE PÉTROLE DE SCHISTE
YOUPI! EXACTEMENT CE QUE J'AVAIS DEMANDÉ!
MF... MF...
GARNOTTE 2016.12.12

Climat

LE SECTEUR FORESTIER AU SECOURS DE LA LUTTE CONTRE LES CHANGEMENTS CLIMATIQUES

La foresterie, de l'aménagement des forêts à la fabrication de produits du bois, offre un potentiel énorme et une façon abordable d'atténuer les émissions de gaz à effet de serre. Le Québec, fort de ses immenses forêts et des communautés qui en vivent, pourrait aussi faire du secteur forestier un pilier majeur de sa stratégie de lutte aux changements climatiques.

EVELYNE THIFFAULT

Professeure au Département des sciences du bois et de la forêt, Université Laval, et chercheure au Centre de recherche sur les matériaux renouvelables

PATRICK LAVOIE

Chercheur principal, FPInnovations

JEAN-FRANÇOIS BOUCHER

Professeur au Département des sciences fondamentales, Université du Québec à Chicoutimi

ISABELLE MÉNARD

Étudiante au Département des sciences du bois et de la forêt, Université Laval

En 2007, le Groupe d'experts intergouvernemental sur l'évolution du climat (GIEC) a publié un rapport sur les différentes approches en matière d'atténuation des changements climatiques[1]. Le GIEC est un organisme relevant du Programme des Nations unies pour l'environnement et de l'Organisation météorologique mondiale. Sa mission est d'examiner l'information scientifique afin de fournir la vision la plus éclairée possible sur les changements climatiques. Ses rapports d'évaluation sont le fruit du travail d'analyse et de rédaction de milliers de chercheurs de partout sur la planète, travaux qui sont ensuite révisés et approuvés par les représentants des pays membres du GIEC. Leur contenu présente donc une très grande légitimité scientifique et politique.

Dans ce rapport de 2007, on identifiait les secteurs et les technologies permettant de réduire ou d'absorber, au cours des prochaines décennies, les émissions de gaz à effet de serre (GES), dont le plus important est le dioxyde de carbone (CO_2). Parmi les technologies déjà sur le marché et présentant un potentiel élevé, le GIEC cite plusieurs activités de la foresterie :

- le boisement, c'est-à-dire une augmentation des superficies forestières, et la diminution du déboisement, soit le maintien des superficies forestières ;
- l'aménagement des forêts et l'exploitation forestière ;
- l'utilisation des produits du bois et de la biomasse forestière, sous forme de matériaux et de bioénergie.

Pourquoi reconnaît-on aux forêts un rôle si important en matière d'atténuation des changements climatiques ? Rappelons que les arbres croissent grâce à l'activité photosynthétique, c'est-à-dire que le rayonnement solaire permet de fixer le CO_2 atmosphérique afin de faire croître la végétation forestière. Ce CO_2 fixé par les arbres est maintenu jusqu'au dépérissement ou à la mort naturelle de l'arbre.

S'ensuit une accumulation de matière organique au sol, puis les arbres morts sont remplacés par de nouveaux semis. Augmenter les superficies forestières, ou empêcher la conversion de forêts vers d'autres formes d'utilisation des terres (par exemple l'agriculture), contribue donc à préserver ou à augmenter le réservoir de carbone stocké.

On peut aussi récolter les arbres pour en faire des produits du bois. Le bois est une ressource renouvelable lorsque la forêt est aménagée de manière durable, c'est-à-dire lorsqu'on s'assure de maintenir la pérennité des écosystèmes forestiers. Le Québec est d'ailleurs un leader mondial à ce chapitre.

Par ailleurs, l'utilisation de produits du bois minimise la quantité de carbone émis dans l'atmosphère de trois façons. Tout d'abord, la récolte et la transformation du bois nécessitent moins d'énergie fossile que celles d'autres matériaux comme l'acier et le béton. Ensuite, la transformation du bois en produits, pour la construction par exemple, permet de conserver le CO_2 à l'intérieur de ceux-ci, et ce, jusqu'à leur fin de vie. Enfin, les résidus provenant de la récolte des arbres, de la fabrication de produits du bois et des déchets postconsommation peuvent être valorisés grâce à la bioénergie, en remplacement notamment d'énergies fossiles.

POTENTIEL D'ATTÉNUATION DES CHANGEMENTS CLIMATIQUES DE LA FORESTERIE

À l'échelle mondiale, la foresterie offre un potentiel de réduction des émissions de GES allant de 1,6 à 5 gigatonnes (Gt) de CO_2 par année, et ce, à un coût de moins de 20 $ US par tonne de CO_2, et de 2,7 à 13,8 Gt à un coût inférieur à 100 $ US par tonne, sur des émissions totales globales d'environ 35 Gt de CO_2 pour l'année 2016. Ce potentiel de réduction des émissions est très important si l'on veut arrêter la hausse de la concentration de CO_2 dans l'atmosphère et respecter les cibles d'atténuation des changements climatiques que se sont données les pays dans le cadre de l'Accord de Paris sur le climat. De plus, ces coûts se comparent très avantageusement à ceux des autres mesures de réduction des émissions. En outre, les pratiques de foresterie peuvent être implantées et appliquées à peu de frais afin d'aider des territoires et des populations à s'adapter

À l'échelle mondiale, la foresterie offre un potentiel de réduction des émissions de GES allant de 1,6 à 5 gigatonnes de CO_2 par année.

aux changements climatiques, de créer des emplois et des revenus, de protéger la biodiversité et les bassins hydrographiques, de s'approvisionner en produits et en énergies renouvelables et de contribuer à réduire la pauvreté.

On peut en déduire que la foresterie est une technologie verte de réduction des émissions de GES à part entière. De plus, elle constitue une voie privilégiée par rapport à d'autres mesures de réduction des émissions parce qu'elle s'inscrit dans une politique plus large d'aménagement du territoire, d'adaptation et de développement durable. C'est pourquoi de nombreuses régions dans le monde, comme la Suède, la Finlande et, chez nous, la Colombie-Britannique, font une place significative au secteur forestier dans leurs plans et stratégies de lutte aux changements climatiques.

LE QUÉBEC ET LA LUTTE AUX CHANGEMENTS CLIMATIQUES

Le Québec a aussi son plan d'action sur les changements climatiques ayant pour horizon 2020 (PACC 2013-2020)[2]. Le PACC mise particulièrement sur des interventions de nature transversale, notamment en matière d'aménagement du territoire (un chantier prioritaire du PACC), de manière à augmenter les retombées à court et à long terme des actions sectorielles et à répondre à des enjeux d'adaptation aux changements climatiques. Le portrait des émissions de GES au Québec identifie les transports, l'industrie et les bâtiments comme étant les trois principaux secteurs

TABLEAU 1

Réduction des émissions dans l'atmosphère

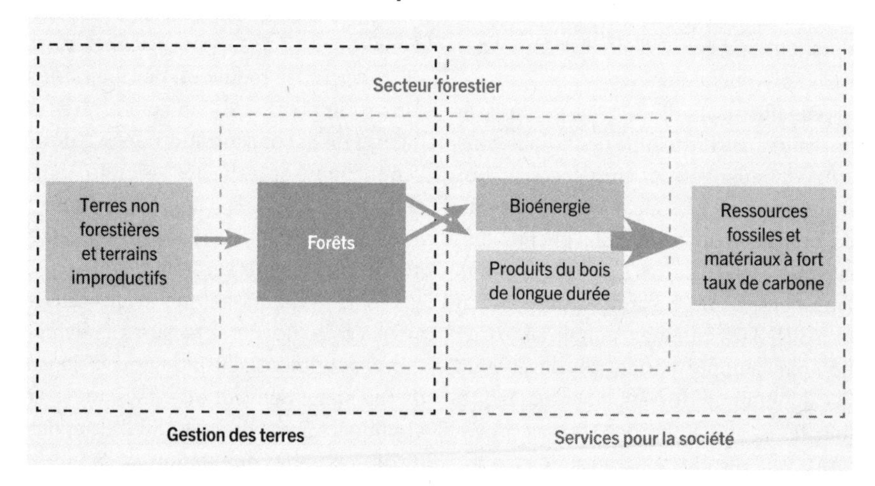

d'activité émetteurs, avec respectivement 44, 28 et 14 % des émissions de GES. Par ailleurs, 70 % des émissions proviennent de la production et de la consommation de carburants fossiles. Une stratégie efficace de réduction des émissions de GES doit donc permettre de s'attaquer de manière intégrée à ces sources d'émissions.

Considérant le faible taux d'émissions par personne et la performance enviable du Québec dans le domaine de l'énergie grâce à la production d'hydroélectricité, la province affronte un défi de taille dans la poursuite de ses cibles ambitieuses de réduction de ses émissions nettes. Des actions du PACC 2013-2020 visent notamment une plus grande utilisation du bois en construction et sa substitution à des matériaux à plus forte empreinte carbone tels que le béton et l'acier, ainsi que le développement de la bioénergie. Cette contribution occupe toutefois une place relativement modeste par rapport à l'énorme capital forestier du Québec.

En effet, les forêts québécoises couvrent 761 100 km², soit près de la moitié du territoire de la province, et représentent 2 % des forêts mondiales. Sur ce total, 92 % sont de tenure publique et donc sous la responsabilité de l'État, le reste appartenant à des propriétaires privés. Environ 485 000 km² des forêts québécoises (en terres privées et publiques) sont aménagés, et la majorité (90 %) est certifiée par l'un ou l'autre des systèmes de certification d'aménagement forestier durable. Plus que toute autre technologie verte de réduction des émissions de GES, le développement et l'optimisation des pratiques de foresterie sont donc intrinsèquement liés à l'aménagement du territoire québécois.

> Au-delà des aspects économiques, les forêts font battre le cœur des communautés et sont liées à leur histoire depuis fort longtemps.

LE SECTEUR FORESTIER QUÉBÉCOIS À LA RESCOUSSE DU CLIMAT

L'Association des produits forestiers du Canada estime que le secteur forestier canadien pourrait fournir une réduction des émissions de GES de 30 mégatonnes (Mt) de CO_2 par année d'ici 2030[3]. Cette réduction se décline en plusieurs actions : l'augmentation de la séquestration du CO_2 par le boisement, la conservation de superficies forestières et un aménagement plus intensif des forêts permettant d'accroître leur croissance (environ 15 Mt) ; l'augmentation de la séquestration du carbone dans des produits forestiers de longue durée (environ 7,5 Mt) ; l'augmentation de la substitution de matériaux à fort taux de carbone par des produits forestiers, y compris la bioénergie (environ 7,5 Mt).

Si l'on rapporte cette estimation canadienne à l'échelle québécoise, on peut estimer à environ 8 Mt de CO_2 par année d'ici 2030 la réduction potentielle liée à la foresterie au Québec. Cette valeur a été confirmée par les acteurs de l'industrie forestière québécoise lors du premier Forum innovation bois, tenu à Rivière-du-Loup le 31 octobre 2016. Cette estimation de 8 Mt par année représente le tiers de la cible de réduction des émissions de GES visée par le gouvernement québécois pour l'an 2030.

Pour la province, une stratégie d'atténuation des changements climatiques et de réduction des émissions de GES faisant appel au secteur forestier aurait l'avantage de miser sur l'une des forces vives du Québec : l'industrie forestière, qui représente environ 60 000 emplois directs et contribue à près de 6 milliards de dollars au produit intérieur brut.

Mais au-delà des aspects économiques, les forêts font battre le cœur des communautés et sont liées à leur histoire depuis fort longtemps. Les acteurs du secteur forestier québécois, par exemple les coopératives forestières, qui sont de véritables trésors d'innovation sociale et technologique, sont prêts à répondre à l'appel et à contribuer à la lutte aux changements climatiques. ◊

Notes et sources, p. 332

Changements climatiques : l'urgence d'une décarbonisation profonde

LORRAINE CARON
Analyste principale, Transitio Services-conseils (www.transitio.ca)

CÉDRIC CHAPERON
Responsable énergie et changements climatiques, Regroupement national des conseils régionaux de l'environnement du Québec (www.rncreq.org)

Pour contenir le réchauffement climatique à moins de 2 °C, l'humanité ne devait pas émettre plus de 1 150 gigatonnes de dioxyde de carbone (Gt CO_2) à partir de 2016, et ce, jusqu'à la fin des temps. Cette quantité maximale constitue le « budget carbone » mondial. Celui du Québec est de 1,4 Gt pour cette même période[1]. Nos émissions de carbone sont comptées !

De nombreux pays, provinces et États se sont dotés de cibles de réduction d'émissions de gaz à effet de serre (GES) à des horizons variés. Pour sa part, le Québec a adopté des cibles pour 2020 et 2030 de -20 % et de -37,5 % respectivement sous le niveau de 1990. Il souhaite atteindre de -80 à -95 % en 2050[2].

Le transport demeure la source de GES la plus importante. En 2014, il représentait 41 % des émissions territoriales, suivi de l'industrie avec 31 %[3]. Tous doivent donc faire leur part dans la lutte contre les changements climatiques – aussi bien les industries, les commerces, les institutions, les municipalités et le gouvernement que les ménages.

LA PART DES MÉNAGES

Quelle est la part attribuable aux ménages québécois ? D'après une étude commandée par le Regroupement national des conseils régionaux de l'environnement (RNCREQ)[4], ils sont responsables de 32 % des émissions du Québec[5]. Le reste des émissions (68 %) provient des industries, du transport de marchandises, de l'agriculture et des matières résiduelles non produites par les ménages. Ces derniers ont donc un rôle d'importance à jouer.

Les émissions annuelles des ménages correspondent à 7,4 tonnes en équivalent CO_2 en moyenne par ménage[6]. Ce bilan est un estimé minimal[7], excluant les GES issus de la production au Québec des biens et services qu'ils consomment et du transport aérien auxquels ils ont recours.

Si nous adoptions une perspective d'empreinte GES globale plutôt que territoriale, il faudrait ajouter à cela les émissions liées à la production de biens importés, ainsi que celles du transport aérien international. L'empreinte GES du ménage québécois moyen grimperait alors à plus de 20 tonnes, comparativement à 22,3 tonnes pour un ménage moyen norvégien [8].

HORIZON 2050 : ÇA PASSE OU ÇA CASSE ?

Le budget carbone annuel qu'un ménage moyen ne devrait pas dépasser pour que le Québec atteigne collectivement les objectifs de réduction fixés par le gouvernement québécois est de 6,8 tonnes pour 2016. Il devra passer à 6,1 tonnes en 2020 et à 4,5 tonnes en 2030, puis à moins de 1 tonne par ménage en 2050[9].

Comment cette transition affectera-t-elle nos modes de vie? Les évaluations prospectives et les réflexions critiques en la matière proposent des scénarios contrastés[10]. Certains sont convaincus qu'il faut adopter une décroissance planifiée[11]. D'autres supposent qu'il sera possible de maintenir des modes de vie confortables tout en réduisant de manière draconienne la consommation d'énergie fossile et en misant sur le développement des énergies renouvelables[12].

À ce stade-ci, la question reste entière, mais des expériences actuelles – comme le mouvement Ville en transition – donnent un aperçu des solutions. Car derrière le bilan GES du ménage moyen se cache une pluralité de modes de vie plus ou moins sobres en carbone, dont certains peuvent déjà tracer des pistes à suivre. C'est l'hypothèse qui se dégage de l'étude du RNCREQ, laquelle a évalué les émissions de GES de quelques ménages en fonction de leur budget carbone pour 2016, 2020, 2030 et 2050.

L'examen des émissions de 10 ménages, qui sont des cas réels, témoigne de variations importantes en fonction du mode de vie[13]. Précisons que, dans les pays industrialisés, le niveau de revenus du ménage est le principal déterminant des émissions de GES[14]. Selon l'étude du RNCREQ, ceux qui délaissent les véhicules privés à essence ou qui en minimisent l'utilisation sont en mesure de respecter leur budget carbone annuel projeté pour 2020 et 2030. Toutefois, le budget de 2050 est tellement limité qu'aucun des ménages actuels examinés dans l'étude ne pourrait atteindre la cible.

Pour réduire les émissions de 80 à 95 % d'ici 2050, il est donc urgent d'apporter des changements structurels radicaux, qui permettront une décarbonisation profonde de l'économie. C'est une condition indispensable pour soutenir les ménages dans la transition. Mais ce n'est pas tout, car il faudra aussi réglementer et déployer des efforts considérables de sensibilisation et de mise à l'échelle des solutions.◊

Notes et sources, p. 332

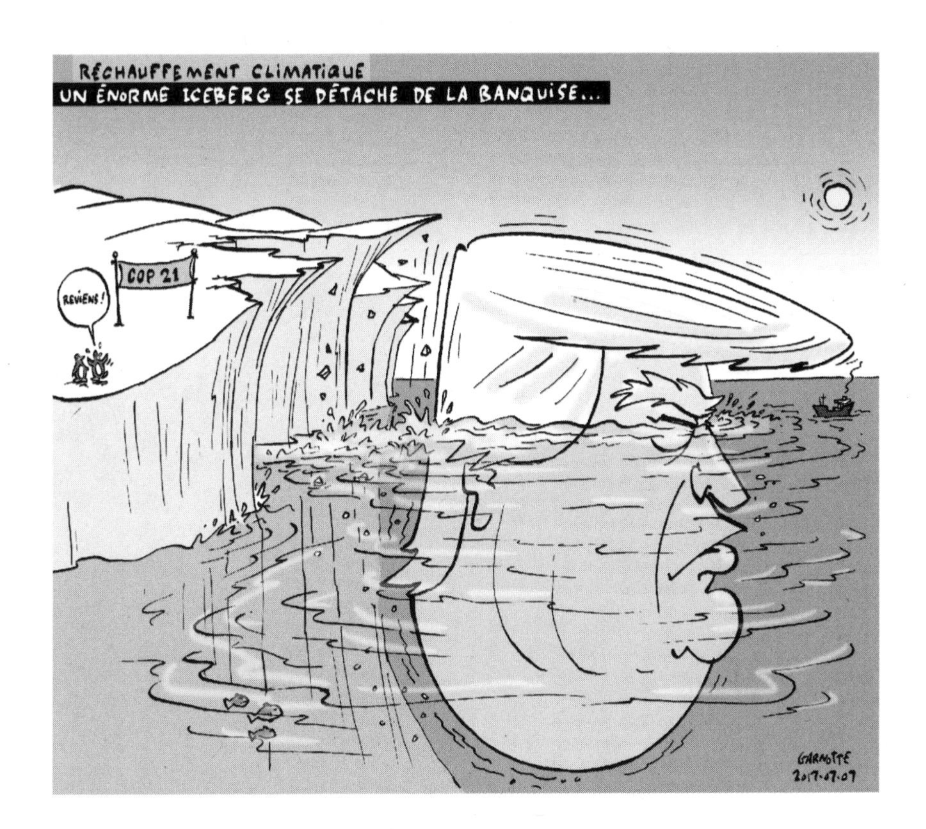
RÉCHAUFFEMENT CLIMATIQUE
UN ÉNORME ICEBERG SE DÉTACHE DE LA BANQUISE...
COP 21
REVIENS !
GARNOTTE
2017-07-07

Diversité culturelle

COMMISSION BOUCHARD-TAYLOR : DES DEMANDES D'ACCOMMODEMENTS AUX DEMANDES DE REDDITION DE COMPTES

Il y a 10 ans, à la veille du lancement de la commission Bouchard-Taylor, plusieurs observateurs craignaient que ses audiences donnent lieu à un défoulement collectif et que son rapport finisse aux oubliettes. Ces deux craintes se sont matérialisées. Et non seulement les grandes questions soulevées par la commission n'ont pas été résolues, mais elles sont posées aujourd'hui de façon plus acrimonieuse.

RACHAD ANTONIUS

Professeur titulaire au Département de sociologie,
Université du Québec à Montréal

La commission Bouchard-Taylor, officiellement la Commission de consultation sur les pratiques d'accommodement reliées aux différences culturelles, a vu le jour en 2007. Son but ? Prendre le pouls de la population au sujet des accommodements raisonnables à mettre ou non en place face aux revendications culturelles ou religieuses et effectuer des recommandations au gouvernement sur la façon de gérer ces revendications.

Les audiences publiques de la commission ont été diffusées en direct à la télévision et suivies par des millions de téléspectateurs. Ce mode de fonctionnement a effectivement permis à la population, dans toute sa diversité, de s'exprimer. Mais il a également eu un effet pervers : celui de permettre l'expression publique d'hostilité et de préjugés à l'égard des minorités culturelles – sinon l'expression ouverte du racisme –, justifiés par la crainte que l'identité québécoise ne soit menacée de l'intérieur.

En particulier, les immigrants musulmans sont apparus comme une source de problèmes plutôt qu'une richesse pour la société d'accueil. Les audiences publiques ont entraîné un autre effet pervers : même s'il y a eu de nombreux témoignages positifs à propos des immigrants, elles ont laissé chez certains d'entre eux le sentiment de ne plus être les bienvenus, d'être montrés du doigt, stigmatisés et rejetés.

Par ailleurs, les milieux associatifs et scolaires ont estimé que seul un faible pourcentage des recommandations de la commission a été mis en œuvre[1]. Qui plus est, tant les organismes favorisant le dialogue interculturel que ceux œuvrant à l'insertion sociale et économique ont subi des coupes budgétaires. Les programmes aidant les nouveaux arrivants à s'établir en dehors de Montréal, là où il y a des besoins qui correspondent à leurs compétences, n'ont plus été appuyés.

Au-delà des accommodements proprement dits, la commission aura soulevé une question plus fondamentale : celle du rapport entre la société québécoise et ses minorités. Nous soulignons ici quatre aspects de ce rapport qui ont émergé dans les 10 dernières années.

LE DÉBAT SUR LA LAÏCITÉ ET L'EXCLUSION

Les demandes d'accommodements ont eu un effet polarisant dans la société québécoise. Une partie de l'opinion publique craignait que certains accommodements de nature religieuse remettent en question le fonctionnement non confessionnel des institutions et des écoles, en autorisant, entre autres, des pratiques discriminatoires à l'égard des femmes. Ses tenants mentionnaient notamment les demandes de groupes religieux adressées à des services publics afin d'être servis uniquement par des personnes du même sexe ou les demandes de lieux de prière collective dans des établissements d'enseignement publics. Mais ces exemples ne sont pas les seuls, et c'est pour cela que la commission Bouchard-Taylor avait été mise sur pied.

Cette partie de la population estimait que permettre le port de signes religieux dans l'espace public aurait un effet négatif sur l'intégration des groupes religieux minoritaires et valoriserait l'identité religieuse au détriment de l'identité citoyenne. Ne trouvant pas les recommandations de la commission Bouchard-Taylor satisfaisantes, ces courants ont considéré que l'affirmation formelle du concept de laïcité par l'État permettrait de fournir un cadre légal pour les pratiques en question.

Le Parti québécois, alors au pouvoir, a donc déposé en novembre 2013 le projet de loi 60, connu sous le nom de « Charte affirmant les valeurs de laïcité et de neutralité religieuse de l'État ainsi que d'égalité entre les femmes et les hommes et encadrant les demandes d'accommodement ».

Mais quelques semaines avant le dépôt officiel du projet de charte, des auteurs qui souhaitaient manifester leur opposition au projet ont publié un *Manifeste pour un Québec inclusif*. En moins d'une semaine, le manifeste a recueilli plus de 12 000 signatures provenant d'un vaste éventail d'horizons politiques, y compris des courants souverainistes. Les auteurs reprochaient au projet de charte sa conception ethnocentrique des « valeurs québécoises » et, surtout, l'interdiction pour les fonctionnaires de l'État d'arborer des signes religieux « ostentatoires », dont le hijab. Ils estimaient que la charte de la laïcité aurait un effet d'exclusion, en particulier sur les femmes musulmanes portant le hijab. Ils estimaient aussi qu'il n'y a pas de « crise » des accommodements, mais quelques cas peu nombreux qui n'ont pas

Les demandes d'accommodements ont eu un effet polarisant dans la société québécoise.

besoin d'une loi pour être réglés. Si ce sont les « inclusifs » qui ont mené cette bataille, ils ont trouvé des appuis solides dans les courants islamistes conservateurs.

Pour sa part, le Parti libéral s'est vigoureusement opposé au projet de charte des valeurs. Le débat a évolué de façon acrimonieuse. Le Parti québécois a été accusé de jouer la carte identitaire dans un but partisan, et il a subi une défaite électorale en avril 2014, attribuée justement à ce projet. Mais il a été appuyé par des courants laïques, incluant des personnes de culture musulmane qui voyaient dans la propagation des courants islamistes conservateurs un danger pour le vivre-ensemble. Pour eux c'est l'intégration qui est mise en danger par la prolifération de signes religieux et de demandes d'accommodements, qui créent des espaces où les règles communes ne s'appliquent plus.

En juin 2015, le Parti libéral a déposé le projet de loi 62 : Loi favorisant le respect de la neutralité religieuse de l'État et visant notamment à encadrer les demandes d'accommodements religieux dans certains organismes. Le projet, qui permettait le port de signes religieux, a été bien accueilli par Québec inclusif ainsi que par plusieurs associations religieuses musulmanes. Mais la clause stipulant que les services gouvernementaux devront être donnés et reçus à visage découvert a soulevé la controverse. Celle-ci aurait pour effet d'interdire le voile intégral (le niqab), qui couvre entièrement le visage. Cependant, le projet de loi a laissé la porte ouverte aux exceptions. Cette clause a mené la Commission des droits de la personne et des droits de la jeunesse (CDPDJ) à estimer que le projet de loi contrevenait à la Charte des droits et libertés, laquelle garantit la liberté de religion. Pour la CDPDJ, le port du voile intégral fait partie des droits religieux à respecter, et l'interdire aurait un effet d'exclusion.

Force est de constater que dans les deux camps principaux qui s'opposaient, il y a eu de la démagogie, de la désinformation, mais aussi de l'ignorance et de la maladresse, favorisant l'instauration d'un climat de polarisation acrimonieux.

DIFFICULTÉS D'INTÉGRATION : QUESTION DE CULTURE OU D'ÉCONOMIE ?

La polarisation s'est aussi exprimée dans la conception même de l'intégration. Et là, les clivages ne coïncident que partiellement avec ceux reliés à la charte des valeurs. Pour beaucoup d'immigrants, la première condition d'intégration, avant même les facteurs culturels et les accommodements religieux, est l'intégration au marché du travail. Les taux de chômage élevés de certains groupes, notamment les Maghrébins, sont leur préoccupation principale. Dans la mouvance multiculturaliste, on attribue ces hauts taux au racisme, et même au projet de charte. Des études de terrain démontrent cependant que la reconnaissance des diplômes, les obstacles posés par les ordres professionnels et la connaissance insuffisante de l'anglais sont parmi les barrières les plus importantes de l'intégration au marché du travail.

Parallèlement à ces analyses polarisées sur les causes du chômage des immigrants, des perspectives divergentes sur le concept même d'intégration se sont affrontées. Alors que les courants nationalistes et laïques insistaient sur l'intégration culturelle et voyaient les demandes d'accommodements comme des obstacles à cette intégration, les courants multiculturalistes jugeaient les demandes d'intégration culturelle des immigrants comme racistes et insistaient sur les conditions économiques comme seuls facteurs et seuls critères d'intégration.

LE RÔLE DES MÉDIAS ET LA STIGMATISATION

Certains médias ont joué un rôle majeur dans la « crise » des accommodements, montant en épingle des incidents banals qui donnaient l'impression que le Québec était envahi et que son identité même était en danger. Tant le contenu des chroniques de certains journaux populistes que la mise en page ou le choix des titres et des photos (les femmes en niqab ou en hijab pour illustrer n'importe quel article traitant des musulmans, par exemple) ont joué un rôle dans ce processus. Ce ne sont pas les articles individuels de tel ou tel chroniqueur que l'on peut décrire comme étant racistes, mais bien le message global fait par la détermination de ce qui constitue le « danger » pour l'identité québécoise, ainsi que la répétition et la mise en exergue de problèmes mineurs qui ont fini par avoir un effet cumulatif de stigmatisation des communautés musulmanes. Dans ce contexte, les opinions critiques des courants islamistes, tout à fait justifiées, étaient associées à tort aux courants xénophobes. Force est de constater que dans les deux camps principaux qui s'opposaient, il y a eu de la démagogie, de la désinformation, mais aussi de l'ignorance et de la maladresse, favorisant l'instauration d'un climat de polarisation acrimonieux.

DES DEMANDES D'ACCOMMODEMENTS AUX DEMANDES DE REDDITION DE COMPTES

Mais la transformation la plus marquante, semble-t-il, depuis la commission

Bouchard-Taylor est la suivante : lors du débat autour des accommodements, c'est la société québécoise francophone qui avait le haut du pavé. C'est elle qui accordait à ses instances politiques le pouvoir d'examiner les demandes d'accommodement présentées, par les groupes minoritaires et d'établir les critères d'acceptation ou de refus de leur dimension individuelle, et qui pense que la société québécoise francophone, minoritaire au sein du Canada, a elle aussi besoin de protection juridique. Par conséquent, dans le cadre de la commission, les citoyens issus du groupe majoritaire étaient appelés à se prononcer sur la gestion des accommodements religieux

Dans le contexte actuel où c'est le racisme, et non les accommodements, qui structure le débat public, on peut s'attendre à voir de plus en plus de revendications religieuses être défendues et acceptées au nom de la lutte pour la reconnaissance et l'inclusion.

ces accommodements. Ces groupes minoritaires, ainsi que des individus se reconnaissant dans des cultures minoritaires, avaient bien participé aux audiences de la commission et aux mémoires présentés, mais il leur revenait de porter le fardeau de la preuve.

Certains soutenaient que tout refus d'accommodements religieux aurait un effet d'exclusion, et ils bénéficiaient de l'appui d'organismes de défense de droits ainsi que de celui de la majorité de la communauté juridique. Nous disons *majorité*, car il y a, dans cette dernière, un courant qui ne réduit pas les droits à touchant les groupes minoritaires. Un rapport de force implicite était donc en jeu.

Avec la Commission sur la discrimination systémique et le racisme, c'est ce rapport de force implicite qui est remis en question, et la société québécoise majoritaire qui se retrouve sur la défensive. Ce sont les personnes qui se considèrent comme victimes du racisme qui vont prendre la parole. Et ce sera aux institutions étatiques et à celles de la société civile de se justifier, pour démontrer qu'elles ont rempli leur part du contrat social implicite avec les immigrants : les protéger du racisme et des discriminations ou mettre en place les mesures correctives nécessaires. Ce changement indique une remise en question du rapport de force entre minorités et majorité au Québec. Mais ce clivage est complexe. Car une partie des minorités, surtout celles qui ont subi les conséquences du fondamentalisme religieux, n'est pas ouverte aux demandes religieuses. Par ailleurs, une partie de la société majoritaire reconnaît la légitimité des demandes religieuses provenant des minorités et ne veut pas avoir à évaluer lesquelles sont acceptables.

Cette prise de parole des exclus est généralement saluée par les courants progressistes et, effectivement, c'est en soi une bonne chose. Mais cette lutte pour la justice est délégitimée, aux yeux de nombreux citoyens, par deux facteurs. Le premier, c'est que certains, parmi ceux qui la défendent, font exactement comme leurs adversaires politiques : de la démagogie populiste pour arriver à leurs fins. Le deuxième, plus grave : des mouvements islamistes ont trouvé parmi les courants dits « inclusifs » un climat qui leur est favorable. En effet, ces derniers sous-estiment grandement l'importance du fondamentalisme islamique, du fait qu'il est porté par des groupes minoritaires et stigmatisés. C'est en quelque sorte leur angle mort. Dans le contexte actuel où c'est le racisme, et non les accommodements, qui structure le débat public, on peut s'attendre à voir de plus en plus de revendications religieuses être défendues et acceptées au nom de la lutte pour la reconnaissance et l'inclusion. Cela explique la résistance encore vive à la *façon* dont va se faire ce débat social sur le racisme. ◊

Notes et sources, p. 332

COMPLÉMENT

Le vivre-ensemble au Québec vu par les jeunes

CLAUDIA BEAUDOIN
Chargée de projet à l'Institut du Nouveau Monde

LÉA RIOU
Membre du comité de pilotage de la Démarche jeunesse sur le vivre-ensemble

Plus de 1 250 jeunes se sont prononcés jusqu'à présent sur les enjeux du vivre-ensemble au Québec dans le cadre d'une démarche initiée par l'Institut du Nouveau Monde (INM)[1]. Ce texte présente leurs réflexions et propositions pour accroître la cohésion sociale dans la province.

Discrimination, inégalités sociales, manque d'ouverture d'esprit, sous-représentation des minorités racisées dans certaines sphères de la société dont les instances politiques, barrière linguistique, défis liés à l'intégration socioéconomique des nouveaux arrivants et à la cohabitation de plusieurs communautés... Les jeunes ne manquent pas de mots quand vient le temps d'identifier les enjeux liés au vivre-ensemble dans un Québec pourtant reconnu pour son ouverture à la diversité.

Pour faire face à ces défis, des cégépiens rencontrés au cours de 23 ateliers collaboratifs ont fait les propositions suivantes:

- que des mesures visant à sensibiliser, à informer et à intervenir auprès des jeunes, et ce, dès le plus jeune âge, soient mises en place, notamment grâce à des cours intégrés au cursus scolaire, à des ateliers et à des activités;
- que les échanges entre les communautés soient davantage favorisés par le biais de programmes de rencontres culturelles ou religieuses ou par des programmes de parrainage avec des personnes immigrantes ou réfugiées;
- que des mesures correctrices d'inégalité soient instaurées (par exemple des lois ou des quotas permettant d'augmenter la représentation des minorités racisées dans les instances décisionnelles et politiques).

MÉDIAS ET VIVRE-ENSEMBLE : SENSIBILISER ET DIVERSIFIER

Nous vivons dans une société où les technologies de l'information prennent de plus en plus de place, où l'information abonde en continu et où chacun peut prendre position sur la place publique au moyen des réseaux sociaux. Dans ce contexte, il est intéressant de réfléchir aux répercussions des médias sur le vivre-ensemble[2]. Est-ce que ces derniers contribuent à la stigmatisation de certains groupes de notre société? Favorisent-ils une plus grande cohésion sociale?

Les sources d'information se sont diversifiées et les médias sociaux offrent à tous la possibilité de s'exprimer sur des sujets de société et d'actualité. Devant cette nouvelle réalité, les jeunes jugent qu'il faudrait aborder les questions médiatiques à l'école. De plus, les articles et reportages des médias traditionnels sur des sujets comme la criminalité, l'immigration et les personnes appartenant à des communautés racisées manquent trop souvent de rigueur et frisent la désinformation selon les jeunes; leur contenu véhicule des préjugés et des stéréotypes simplificateurs.

Introduire un cours portant sur les médias et les nouvelles technologies au secondaire et au collégial serait un bon moyen de sensibiliser la population à une utilisation intelligente des plateformes numériques et des médias sociaux. De l'avis des jeunes participants, le développement d'un esprit critique est essentiel.

En 2000, 97,7% des journalistes canadiens, tous médias confondus, étaient blancs[3]. Dix-sept ans plus tard, les jeunes constatent que les médias traditionnels ne représentent toujours pas la diversité de la société québécoise. Ils proposent donc la mise en place de programmes facilitant l'intégration des minorités dans les médias traditionnels (bourses ou mentorat, par exemple). Les participants suggèrent aussi que soit créée une instance publique de gestion des plaintes qui permettrait de dénoncer les infractions éthiques et les atteintes à la personne commises par certains journalistes.

HALTE À LA DISCRIMINATION RACIALE À L'EMBAUCHE

Partant du constat que le taux de chômage des personnes issues des minorités racisées est presque le double de celui de l'ensemble de la population québécoise (13,3% contre 7,2% en 2011)[4], et ce, malgré un taux de diplomation généralement élevé, des jeunes ont créé une campagne de mobilisation[5] visant à sensibiliser un public cible sur les enjeux liés à la discrimination raciale à l'embauche.

Bien que les préjugés et les stéréotypes figurent parmi les causes de cette discrimination, d'autres éléments l'expliquent également:

- le manque de reddition de comptes de la part des employeurs et du gouvernement quant à l'application de la Loi sur l'accès à l'égalité en emploi dans des organismes publics;
- le manque de connaissances des gestionnaires en relations interculturelles et en gestion de la diversité;
- le manque de confiance ou de contacts de la personne recherchant un emploi.

Afin de réduire les barrières à l'embauche, les jeunes ont élaboré une campagne pour promouvoir la diversité dans les milieux de travail qui cible les patrons des petites et moyennes entreprises, lesquelles regroupent 50 % des emplois au Québec. En développant l'argument qu'une équipe diversifiée apporte un meilleur rendement, différents messages clés ont été énumérés : une équipe diversifiée favorise l'innovation et la créativité, le développement de nouveaux marchés, de même que la capacité d'attraction et l'élargissement des réseaux de consommateurs. Ce processus de création collective a également ouvert la porte à quelques slogans et idées d'identité visuelle pour la campagne.

UNE VOIX PORTEUSE DE CHANGEMENT

Cette démarche jeunesse montre l'importance de créer des espaces de discussion et d'échange ouverts et respectueux sur les enjeux du vivre-ensemble au Québec. Pour affronter ces enjeux sociaux complexes, les jeunes proposent des solutions concrètes et prometteuses. Il apparaît primordial de valoriser la participation citoyenne des jeunes et de leur permettre d'avoir une place dans la prise des décisions collectives de notre société. ¶

Et je suggère fortement le port de bouchons pour ceux qui assistent aux débats identitaires...
17 fév. 17

Justice

DÉMOCRATIE, POUVOIR ET FORCES POLICIÈRES EN TERRAIN GLISSANT

Dans de nombreux États du monde, les autorités policières s'ingèrent de plus de plus dans les outils démocratiques en contournant des lois pourtant créées pour les en empêcher. Le Québec, où de curieux rapports s'installent entre le gouvernement et la police, ne fait pas exception.

JEAN-CLAUDE HÉBERT
Avocat criminaliste

De par leur nature, les êtres humains tendent à étendre leur pouvoir selon leur autonomie. Afin d'assurer la coexistence de la liberté des uns et des autres, cette tendance doit être réfrénée. C'est la fonction du droit, dont le corpus normatif balise la vie sociale et tranche les conflits. Voilà pourquoi les règles de droit, selon les circonstances, autorisent et interdisent des comportements, ou les rendent obligatoires. Sans l'arbitrage supérieur des lois, les citoyens, chacun privilégiant son propre intérêt personnel, se porteraient mutuellement préjudice. C'est pourquoi une société régie par le droit est impérative.

La théorie de l'État de droit est devenue une référence classique dans le discours politique. À vrai dire, il s'agit d'une notion-valise, porteuse de significations aussi multiples que contradictoires. Retenons toutefois que la primauté du droit est généralement l'armature d'une société démocratique.

Selon la hiérarchie des normes, la Constitution prime la loi qui, à son tour, prévaut sur la réglementation. L'État et le citoyen sont assujettis au principe de la légalité et à celui de l'égalité de tous devant la loi. Bien établie au Canada, l'indépendance judiciaire protège les juges contre toute forme d'influence ou de surveillance, notamment de la part du gouvernement et des politiciens. Elle assure la conformité constitutionnelle, la légalité des normes juridiques et la droiture des agents de l'État.

CONTRÔLE GOUVERNEMENTAL DE LA POLICE

Le maintien de l'ordre, sur lequel reposaient traditionnellement les activités de la police, est désormais englobé dans une logique plus large, soit celle de la sécurité publique ou nationale.

Il est acquis que la préservation de la sécurité nationale et de l'ordre public relève des fonctions régaliennes de l'État. Depuis les attentats terroristes de 2001 sur le sol américain, plusieurs États ont affûté leur arsenal législatif afin d'assurer aux citoyens un « droit à la sécurité ». Depuis prolifèrent les mesures d'exception conférant des pouvoirs spéciaux aux autorités publiques. La nécessité de garantir la protection de la sécurité publique, comme intérêt juridique supérieur, est souvent évoquée par les gouvernements.

En matière de sécurité publique, le Service canadien du renseignement de sécurité, le Centre de la sécurité des télécommunications et la Gendarmerie royale du Canada apportent une importante contribution à l'appareil sécuritaire, celui-ci étant généralement secret. La Loi sur la communication d'information ayant trait à la sécurité du Canada (2015) autorise plusieurs organismes fédéraux à échanger des renseignements confidentiels utiles en matière de sécurité nationale.

Soucieux de surveiller les agents de l'État œuvrant dans l'obscur domaine du renseignement et de l'espionnage, le gouvernement Trudeau a récemment proposé la création d'un comité parlementaire mixte, formé de députés et de sénateurs, ayant pour vocation de protéger les droits fondamentaux des citoyens, notamment le respect de la vie privée.

Chaque fois que la police enquête sur une violation de la loi, exécute des décisions judiciaires ou entre en contact avec des citoyens, sa conduite symbolise la façon dont les droits et libertés fondamentaux, qui sont garantis par la Charte canadienne et autres lois, sont respectés. La manière dont la police s'acquitte de ses tâches est un indicateur avéré de la qualité d'une société démocratique et du degré de respect pour la prééminence du droit.

Bras armé de l'État, la police et les agents de renseignement jouent un rôle clé dans une société démocratique. Gardiens de l'ordre public, ces affiliés de l'État doivent veiller à l'application juste et égalitaire de la loi, sans ingérence des autorités supérieures ou de n'importe qui d'autre.

> D'étonnantes révélations liées à l'espionnage de journalistes par la police ont suscité un sérieux malaise.

Reconnaître la légitimité de l'action gouvernementale dans la sphère décisionnelle et opérationnelle de la police pose un sérieux défi de rationalité et d'équilibre. En effet, alors que le rôle de la police consiste à servir la classe citoyenne, celle-ci étant représentée par les parlementaires, les forces de l'ordre doivent demeurer indépendantes de la classe politique, tout en demeurant imputables de leurs actes. Saisi d'allégations voulant que des crimes aient été commis, un enquêteur ne doit jamais agir en mandataire de l'État ou de la poursuite. Occupant une charge publique, le policier n'est pas un fonctionnaire ou un représentant étatique. Par conséquent, il est redevable uniquement devant la loi et sa conscience.

Cette année, d'étonnantes révélations liées à l'espionnage de journalistes par la police ont suscité un sérieux malaise, si bien que le gouvernement québécois a mandaté la Commission d'enquête sur la protection de la confidentialité des sources journalistiques (commission Chamberland) pour analyser les failles institutionnelles. Pour sa part, le Parlement canadien s'est empressé d'adopter un projet de loi du Sénat pour renforcer la protection des sources journalistiques.

Certains croient que la présomption d'indépendance policière s'étiole devant le pouvoir politique. Cette image, sans être entièrement fausse, doit cependant être revue. Généralement, la mise en place d'autorités publiques indépendantes ou autonomes, comme les agences gouvernementales, s'explique par la volonté d'assurer l'impartialité de l'action de l'État en séparant les fonctions politiques et opérationnelles.

En 1981, la Commission d'enquête sur certaines activités de la Gendarmerie royale du Canada, connue sous le nom de commission McDonald, concluait que, dans un État démocratique, les membres de la police ne doivent obéir qu'aux gouvernements démocratiquement élus. Cela étant dit, il revient à l'autorité gouvernementale d'encadrer les fonctions quasi judiciaires de la police à l'aide de politiques publiques. Devant un fléau social (violence conjugale ou prostitution d'adolescentes contrôlée par les gangs de rue, par exemple), le gouvernement peut fort bien privilégier certaines interventions d'urgence.

Vu les pouvoirs extraordinaires de la police, il est essentiel qu'un examen minutieux et efficace de son travail s'ensuive. Il existe une tendance internationale croissante à recourir au mécanisme des directives publiques pour promouvoir la transparence des relations entre la police et le gouvernement. Le Directeur des poursuites criminelles et pénales (DPCP) du Québec et son vis-à-vis fédéral publient leurs directives sur Internet. Ce modèle offre un cadre institutionnel favorisant les objectifs de transparence, de reddition de comptes et de responsabilité ministérielle.

Dans un contexte policier, l'imputabilité (*accountability*) ou l'obligation redditionnelle signifie que les services de police et leurs membres doivent justifier leur conduite ou offrir des explications à l'autorité gouvernementale et au public *a posteriori*. Cette exigence n'altère aucunement la protection des décisions opérationnelles. Les risques d'une action malavisée de la part des autorités policières supérieures existent toujours, bien qu'elle soit contingente. Des coups de force bien documentés sont arrivés, comme le fait de citoyens canadiens torturés à l'étranger avec la complicité d'agents canadiens.

Certes, un ministre ne peut jamais ordonner à la police d'entreprendre ou de clore une enquête, mais la responsabilité ministérielle demeure une structure démocratique fondamentale servant à régir les relations entre la police et le gouvernement. L'État peut donc légitimement élaborer des politiques et formuler des directives afin de baliser le travail policier.

Au Québec, le procureur général émet des orientations publiques liant les procureurs responsables du processus d'inculpation judiciaire. Le DPCP, un organisme quasi judiciaire, formule à son tour des directives concernant l'exercice du pouvoir discrétionnaire dont jouit le ministère public.

SURVEILLANCE ET INFORMATION

Aux États-Unis, la loi fédérale autorise certaines agences fédérales, notamment la CIA et le FBI, à recourir aux lettres de sécurité nationale (*national security letters*) pour obtenir de quiconque toute information nominative, comme les métadonnées, à des fins de surveillance. Ces instruments juridiques sont des ordonnances contraignantes de type administratif dépourvues de contrôle judiciaire.

Dotés de pouvoirs exceptionnels, les agents du FBI peuvent légalement obtenir les relevés téléphoniques de toute personne concernée par une enquête, y compris les journalistes. Ils peuvent également filtrer les communications de sujets d'intérêt.

Le 13 mars 2017, un juge fédéral de la Californie a rejeté le recours d'un organisme pour la liberté de la presse (Freedom of the Press Foundation) qui demandait l'accès à la documentation autorisant des agences fédérales à obtenir les données matérielles relatives aux transactions téléphoniques des journalistes. Prenant appui sur différentes exceptions concernant les documents classifiés, la Cour a rejeté la demande de l'organisation.

> Dans un État de droit, le secret et la transparence sont intimement liés.

La surveillance technologique des journalistes permet aussi aux agents du FBI d'agir promptement et efficacement afin de débusquer des informateurs tenus légalement au silence. En effet, un fonctionnaire ou un contractuel peut violer la loi des secrets d'État en divulguant des informations classifiées.

Qu'en est-il de l'aménagement juridique canadien ? Lors d'une enquête policière, l'accès à certains renseignements personnels est conditionnel à l'obtention d'une autorisation judiciaire. Au premier regard, la protection de la vie privée des personnes mises en cause semble donc mieux assurée qu'aux États-Unis.

Mais le secret n'est pas toujours l'ennemi du bien. Dans une société démocratique, les informations relatives à la sécurité nationale, à la défense, au renseignement, à l'ordre public et aux relations internationales de l'État peuvent légitimement être protégées par la loi.

Cependant, lorsqu'un journaliste obtient légalement des renseignements véridiques sur une question importante pour la société, l'État ne peut interdire la publication de ces renseignements à moins de l'existence d'un intérêt public supérieur.

Personne ne conteste l'utilité du journalisme d'enquête dans une société démocratique. Inutile d'étaler la longue liste des dossiers d'intérêt public dans lesquels des journalistes ont dénoncé les magouilles, tant dans le secteur public que dans la sphère privée. Pour ce faire, l'utilisation confidentielle d'informateurs, ou lanceurs d'alerte, est souvent utile, voire indispensable.

Cela dit, l'intérêt du public d'être informé sur des sujets mettant en cause la collaboration de sources secrètes n'est pas absolu. Il doit y avoir pondération avec d'autres intérêts aussi importants, notamment la conduite des enquêtes criminelles.

Il est donc dans l'ordre des choses que les services de sécurité empiètent sur les libertés fondamentales pour atteindre leurs objectifs. La démocratie exige toutefois un contrôle raisonnable de ces empiètements et l'imputabilité des espions.

En effet, le Code criminel du Canada prévoit que des policiers désignés peuvent, à certaines conditions, enfreindre la loi lorsqu'ils agissent dans le cadre d'une enquête criminelle. Cependant, toute action policière ne peut légalement causer la mort ou des lésions corporelles à autrui, porter atteinte à l'intégrité sexuelle d'une personne ni détourner ou contrecarrer le cours de la justice.

Lorsqu'une activité menace la sécurité du Canada, les opérateurs du Service canadien du renseignement de sécurité peuvent se comporter de façon similaire (et même plus) dans l'accomplissement de leur mission. Par dérogation à toute règle de droit (y compris la liberté de presse), munis d'une autorisation judiciaire, des agents désignés peuvent poser les actes nécessaires à la recherche d'informations. Ce pouvoir d'exception constitue une menace sérieuse à la protection des sources journalistiques.

Dans un État de droit, le secret et la transparence sont intimement liés. Selon l'expérience américaine et à la suite de stupéfiantes révélations québécoises, notamment l'affaire Patrick Lagacé, il ressort que des journalistes sont instrumentalisés dans des enquêtes policières. Tant sur le terrain fédéral que sur le terrain québécois, le feuilleton de la protection des sources journalistiques connaîtra un nouveau ricochet.

Sous plusieurs angles, le législateur fédéral a renforcé la protection des sources journalistiques. Par conséquent, plusieurs obstacles procéduraux font barrage au dévoilement de l'identité d'une source ayant confidentiellement transmis de l'information à un journaliste. Les policiers devront désormais composer avec cette réalité.

Pour sa part, embarrassé par la banalisation de la protection des sources journalistiques, le gouvernement québécois a déjà promptement réagi. La marge discrétionnaire permettant aux procureurs de la poursuite et aux policiers de fouiner dans les données informatiques des journalistes a été un peu recadrée avant même la mise sur pied de la commission Chamberland.

Est-ce suffisant ? Les travaux de la Commission d'enquête sur la protection de la confidentialité des sources journalistiques ont mis au jour deux carences de l'État de droit en sol québécois. D'abord, l'usage du mensonge par des policiers pour obtenir des ordonnances judiciaires leur permettant d'espionner des journalistes ; ensuite, l'incapacité (ou l'indolence) des juges émetteurs de ces autorisations à réagir face à ces mensonges, une troublante décomposition de la vérité.

Contrairement aux directives procédurales énoncées au Code criminel (une loi fédérale), le Code de procédure pénale du Québec (une loi provinciale) comporte des précisions et des restrictions quant à l'exercice des pouvoirs discrétionnaires dévolus aux policiers en matière réglementaire. D'ailleurs, la nouvelle mouture du Code de procédure civile du Québec souligne que les agents de l'État, incluant les policiers, sont tenus de prendre en compte les règlements et de ne recourir à ces pouvoirs que dans la mesure où l'intérêt public le permet.

LE GOUVERNEMENT, GARDIEN DE LA SÉCURITÉ PUBLIQUE

Tout bien pesé, les règles de droit – fédérales et provinciales – qui prévalent au Québec respectent la théorie politique de l'État de droit. Toutefois, ce constat de confiance n'exclut pas la vigilance. En raison de notre appartenance nord-américaine, la prudence s'impose devant le mimétisme politique.

Depuis la déclaration de guerre au terrorisme en 2001 par le président américain George W. Bush (appuyée par plusieurs sociétés démocratiques), l'action du pouvoir exécutif d'un gouvernement oriente largement la portée des lois. En parallèle, cette dynamique pousse le pouvoir judiciaire à la déférence. Un gouvernement possède des ressources et des informations que les juges n'ont pas. Néanmoins, si le juge est la « bouche de la loi », encore faut-il qu'il n'ait pas les lèvres cousues !

L'équilibre entre les exigences de liberté et de sécurité fait voir un mouvement de curseur en fonction de contextes d'actualité instables. La différence entre la normalité et la crise n'en est pas une de nature, mais de degré. Ainsi, en situation d'urgence, c'est le pouvoir exécutif qui est le gardien de la sécurité publique. Cette incontournable réalité vaut pour le Canada et assurément pour le Québec. ◊

L'ARRÊT JORDAN : LE PROCÈS INATTENDU DE NOTRE SYSTÈME DE JUSTICE

L'arrêt Jordan, prononcé par la Cour suprême du Canada en 2016, a projeté à l'avant-scène le lancinant problème des délais judiciaires. Problème ancien s'il en est, mais qui pose la question centrale de l'accès à la justice et des ressources insuffisantes consacrées à l'institution judiciaire.

CHLOÉ LECLERC
Professeure agrégée à l'École de criminologie et chercheure au Centre international de criminologie comparée, Université de Montréal

PIERRE NOREAU
Professeur titulaire à la Faculté de droit et chercheur au Centre de recherche en droit public, Université de Montréal

L'arrêt *R.* c. *Jordan*[1] trouve ses origines en décembre 2008, alors que Barrett Richard Jordan est inculpé en Colombie-Britannique pour trafic de drogue. Près de 50 mois plus tard, en février 2013, il est déclaré coupable. Ses avocats portent ensuite la cause en appel, invoquant des délais déraisonnables. L'affaire se rend jusqu'en Cour suprême, laquelle, dans un jugement rendu en juillet 2016, invalide les condamnations de Jordan par une faible majorité de cinq juges contre quatre. L'arrêt est déterminant, puisqu'il fixe des plafonds au-delà desquels tout délai de procédure sera présumé déraisonnable – 18 mois pour les cours provinciales et 40 mois pour les cours supérieures – sauf s'il se justifie par des circonstances exceptionnelles. Au-delà de ce plafond, la Couronne a désormais le fardeau de prouver que le délai ne doit pas être considéré comme déraisonnable. La position de la Cour suprême a été réaffirmée dans l'arrêt *R.* c. *Cody*[2], en juin 2017. Dans un verdict unanime cette fois, la Cour maintient les balises proposées par l'arrêt Jordan. Elle ajoute que même les causes introduites avant l'arrêt Jordan sont soumises à ces délais.

L'AVANT-JORDAN

Le problème des délais dans le système judiciaire n'est pas nouveau. Une recherche en cours à l'École de criminologie de l'Université de Montréal révèle qu'entre 1990 et 2015, les tribunaux de juridiction criminelle au Québec ont traité 439 requêtes pour arrêt de procédures causé par des délais déraisonnables. Et depuis 15 ans, le nombre de requêtes déposées est en augmentation, ayant passé de 67 entre 2000 et 2005 à 185 entre 2010 et 2015.

Avant l'arrêt Jordan, pour prendre sa décision, le juge devait d'abord identifier les délais institutionnels, puis départager les retards imputables à la Couronne de ceux qu'on pouvait attribuer à la défense (lesquels étaient retranchés du calcul global). Il devait ensuite déterminer si ce délai causait un tort irréparable à la défense. Près de 40 % des requêtes déposées alors étaient ainsi accueillies. Depuis Jordan, les délais sont devenus un critère mécanique dans la réception de ce type de requête. Pourtant, au cours de la période antérieure à Jordan, on ne notait pas, au regard du temps écoulé, de différence significative entre les requêtes accueillies et rejetées par le juge, qui était respectivement de 36 et de 30 mois.

L'APRÈS-JORDAN

Dans l'année qui a suivi les conclusions de l'arrêt Jordan, 949 requêtes ont été déposées au Canada exigeant la fin des procédures pour cause de délais déraisonnables. À Montréal, 95 % des 75 dossiers fixés à procès à la Cour supérieure ont ainsi fait l'objet d'une requête en arrêt de procédures.

En juillet 2017, une soixantaine de requêtes de ce type avaient été favorablement accueillies dans tout le pays. Parmi celles-ci, trois causes concernent des personnes accusées de meurtre. Plusieurs de ces décisions sont présentement portées en appel par la Couronne, mais le fait que certaines poursuites aient été abandonnées et que des accusés aient pu sortir du palais de justice sans avoir subi de procès a retenu l'attention des médias et a alerté l'opinion publique.

Parallèlement, un an seulement après l'arrêt Jordan, les délais de procédure en matière criminelle au Québec auraient chuté de 30 à 17 mois selon le juge en chef de la Cour supérieure du Québec, Jacques R. Fournier. Toutefois, il souligne que cette amélioration se serait faite au détriment d'autres juridictions, comme le droit familial, où les délais auraient presque doublé durant la même période.

L'ASYMÉTRIE DES QUESTIONS EN JEU

La question des délais judiciaires en matière criminelle est fondamentale parce qu'elle comporte des conséquences sur plusieurs fronts. D'abord, ces délais affectent l'accusé, en faisant monter le stress relié aux procédures – absence au travail, frais juridiques, etc. –, en affectant la qualité de sa défense – la mémoire de tout témoin est fragilisée par le temps qui passe – et en le poussant parfois à plaider coupable pour faire cesser les procédures. Pour ceux qui vivent en détention provisoire (en attente de procès), il peut devenir avantageux de

> Un an seulement après l'arrêt Jordan, les délais de procédure en matière criminelle au Québec auraient chuté de 30 à 17 mois.

plaider coupable à des accusations pour lesquelles ils se disaient innocents ou pourraient être innocentés au procès. En effet, un plaidoyer de culpabilité leur permet de sortir de détention et leur évite d'attendre une date de procès qui irait au-delà de la période d'incarcération généralement associée à l'infraction pour laquelle ils sont accusés.

Lors d'un sondage réalisé par des chercheurs de l'École de criminologie de l'Université de Montréal auprès de 126 accusés, 10 % des répondants ont révélé avoir déjà – pour cette raison – plaidé coupable à une infraction pour laquelle ils se considéraient comme innocents. Au sein de cet échantillon, plus du tiers des accusés ont affirmé avoir déjà plaidé coupable à une ou plusieurs infractions pour lesquelles ils étaient innocents en partie parce qu'ils voulaient en finir avec les procédures. Les procédures judiciaires sont éreintantes peu importe l'accusé ou l'accusation, et tout allongement des procédures accentue ces conséquences négatives.

Ces délais ont également des effets sur les victimes d'actes criminels. Pour plusieurs, l'expérience judiciaire prend la forme d'une « revictimisation », notamment à cause de l'incertitude entourant l'issue des procédures. Certaines victimes assistent à toutes les procédures, et les nombreux reports et ajournements qui parsèment la trajectoire judiciaire ont des conséquences similaires à celles que connaissent les accusés : stress, indisponibilité au travail, etc.

Ces délais, tout comme l'arrêt des procédures, minent la confiance du public et des victimes à l'égard de l'administration de la justice.

Comme ces délais peuvent mener à l'avortement des procédures, ils sont susceptibles d'alimenter le sentiment d'injustice entretenu par les victimes et par les citoyens qui ont du mal à comprendre pourquoi un accusé susceptible d'être trouvé coupable peut demeurer impuni.

Ces délais, tout comme l'arrêt des procédures, minent donc la confiance du public et des victimes à l'égard de l'administration de la justice. Les études menées à ce propos révèlent en effet que le taux de confiance investie dans les tribunaux est très variable et oscille autour de 50 %. La perception des citoyens étant essentiellement fondée sur leur appréciation de la justice criminelle, l'opinion émise sur l'affaire Jordan aura un impact sur l'ensemble du système de justice.

L'arrêt Jordan pose finalement la question de l'efficacité de l'organisation judiciaire. Dans un contexte où les activités de l'État font l'objet d'une évaluation continue, le vérificateur général du Québec a déjà indiqué la difficulté de mesurer l'efficacité de l'activité judiciaire, faute de données probantes. L'absence de statistiques fiables est encore plus soulignée depuis l'arrêt Jordan. Elle soulève indirectement le problème de la qualité de la justice, qu'on ne peut réduire à de simples questions de coûts et de délais, comme on le fait trop souvent.

Sur le plan strictement juridique, l'arrêt Jordan réaffirme le droit des accusés de bénéficier, dans des délais raisonnables, d'un procès juste et équitable. Il s'agit d'un droit établi par la Charte canadienne des droits et libertés et par la Charte québécoise des droits et libertés de la personne. En contrepartie, un arrêt des procédures imposé au nom des droits de l'accusé prive la victime, les citoyens et les acteurs du système de justice du sentiment que tous sont égaux devant la loi. Du coup, la confiance de chacun dans l'administration de la justice devient dépendante de l'efficacité des activités judiciaires, puisque celles-ci sont garantes de l'égalité juridique des citoyens.

L'arrêt Jordan réaffirme le droit des accusés de bénéficier, dans des délais raisonnables, d'un procès juste et équitable.

LA COMPLÉMENTARITÉ DES SOLUTIONS

Le problème des délais institutionnels est complexe et nécessite une intervention sur plusieurs fronts à la fois, puisque les sources et les répercussions du problème sont nombreuses. On lira à ce propos le rapport du Comité sénatorial permanent des affaires juridiques et constitutionnelles de juin 2017[3].

Les solutions privilégiées sont fonction du diagnostic posé. Si certains (plus nombreux, sinon plus visibles sur la place publique) insistent sur l'importance d'investir plus de ressources dans le système judiciaire en nommant des juges, des avocats et des greffiers et en améliorant l'accès à l'aide juridique, d'autres mettent l'accent sur l'importance de mieux gérer les ressources disponibles, ce qui peut être fait de deux manières.

D'un côté, on peut réduire le nombre des personnes prises en charge par le système de justice, notamment en décriminalisant ou en déjudiciarisant certaines infractions. On pense ici aux infractions reliées à l'administration de la justice (le non-respect d'une condition de probation, par exemple), qui comptent pour près du cinquième des causes entendues par la Cour. On peut également proposer des mesures de rechange pour adultes (souvent centrées sur la réparation ou la réconciliation), miser sur la médiation pénale ou sur une gestion différente de la criminalité fondée sur les tribunaux thérapeutiques ou spécialisés, comme c'est le cas en matière de santé mentale ou de toxicomanie. Ces mesures répondent souvent mieux aux besoins d'un grand nombre de justiciables.

D'autres proposent de s'attaquer à la « culture de complaisance » qui caractériserait les tribunaux. On devrait ainsi chercher à réduire les audiences ou les comparutions inutiles, soit par un recours plus poussé aux nouvelles technologies (la visioconférence, par exemple), soit par une gestion d'instance resserrée. Les juges pourraient ainsi gérer de façon plus stricte les demandes de report ou d'ajournement, de même que les requêtes en modification de procédure. Si certains suggèrent l'abolition de l'enquête préliminaire, d'autres recommandent que soit retardé le dépôt des accusations dans le cadre des causes complexes (notamment lors des mégaprocès) ou que soit consacrées juridiquement des pratiques favorisant un plaidoyer de culpabilité rapide (en échange d'une diminution de peine). Une meilleure gestion des dossiers pourrait également être assurée grâce à une planification efficace des ressources judiciaires que l'on sait limitées : gestion des salles d'audience, redéploiement des horaires, des rôles et du calendrier judiciaire, gestion « administrative » des étapes ne comportant pas de fonction juridictionnelle, etc.

Certains proposent d'autres avenues visant à compenser le préjudice subi par l'accusé : versement d'indemnités, ordonnance de libération sous condition pendant les procédures, réduction de la peine, exclusion de certains éléments de preuve, etc. On éviterait ainsi que les délais judiciaires viennent miner davantage la confiance du public et celle des victimes, choqués par l'impunité de possibles criminels.

L'arrêt Jordan pose une multitude de questions sur l'avenir de la justice au Québec.

JORDAN : LE SOUS-TEXTE

L'arrêt Jordan pose une multitude de questions sur l'avenir de la justice au Québec. Outre le fait de savoir si la Cour suprême doit se charger de faire du *micromanagement*, on peut se demander si, en imposant des critères aussi précis en matière d'administration de la justice, le pouvoir judiciaire ne vient pas s'immiscer dans l'exercice de la fonction exécutive qui relève du gouvernement. Pour peu, on serait tenté d'y voir une entorse au principe de la séparation des pouvoirs et, par retour du bâton, à celui de l'indépendance judiciaire.

Si le dossier Jordan met en lumière le problème des délais et celui d'une justice qui tend à oublier les droits des accusés et des victimes, il a par ailleurs démontré l'insuffisance de la statistique judiciaire. Au lendemain de cette décision de la Cour suprême, un comité de suivi, créé pour assurer la mise en œuvre des mesures prises par le gouvernement du Québec, s'est buté au problème de l'insuffisance et de l'imprécision des données disponibles en matière de justice criminelle (coûts de système, volume des affaires traitées, etc.). Il s'agit d'un problème que connaissent toutes les provinces canadiennes, tant en droit criminel qu'en matière civile et familiale. Par extension se pose la question de la bonne administration de la justice. L'absence de données fiables sur l'activité judiciaire laisse les directions des tribunaux démunies devant l'administration de leur propre cour. Elle pose le problème de la transparence de l'activité judiciaire, que soulèvent souvent les représentants de la presse.

Plus largement encore, il n'existe pas au Québec de recherche systématique sur l'évolution de l'activité judiciaire, malgré les demandes souvent réitérées afin que soit créé un véritable institut de réforme du droit et de la justice, dont la création est pourtant prévue dans une législation de 1992[4]. Une telle institution existe pourtant dans plusieurs autres provinces canadiennes. Elle permettrait une analyse continue et indépendante de l'évolution des systèmes de justice.

La conséquence principale de l'arrêt Jordan est d'avoir enfin placé les problèmes de la justice contemporaine en haut de la liste des priorités gouvernementales. Avec les années, les budgets du ministère de la Justice du Québec sont tombés sous la barre du 1% du budget provincial, alors que, paradoxalement, l'accès à la justice est devenu le point de ralliement des acteurs de la communauté juridique. Bien que les initiatives récentes prises par le milieu universitaire aient permis de fédérer les efforts des chercheurs et des acteurs du milieu judiciaire[5], la justice n'est portée par aucune orientation centrale au Québec. Il y a quelques années, l'Observatoire du droit à la justice soulignait la nécessité d'un nouveau livre blanc sur la justice[6], un projet que la communauté juridique et les citoyens attendent toujours et qui constituerait la base d'une toute nouvelle politique de la justice au Québec. ◊

Notes et sources, p. 332

AVANT L'ARRÊT JORDAN...
JUSTICE

APRÈS L'ARRÊT JORDAN...
JUSTICE
GARNOTTE
2017.06.19

Recherche scientifique

ENTREVUE AVEC RÉMI QUIRION, SCIENTIFIQUE EN CHEF DU QUÉBEC

LA SCIENCE AU SERVICE DES GRANDS ENJEUX INTERNATIONAUX

La diplomatie scientifique est la reconnaissance, par les États, de l'usage de la science dans les relations internationales. C'est aussi la capacité de tisser des liens précieux entre les pays grâce au travail de chercheurs de partout sur la planète.

Le Québec contribue à ce grand ballet diplomatique avec, comme acteur clé, son scientifique en chef, Rémi Quirion, qui préside les trois Fonds de recherche du Québec[1] et conseille le gouvernement québécois en matière de science et d'innovation.

Dans cet entretien exclusif, il explique comment le Québec prend sa place dans l'arène internationale au moyen de la diplomatie scientifique, un outil aussi subtil qu'efficace et qui, tout en participant à l'essor de la science, favorise aussi le maintien de la paix dans le monde.

PROPOS RECUEILLIS PAR ANNICK POITRAS
Journaliste indépendante
et directrice de *L'état du Québec 2018*

Qu'est-ce que la diplomatie scientifique ?

Tel que défini par la Société royale britannique et l'Association américaine pour l'avancement des sciences, ce concept se décline en trois dimensions. La première est la diplomatie au service de la science, c'est-à-dire l'utilisation de nos liens diplomatiques pour faire avancer la science. Un bon exemple en est les ententes bilatérales en recherche que les Fonds de recherche du Québec ont signées avec plusieurs États comme la France, Cuba, la Chine et la Palestine. Mentionnons également l'exemple de la venue au Québec du siège social de l'organisation internationale Future Earth. Nous avons utilisé nos liens avec la France, la Suède et le Japon, entre autres, pour faire valoir que le Québec, qui a une expertise en changements climatiques, serait un lieu de choix. Et ça a fonctionné.

La seconde dimension est la science pour la diplomatie. Pensons à des projets internationaux d'envergure tels que l'Organisation européenne pour la recherche nucléaire, près de Genève – où se trouve l'accélérateur de particules –, la Station spatiale internationale ou le SESAME (Synchrotron-light for Experimental Science and Applications in the Middle East), qui réunit notamment des scientifiques égyptiens, iraniens, israéliens, jordaniens et palestiniens. Donc, la science est un outil intéressant qui peut contribuer à faciliter les liens diplomatiques entre les pays.

Enfin, la dernière dimension est la science dans la diplomatie, c'est-à-dire l'utilisation de la science, des données probantes et des résultats récents de la recherche dans la définition des positions que prennent les pays lors de négociations internationales et la mise en place d'accords internationaux. Nous devrions mettre des moyens en place afin que la science soit prise en considération dans toutes les initiatives internationales dans lesquelles le Québec est engagé. Il faut aussi sensibiliser les chercheurs à l'importance de diffuser leurs résultats de recherche, et de mieux les communiquer auprès du milieu politique.

Pourquoi la diplomatie scientifique est-elle soudainement dans l'air du temps ?

C'est que le monde a rapetissé au cours des 20 dernières années ! (Rires.) Avec Internet et les médias sociaux, on est maintenant toujours dans l'instantanéité, et la science est désormais utilisée à toutes les sauces. Il faut s'assurer qu'elle ne soit pas utilisée à mauvais escient. Par exemple, avec les États-Unis, ce n'est pas simple. Si le président Trump dit : « Je ne crois pas aux changements climatiques », on a beau avoir des données scientifiques qui les démontrent, ça ne suffit pas. Donc, ce n'est pas juste la science qu'il faut amener dans son bureau, mais aussi la diplomatie ! C'est une façon de « vendre » la science. Et dans le contexte des fausses nouvelles sur le Web, je pense que les pays qui font usage de la diplomatie scientifique vont accélérer leurs démarches auprès de l'administration Trump.

De plus, différents pays vont de l'avant avec la mise en place de conseillers scientifiques, qui, comme moi, conseillent les décideurs sur différents enjeux d'actualité. Le

Québec travaille d'ailleurs à se positionner comme leader dans la formation des conseillers scientifiques, notamment en Afrique. Car le conseil scientifique nécessite une formation. S'il survient un événement X, un mouvement de radicalisation, un tremblement de terre, une épidémie, les chercheurs sont dans l'urgence d'émettre des avis aux gouvernements. Ceux-ci sont aussi dans l'urgence de réagir : alors que les décideurs font une conférence de presse, les commentaires fusent en direct sur les médias sociaux, sans compter les fausses nouvelles qui peuvent dès lors circuler… Donc, former les conseillers scientifiques sur les façons de faire et sur l'information à présenter aux gouvernements, tout en tenant compte de l'avis de la société civile, est essentiel.

Comment le Canada et le Québec font-ils de la diplomatie scientifique, concrètement ?

Cela prend diverses formes. Au Canada, le Centre de recherches pour le développement international a toujours été très actif en Afrique et a permis à des chercheurs canadiens de tisser des liens durables avec des chercheurs et des institutions dans plusieurs

> En matière de force scientifique, la Chine progresse rapidement, mais le géant mondial demeure les États-Unis.

pays africains, ce qui facilite par la suite le contact avec les diplomates de ces pays. Au Québec, nous avons un siège à l'UNESCO, ce qui nous donne une voix comme celle des autres nations sur de grands sujets. On a aussi voix au chapitre dans la communauté européenne sur les grands projets d'Europe 2020, ce qui fait en sorte que nos chercheurs peuvent obtenir du financement important pour la recherche en Europe.

De mon côté, je travaille beaucoup avec la délégation du Québec à Paris, où il y a un attaché scientifique, ce qui serait souhaitable dans toutes les délégations du Québec à l'étranger afin de mettre en valeur nos chercheurs en poste et de s'assurer qu'ils fassent partie de grands réseaux mondiaux. D'autant plus que nous aurons un peu plus de moyens financiers grâce à la nouvelle Stratégie québécoise de la recherche et de l'innovation, qui reconnaît qu'il faut promouvoir la science pour améliorer l'impact de ce qu'on fait à l'international.

Comment le Québec développe-t-il une stratégie réfléchie en matière de diplomatie scientifique ?

D'abord, en augmentant ses capacités sur le plan de la formation de conseillers scientifiques en Afrique. Le ministère des Relations internationales et de la Francophonie a d'ailleurs annoncé l'ouverture de bureaux au Maroc, en Côte d'Ivoire et au Sénégal. On peut aussi faire des avancées avec plusieurs pays européens. En matière de force scientifique, c'est sûr que la Chine progresse rapidement, mais le géant mondial demeure les États-Unis, face à qui le Québec est très petit. Alors, la stratégie est de cristalliser des partenariats avec des États voisins comme le Massachusetts et New York, notamment en matière de changements climatiques et de cybersécurité.

Puisqu'on parle de diplomatie scientifique... Êtes-vous vous-même de nature diplomate ?

Ça dépend des jours ! (Rires.) J'essaie. C'est sûr que pour rassembler des gens de différentes expertises ou de différentes cultures autour de grands projets, il faut mettre de l'eau dans son vin et ne jeter d'huile sur le feu. Lorsque j'observe les vrais diplomates, je me dis : « Maudit que c'est un *job* difficile ! » ◊

QUI EST RÉMI QUIRION ?

Jusqu'à sa nomination à titre de scientifique en chef, en 2011, Rémi Quirion était vice-doyen aux sciences de la vie et aux initiatives stratégiques de la Faculté de médecine de l'Université McGill et conseiller principal de cette université (recherche en sciences de la santé). Il était également directeur scientifique du Centre de recherche de l'Institut Douglas (santé mentale), professeur titulaire en psychiatrie à l'Université McGill et chef de la direction de la Stratégie internationale de recherche concertée sur la maladie d'Alzheimer des Instituts de recherche en santé du Canada.

Il a aussi été le premier directeur scientifique de l'Institut des neurosciences, de la santé mentale et des toxicomanies, l'un des 13 instituts de recherche en santé du Canada. Ses recherches ont porté sur les pertes de mémoire dans la maladie d'Alzheimer et sur la perte d'efficacité des opiacés, comme la morphine, dans le traitement de la douleur chronique.

Rémi Quirion a obtenu son doctorat en pharmacologie de l'Université de Sherbrooke en 1980 et a effectué un stage postdoctoral au National Institute of Mental Health, aux États-Unis, en 1983.

Auteur de plus de 700 publications dans des revues scientifiques reconnues, il est l'un des chercheurs en neurosciences les plus cités dans le monde.

Rémi Quirion a reçu de nombreux prix et distinctions au cours de sa carrière, dont la médaille de l'Assemblée nationale du Québec, le Prix du Québec Wilder-Penfield et le prix Dre Mary V. Seeman. Il est de plus chevalier de l'Ordre national du Québec et membre de la Société royale du Canada, de l'Ordre du Canada et de l'Académie canadienne des sciences de la santé.

ENTREVUE AVEC YOSHUA BENGIO, CHERCHEUR EN INTELLIGENCE ARTIFICIELLE

LA RÉVOLUTION DES NEURONES

Depuis ses premiers pas comme chercheur dans les années 1980, Yoshua Bengio est tombé en amour avec l'idée de comprendre l'intelligence afin de pouvoir, un jour, construire des machines utiles à la société. Depuis, il est devenu l'un des scientifiques les plus en vue sur la planète grâce à ses travaux qui révolutionnent la façon de penser et de créer l'intelligence artificielle.

Les résultats de ses recherches novatrices en apprentissage profond, une technologie basée sur l'utilisation de réseaux de neurones artificiels, sont déjà appliqués par des géants du web, notamment en reconnaissance vocale et faciale et en traduction automatique. Ses découvertes se déclineront bientôt dans toutes les sphères de nos vies, métamorphosant les industries, le marché du travail et les technologies du quotidien, croit le chercheur, qui est professeur au Département d'informatique et de recherche opérationnelle de l'Université de Montréal et dirige l'Institut d'intelligence artificielle du Québec (MILA), le groupe de recherche universitaire le plus important au monde dans le domaine de l'intelligence artificielle et de l'apprentissage profond.

En entrevue exclusive avec *L'état du Québec*, le scientifique raconte comment le Canada et le Québec sont devenus un pôle mondial de l'intelligence artificielle – l'ouverture par Facebook d'un laboratoire de recherche en la matière à Montréal le confirme – et explique pourquoi la persévérance, voire l'entêtement, va de pair avec le financement de la recherche pour faire naître l'innovation.

PROPOS RECUEILLIS PAR ANNICK POITRAS
Journaliste indépendante et directrice de *L'état du Québec 2018*

Comment êtes-vous devenu un pionnier de l'apprentissage profond et en quoi cela contribue-t-il à l'intelligence artificielle (IA) ?

Des années 1950 aux années 2000, l'intelligence artificielle a été dominée par l'approche symbolique, qui est basée sur l'idée qu'un ordinateur peut imiter nos fonctions supérieures, comme le raisonnement et la logique.

Mais ce qui m'a toujours intéressé, c'est plutôt le mouvement connexionniste, un mouvement marginal qui, dans les années 1980, proposait une approche différente disant que, dans le cerveau, l'information est représentée de manière distribuée et non symbolique. Cela signifie que, si vous voyez un chien, ce n'est pas un seul neurone qui dit « J'ai vu un chien », mais plutôt toute une configuration d'activités neuronales qui s'active pour traduire un contexte.

J'ai donc bâti ma carrière là-dessus. En persistant dans cette voie, mes collègues Geoffrey Hinton, Yann LeCun et moi avons été les premiers, avec nos étudiants, à découvrir une manière d'entraîner des réseaux de neurones dits « profonds », c'est-à-dire qui traitent et transforment l'information en plusieurs étapes. À l'époque, on avait l'intuition que c'était important pour qu'un ordinateur puisse capter des concepts abstraits. Depuis, nos intuitions ont été vérifiées.

Il y a donc une différence entre l'apprentissage automatique profond et l'IA ?

Oui. L'apprentissage profond est une approche de l'apprentissage automatique, et l'apprentissage automatique est une des manières d'aborder l'IA. L'apprentissage profond fonctionne extrêmement bien pour tout ce qui concerne la capacité de l'ordinateur à percevoir le monde environnant. C'est ce qui explique pourquoi l'apprentissage profond, et du coup le Québec et le Canada, se retrouvent sous le *spotlight* dans le domaine de l'IA.

Pourquoi, tout à coup, l'IA ne relève plus de la science-fiction ? Quel a été le point de bascule ?

La science ne fonctionne pas comme ça ! (Rires.) Les progrès n'arrivent pas d'un coup, mais en plusieurs étapes qui nécessitent du temps, des années ou des décennies. Il y a d'abord eu la reconnaissance de la parole, puis des objets et des images, ensuite la traduction automatique, etc. Ces récentes percées en apprentissage profond ont marqué les esprits et encouragent depuis les entreprises à investir massivement dans ce domaine.

Est-ce que les nombreux chercheurs en IA dans le monde sont en compétition ?

Oui, mais c'est aussi très collégial. Il y a beaucoup de partage d'information dans un esprit de collaboration. On est au courant de ce que tout le monde fait. Même les grandes entreprises du domaine (comme Google, Facebook, Amazon, Microsoft, IBM, Intel, Samsung, etc.) permettent à leurs chercheurs de faire circuler assez facilement leurs travaux.

Vous avez longtemps travaillé dans l'ombre. Est-ce que la recherche de financement pour vos travaux a été difficile ?

Non, pas vraiment. Mais c'est parce que j'étais un chercheur productif qui avait une grande gueule et qui croyait en lui et en son champ de recherche. Alors que d'autres lâchaient parce que les réseaux de neurones n'étaient pas à la mode, j'ai persisté et j'ai été bien financé. J'ai reçu environ 100 000 ou 150 000 $ par an pendant 20 ans, ce qui fait quand même quelques millions. Cela a été possible grâce au fait que nos gouvernements investissent en recherche fondamentale, ce qui permet aux chercheurs d'explorer et, éventuellement, d'innover. L'ICRA [Institut canadien des recherches avancées], le programme de subventions à la découverte du CRSNG [Conseil de recherches en sciences

Je souhaite que le Québec et le Canada deviennent des producteurs en IA, sinon on risque d'être perdants au terme de la transformation socioéconomique qui s'en vient : l'automatisation risque en effet de créer des pertes d'emplois et de miner la compétitivité de certaines entreprises.

naturelles et en génie du Canada] ainsi que les Chaires de recherche du Canada ont été essentiels à mon succès. Malheureusement, au Canada comme ailleurs, il y a un recul en faveur de la recherche appliquée. Or, délaisser la recherche fondamentale, c'est risquer de tuer la poule aux œufs d'or avant qu'elle n'ait eu le temps de pondre.

Mais je m'intéresse aussi à la recherche appliquée, car je souhaite que le Québec et le Canada deviennent des producteurs en IA, sinon on risque d'être perdants au terme de la transformation socioéconomique qui s'en vient : l'automatisation risque en effet de créer des pertes d'emplois et de miner la compétitivité de certaines entreprises. C'est pourquoi il faut que cette technologie soit aussi développée par des entreprises d'ici et que les profits qui découleront des multiples applications de l'IA soient taxés ici.

Doit-on craindre l'IA dans l'avenir ?

En plus des divers impacts socioéconomiques, certaines utilisations sont potentiellement nuisibles, par exemple dans le militaire. Plusieurs scientifiques, dont moi, ont d'ailleurs signé une lettre qui demande à tous les gouvernements de bannir l'utilisation de l'IA pour les armes létales autonomes. Ce sujet est pris au sérieux par l'ONU et nous aimerions que le Canada se prononce sur cette question, pour être non seulement un chef de file de l'IA, mais aussi un chef de file responsable.

L'IA pourrait aussi être utilisée par des gouvernements qui veulent nous contrôler. Imaginez des ordinateurs qui peuvent détecter les gens partout avec des caméras : c'est *Big Brother*... L'IA pourrait également être employée de manière abusive, par exemple en publicité, si on cherche à vous manipuler – pensons à la publicité politique ! Il y a toutes sortes d'enjeux éthiques auxquels il faut réfléchir collectivement afin de se donner de bons cadres pour gérer ce qui s'en vient. On doit réglementer cette technologie sur les plans national et international pour s'assurer qu'elle sera utilisée pour le bien de tous.

Comment voyez-vous le monde dans 50 ans ?

Je suis de nature optimiste. Je vois un monde où la technologie aidera l'homme à se libérer, notamment sur le plan du travail et de la santé. J'ai l'impression que la plupart des gens considèrent leur emploi comme une sorte d'esclavage. Est-ce que l'IA pourrait donner à chacun de nous le choix de se former de manière continue et d'explorer les manières de contribuer à la société qui lui conviennent le plus ? Au-delà de tous les gadgets qu'on va construire avec l'IA et de tous les changements socioéconomiques que cette technologie va entraîner, ce serait selon moi une évolution énorme. Je pense qu'on vivrait alors dans un monde beaucoup plus serein. ◊

COMPLÉMENT

Cap sur la diversité

ANNICK POITRAS
Journaliste indépendante et directrice de *L'état du Québec 2018*

Dans beaucoup de milieux de travail et en politique, la promotion de la diversité est devenue un enjeu social que personne ne peut ignorer. Le domaine de la recherche scientifique ne fait pas exception. Quelque 600 défenseurs de l'égalité des sexes issus des domaines des sciences, de l'innovation et du développement ont participé au Gender Summit d'Amérique du Nord de 2017, qui s'est déroulé début novembre, à Montréal, sous la direction du Conseil de recherches en sciences naturelles et en génie du Canada et des Fonds de recherche du Québec (FRQ).

Les Gender Summits, soit les sommets sur le genre, sont une série de conférences internationales tenues partout dans le monde depuis 2011. Articulés autour du thème « L'égalité des sexes pour la qualité en recherche et en innovation », ces sommets visent à faire de l'égalité des sexes la norme dans les domaines de la recherche et de l'innovation, et à intégrer l'égalité comme une dimension fondamentale de la qualité. À Montréal, les conférences ont abordé des thèmes comme les avantages du pluralisme, l'engagement du Canada dans l'appui à la diversité, la diversité dans un contexte international, etc.

C'est un fait irréfutable : « Au Québec, au Canada et ailleurs dans le monde, les femmes demeurent beaucoup moins nombreuses dans les secteurs des sciences, des technologies, de l'ingénierie et des mathématiques. C'est aussi le cas au sein des directions de chaires de recherche et dans le corps professoral universitaire », résume Maryse Lassonde, directrice scientifique du Fonds de recherche du Québec – Nature et technologies, qui a coorganisé le sommet montréalais. « Et quand on constate que les femmes sont pratiquement absentes du secteur de l'informatique et de l'intelligence artificielle, des domaines cruciaux pour le développement des professions, c'est très inquiétant », souligne-t-elle.

Eve Langelier, professeure agrégée au Département de génie mécanique de l'Université de Sherbrooke, est titulaire de la Chaire pour les femmes en sciences et en génie au Québec – une des cinq chaires du Conseil de recherches en sciences naturelles et en génie du Canada.

Pendant son propre parcours pour devenir ingénieure, elle a réalisé qu'être une femme pouvait avoir des répercussions sur sa carrière, et c'est pourquoi elle a choisi de s'engager dans cette cause.

Elle se souvient qu'une entreprise avait refusé de l'accueillir en stage sous prétexte que la boîte ne voulait pas de femmes. « À l'époque, mon réflexe a été de dire : je ne veux pas aller là non plus ! Mais aujourd'hui, je trouverais ça effrayant ! »

Si les temps ont changé, il reste du travail à faire. « La Chaire travaille à augmenter la représentation des femmes en sciences et en génie au moyen d'activités de promotion et de rétention auprès des filles. Elle chapeaute aussi des recherches pour comprendre et documenter la situation actuelle », explique Eve Langelier.

Mais les femmes ne sont pas les seules à avoir du mal à prendre leur place en sciences, un domaine encore largement perçu comme un classique « *old boys club* », illustre Maryse Lassonde. De grandes plénières du Gender Summit montréalais ont aussi porté sur la recherche par et pour les Autochtones et abordé l'intégration de la communauté LGBTQ, deux groupes sous-représentés en recherche scientifique.

« Les Autochtones sont peu présents à l'université, et il y a tout un mouvement au Canada et au Québec pour que cette situation change. Aux FRQ, nous cherchons notamment à savoir quel genre de bourses on pourrait leur offrir pour répondre à leurs besoins. Car certaines de ces personnes étudient à temps partiel ou ne veulent pas s'éloigner de leur communauté. Comment faire pour les inciter à faire des études supérieures ? Nous travaillons là-dessus, ainsi que sur une façon de promouvoir des modèles de chercheurs autochtones qui inspireront les jeunes à entrevoir ce genre de possibilités », explique Maryse Lassonde.

Les membres de la communauté LGBTQ connaissent aussi des difficultés d'insertion en recherche, poursuit-elle. « Bien que nous n'ayons pas encore de données précises sur ce sujet, nous constatons qu'il y a des préjugés, que c'est plus dur pour ces personnes d'obtenir des promotions, par exemple. » ¶

COMPLÉMENT

Un contexte favorable aux investissements en science et en innovation

ANNICK POITRAS
Journaliste indépendante et directrice de *L'état du Québec 2018*

Plusieurs nouvelles initiatives et stratégies gouvernementales touchant la recherche scientifique ont vu le jour en 2017. Leurs répercussions seront à surveiller.

D'ici 2022, le Québec s'est fixé comme objectif de figurer parmi les principaux leaders de l'OCDE en matière de recherche et d'innovation au moyen, notamment, de la Stratégie québécoise de la recherche et de l'innovation[1], dévoilée en mai 2017. En concordance avec la vision économique du gouvernement, qui repose sur le manufacturier innovant, l'exportation et l'entrepreneuriat, ce sont 5,4 milliards de dollars qui seront investis en recherche et en innovation dans les cinq prochaines années, dont 180 millions dans les Fonds de recherche du Québec.

La nouvelle Politique internationale du Québec[2] vise pour sa part à élargir l'accès des acteurs clés en innovation aux réseaux stratégiques et aux sources de financement internationales, tout en encourageant la mobilité et l'accueil des chercheurs. Elle veut aussi promouvoir l'excellence de la recherche et de l'innovation québécoises en lien avec les grands enjeux scientifiques internationaux et les priorités gouvernementales.

Ensuite, la Stratégie québécoise des sciences de la vie 2017-2027[3] se donne des cibles ambitieuses: attirer 4 milliards de dollars d'investissements privés au Québec d'ici 2022 et faire du Québec l'un des cinq pôles nord-américains les plus importants en la matière. Elle compte y parvenir en s'appuyant sur deux créneaux dans lesquels la province dispose de chercheurs et d'organisations figurant parmi les plus réputés du monde: la médecine de précision et l'exploitation des mégadonnées en santé.

Enfin, la Stratégie numérique du Québec[4], toujours en création au moment d'aller sous presse, définira une vision gouvernementale cohérente afin que la province évolue vers une société numérique. Le secteur de la recherche sera mis à contribution, notamment en technologies de l'information. ¶

Politique provinciale

LE QUÉBEC EST-IL VULNÉRABLE À UNE DÉRIVE POPULISTE ?

Les partis politiques n'ont pas la cote, ni au Québec ni ailleurs. Ils sont boudés par les électeurs, voire méprisés. Pour les populistes et les extrémistes, c'est souvent une occasion de marquer des points. Le Québec risque-t-il de voir l'irruption de forces « antisystèmes » qui s'adosseraient à la colère citoyenne en dénonçant avec virulence les élites économiques et politiques ? Ça reste à voir !

JEAN-HERMAN GUAY
Professeur de sciences politiques à l'École de politique appliquée,
Université de Sherbrooke

Même au pouvoir, et toujours premier dans les sondages, le Parti libéral du Québec (PLQ) connaît une sérieuse hémorragie de sa base militante. Selon les rapports financiers déposés annuellement, il comptait seulement 27 000 membres en règle à la fin 2016. Un an plus tôt, c'était à peine mieux, soit 37 000[1]. Quand on sait qu'en 2003 le parti avait presque 95 000 membres, les libéraux ont de quoi être inquiets. Pire, quand on se rappelle qu'en 1981 quelque 200 000 Québécois étaient membres du PLQ, les chiffres actuels font l'effet d'une douche froide[2].

Du côté du Parti québécois (PQ), il est plus difficile d'estimer le nombre de membres. Selon les rapports financiers, l'équivalent de 30 000 adhésions annuelles auraient été enregistrées en 2016 contre 72 000 en 2003. Dans le rapport *Osez repenser le PQ*, commandé à Paul St-Pierre Plamondon par Jean-François Lisée alors que ce dernier était candidat à la course au leadership de 2016, on estime que le PQ comptait 89 000 membres[3] en 2016. Quoi qu'il en soit, le PQ est lui aussi très loin de ses effectifs partisans des années 1980, alors qu'il pouvait compter sur l'adhésion de 280 000 membres[4].

Ces deux grands partis, qui ont successivement formé les gouvernements depuis presque un demi-siècle, sont en déclin. Il y a 40 ans, 10 % des électeurs inscrits étaient membres d'une des deux formations et défendaient son programme, son chef et son équipe. Aujourd'hui, c'est moins de 2 % des électeurs inscrits qui font de même. Cette désaffection se traduit dans les urnes. Lors du scrutin de 2014, 33 % des électeurs ont boudé le PQ et le PLQ, alors qu'au début des années 1980 seulement 5 % des électeurs osaient « découcher » !

Au cours des dernières années, on a eu beau changer le mode de financement dans le but d'augmenter fortement la part des revenus des partis provenant de l'État et de réduire celle des particuliers, rien n'y fait. Les deux partis sont rejetés par plusieurs électeurs et des générations entières les boudent copieusement : l'âge moyen des membres dépasse à présent 60 ans !

LE SYNDROME DE LA DÉCEPTION PARTISANE

Ce déclin des partis traditionnels n'est pas exclusif au Québec. Partout dans les démocraties occidentales, les partis politiques ont connu de sévères chutes. Au Royaume-Uni, par exemple, le pourcentage des électeurs membres d'un parti a dégringolé de 6 % en 1976 à moins de 2 % aujourd'hui[5]. En France, les partis politiques auraient perdu la moitié de leurs membres[6]. Il en va de même en Italie, en Norvège, aux Pays-Bas et en Suisse.

Les derniers mois ont été particulièrement révélateurs. Aux États-Unis, les dernières primaires ont fait briller des candidats de qui on n'attendait rien au départ – des *outsiders* –, soit Donald Trump et Bernie Sanders. En France, hors des grandes machines partisanes, voire contre elles, Emmanuel Macron est parvenu à s'imposer lors de l'élection présidentielle de mai 2017 et à construire en quelques semaines une option différente pour les élections législatives. Ailleurs, ce sont des partis de l'extrême droite qui émergent. C'est le cas en Autriche, en Hongrie et en Allemagne, pour ne citer que ces pays.

Mais pourquoi les partis traditionnels sont-ils partout en déclin ? Un diagnostic est plausible : dans des sociétés postmodernes, marquées entre autres par l'hétérogénéité des valeurs, la fragmentation des sources médiatiques et la multiplication des identités liées aux genres, aux confessions religieuses et aux appartenances professionnelles, les partis politiques peinent à fournir un discours fédérateur, ce que les autres acteurs de la société civile n'ont pas à faire[7]. Dans ce nouvel environnement social et culturel, les programmes des grands partis semblent vides, souvent trompeurs. Ils ne collent plus à la réalité souvent atomisée des individus et des groupes. Les politologues Richard Katz et Peter Mair, spécialistes des partis politiques des États-Unis et du Royaume-Uni, affirment même que « les partis de masse sont morts[8] ». Conséquemment,

> Les électeurs sont enclins à voter pour de nouveaux joueurs qui placent les groupes les uns contre les autres, cultivant une politique de l'affrontement.

les électeurs sont enclins à voter pour de nouveaux joueurs, porteurs d'idées percutantes, qui placent les groupes les uns contre les autres, cultivant une politique de l'affrontement.

La suite n'aide pas. Quand ces nouveaux joueurs prennent le pouvoir, ils font un constat cruel à propos de la gouvernance : « Ce n'est pas si simple[9] », c'est-à-dire qu'il est plus facile de critiquer le gouvernement précédent que de trouver des solutions. En moins d'un an, le président Trump en a fait la preuve, en particulier à propos de la réforme de l'Obamacare. Inévitablement, cela provoque de nouvelles déceptions chez les électeurs, ce que le président français Macron a aussi constaté quelques mois après son accession à l'Élysée, alors qu'il a vu ses appuis chuter[10]. Au final, il en résulte un système partisan fragmenté et des électeurs désenchantés.

LE CAS DU QUÉBEC

Le Québec n'est pas à l'abri de ce syndrome. Les partis politiques sont mal vus, parfois méprisés[11]. En vue des prochaines élections provinciales, certains pourraient tirer profit de craintes qui divisent la société. Selon une enquête CROP menée en mars 2017, 65 % des Québécois souscrivent à cet énoncé : « Il est probable que notre culture et notre identité deviennent minoritaires à l'avenir[12]. » Selon la même enquête, 37 % pensent qu'il y a « trop d'immigrants ». En août 2017, au cours d'un été marqué par la « crise des migrants », ce chiffre a bondi à 53 %[13]. Le Québec est-il pour autant particulièrement vulnérable à la montée de tendances antisystèmes et de partis extrémistes qui ébranleraient le système partisan ? L'analyse des faits incite à croire que non.

L'économie québécoise, qui a le vent en poupe, n'est pas un terreau propice aux extrémistes.

En décembre 2016, le syndicaliste Bernard « Rambo » Gauthier a par exemple lancé une formation politique, Citoyens au pouvoir, laquelle propose « un virage à 180 degrés » de la politique québécoise. Mais malgré une exposition médiatique généreuse, les suites semblent minces. Quelques semaines plus tard, son cofondateur Frank Malenfant a pris ses distances en disant qu'il ne peut pas « tolérer d'être le co-porte-parole d'un nouveau message irrespectueux[14] ».

Au cours de l'été 2017, les activités du groupe La Meute, qui joue sur les craintes liées à l'immigration, ont fait les manchettes. En août, des porte-parole annonçaient qu'ils entendaient rapidement former un parti appelé Mouvement traditionaliste du Québec[15]. Cependant, rien n'indique une percée importante dans l'opinion publique.

Selon les indices visibles au début de l'automne 2017, il semble certes y avoir une présence accrue de l'extrême droite sur les réseaux sociaux et des échos répétés dans les médias traditionnels[16], mais on demeure loin – du moins jusqu'à présent – des scénarios qui marquent déjà la vie politique en Norvège, en Hongrie ou en Allemagne.

Parmi les partis présents à l'Assemblée nationale du Québec, aucun n'affiche une propension marquée au populisme. Indice que la tempête n'est pas imminente : le PLQ est demeuré premier dans 23 des 28 sondages réalisés par Léger depuis les élections de 2014, une stabilité rare et remarquable.

S'il y a réalignement partisan, celui-ci s'expliquera moins par une colère populiste que par le déclin de la question nationale. Si le PQ perd des points au profit de la Coalition Avenir Québec (CAQ) ou de Québec solidaire (QS), c'est essentiellement parce que le clivage gauche-droite est en voie de supplanter le clivage fédéraliste-souverainiste. L'échec de la convergence entre le PQ et QS, en mai 2017, relève du même changement de priorité. Avec la fusion de QS et d'Option nationale, la gauche pourrait cependant obtenir en 2018 ce qu'elle ne pouvait imaginer il y a 10 ou 15 ans.

Et si les libéraux devaient perdre le pouvoir en 2018, cela serait davantage le signe d'une volonté légitime d'alternance de gouvernement que d'une fronde populiste. En effet, l'usure du pouvoir reste le talon d'Achille du PLQ : si on exclut les 20 mois du gouvernement minoritaire péquiste de Pauline Marois, le PLQ est « aux affaires » depuis 2003. Les élections de 2018 sonneront donc 15 ans de gouvernance libérale !

Enfin, l'économie québécoise, qui a le vent en poupe, n'est pas un terreau propice aux extrémistes. Le taux de chômage est passé de 8 à 6,1 % d'août 2015 à août 2017, atteignant même son meilleur score depuis 1976. Après des années de « rigueur budgétaire », les finances publiques montrent des surplus de plus de quatre milliards de dollars alors que les gouvernements québécois sont habituellement dans le rouge.

L'irruption imminente d'une force populiste reste peu probable, à moins qu'un des quatre partis ne prenne le risque de miser sur la carte identitaire, ce que le PQ a fait jusqu'à un certain point avec sa charte des valeurs en 2013. Le chef du PQ, Jean-François Lisée, s'y est risqué pendant la course à la chefferie de son parti. Mais lors du récent congrès du PQ, rien n'indiquait qu'il récidiverait, peut-être parce qu'il a été échaudé par la controverse suscitée par ses propos sur les migrants au cours de l'été 2017, en particulier dans les rangs de son propre parti[17]. L'Action démocratique du Québec, l'ancêtre de la CAQ, avait utilisé cette rhétorique au début des années 2000.

En vue des élections générales de 2018, le chef de la CAQ, François Legault, a plus intérêt à utiliser sa cote de popularité personnelle, qui dépasse celle du premier ministre Philippe Couillard selon un sondage de la firme Léger[18], ou à miser sur sa vision des affaires, manifeste dans le dossier du taxi[19] et peut-être plus en phase avec le nouvel environnement économique marqué par l'émergence du commerce en ligne. Plus fondamentalement, le goût du changement et la volonté de dépasser la dualité PLQ-PQ, qui est en place depuis près de 50 ans, pourraient davantage aider la CAQ que la carte du populisme, peut-être porteuse à court terme, mais toxique au fil du temps, du moins sur la base de l'expérience de la charte des valeurs qui a divisé le PQ, sans conduire à la victoire en 2014[20].

Quelle que soit l'issue du jeu de chaises musicales entre les trois principales formations politiques, celles-ci seront néanmoins tenues d'innover pour rallier les électeurs désabusés. La parité des candidatures hommes-femmes pourrait constituer un indice tangible de cette nécessité. La place donnée aux candidats âgés de moins de 40 ans en serait un autre. Les partis devront présenter des projets audacieux, combinant économie verte et économie numérique. En somme, ils devront dire autre chose, et le dire autrement pour rejoindre les générations montantes !

Le goût du changement et la volonté de dépasser la dualité PLQ-PQ pourraient davantage aider la CAQ que la carte du populisme.

À plus long terme, si la méfiance partisane s'estompe, la société civile, les médias et les électeurs y seront pour beaucoup. Pour que les partis changent, ils doivent être repensés, mais aussi – et peut-être surtout – réinvestis par les citoyens, avec une dose de confiance qui n'est pas encore rétablie. ◊

Notes et sources, p. 332

L'USURE DU POUVOIR FAIT MAL AU GOUVERNEMENT COUILLARD

Après trois ans au pouvoir, le gouvernement libéral de Philippe Couillard a réalisé plus de promesses électorales que tous ses prédécesseurs des 20 dernières années. Mais ironiquement, à un an des prochaines élections, les intentions de vote à son égard s'effritent. Comme quoi les Québécois ne semblent pas avoir pardonné certaines promesses brisées.

LISA BIRCH

Professeure et directrice générale du Centre d'analyse des politiques publiques, Université Laval

FRANÇOIS PÉTRY

Professeur et directeur par intérim du Centre d'analyse des politiques publiques, Université Laval

Ce texte fait le bilan de la réalisation des promesses électorales du gouvernement Couillard à moins d'un an des prochaines élections. Après une description des principales promesses réalisées depuis notre précédent bilan, publié dans *L'état du Québec 2016*[1], nous comparons le bilan de Philippe Couillard après trois ans au pouvoir à ceux des quatre gouvernements majoritaires précédents, au même stade. De cette comparaison, il ressort que le gouvernement Couillard tient davantage ses promesses que ses prédécesseurs. Notre analyse indique également que, règle générale, plus un gouvernement tient ses promesses, plus son appui dans les intentions de vote est fort. Logiquement, le Parti libéral du Québec (PLQ) devrait donc jouir d'un score élevé dans les intentions de vote des Québécois. Or, ce n'est pas le cas. Les appuis au gouvernement Couillard s'effritent en dépit de son enviable performance dans le respect de ses promesses. Nous proposons quelques pistes pour comprendre ce phénomène.

LE RESPECT DES PROMESSES : UN BILAN POSITIF

Selon les données du polimètre[2] mises à jour le 1er octobre 2017, des 158 promesses faites par l'équipe de Philippe Couillard, 121 avaient été réalisées ou étaient en voie de l'être (76 %), 17 avaient été rompues (13 %) et 20 étaient en suspens (11 %)[3].

Dès juin 2014, les mesures de restructuration et de débureaucratisation de l'État ont débuté avec des compressions budgétaires, mais aussi avec la création de la Commission de révision permanente des programmes et la mise en place d'un guichet unique pour les services aux entreprises. Le gouvernement Couillard a aussi entamé la mise en œuvre de son Plan Nord, de sa stratégie maritime et de ses politiques forestières. La réalisation de ces promesses économiques devait engendrer un effet de levier pour permettre la création de 250 000 emplois promis.

Même si la plateforme électorale libérale incluait ces promesses de restructuration et de coupes budgétaires – sauf en santé et en éducation –, les experts comme les profanes étaient tellement étonnés, voire secoués par leur ampleur que la réalisation de plusieurs autres promesses est restée dans l'ombre des compressions[4].

Pensons, par exemple, au partenariat fiscal dont ont bénéficié les municipalités, à la nouvelle loi sur les régimes de retraite municipaux, au soutien envers les villes intelligentes et aux mesures spécifiques pour la gouvernance des villes de Montréal et de Québec. Après trois ans de pouvoir, au moins 18 promesses visant les municipalités, les villes et leurs infrastructures ont été tenues ou sont en voie de l'être. S'ajoutent à cela la transparence dans la gestion des contrats d'infrastructure, la lutte aux changements climatiques et les politiques contre l'intimidation dans les écoles et contre la maltraitance des aînés.

ANALYSE COMPARÉE DU RESPECT DES PROMESSES ET DES INTENTIONS DE VOTE

Si on compare les promesses réalisées en entier ou en partie après 36 mois au pouvoir des cinq derniers gouvernements majoritaires, on s'aperçoit que le gouvernement Couillard arrive bon premier, avec 72 % de promesses réalisées (114 sur 158) d'avril 2014 à avril 2017[5]. Il est suivi par les gouvernements péquistes Parizeau-Bouchard de 1994 et Bouchard-Landry de

GRAPHIQUE 1

Promesses réalisées entièrement ou en partie après trois ans (gouvernements majoritaires seulement)

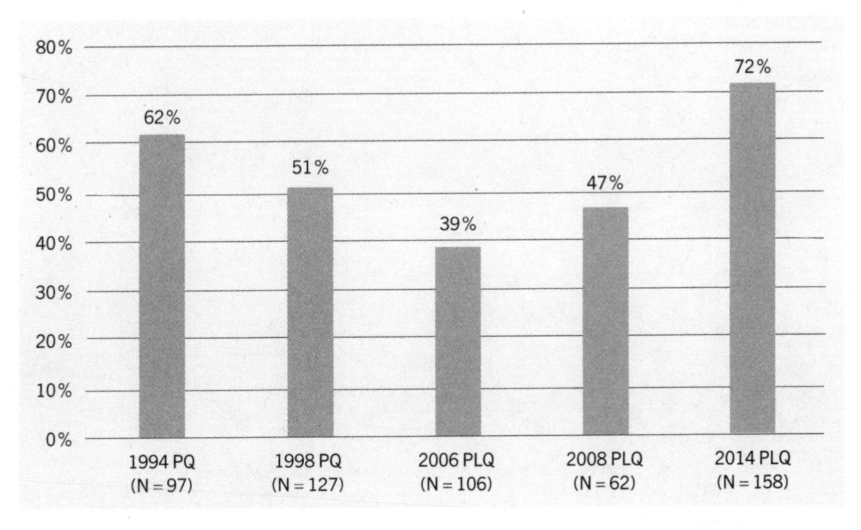

1998. Les gouvernements libéraux de Jean Charest élus en 2003 et en 2008 arrivent en fin de peloton.

Un phénomène bien connu des maisons de sondage est celui de l'effritement, avec le temps, des intentions de vote pour le parti aux commandes. Le PLQ de Philippe Couillard n'échappe pas à ce phénomène surnommé l'« usure du pouvoir ». Élu avec l'appui d'un peu plus de 41 % des électeurs, le PLQ a vu ce soutien s'effriter progressivement pour atteindre environ 32 % après trois ans au gouvernement[6]. Il est logique de penser que plus un gouvernement remplit les promesses grâce auxquelles il a été élu, moins l'effritement des intentions de vote sera important. Autrement dit, on s'attend à ce que le respect des promesses des gouvernements soit fortement lié au soutien populaire.

La corrélation peut refléter une relation de cause à effet entre la réalisation des promesses et le soutien des électeurs, qui « récompensent » en quelque sorte un gouvernement qui tient parole – et « punissent » un gouvernement qui ne tient pas ses promesses[7]. La corrélation peut aussi refléter une relation fortuite, du fait que le respect des promesses et l'appui des électeurs varient en fonction d'un facteur commun, soit la préexistence de conditions économiques, budgétaires et politiques qui influencent dans la même direction le soutien de l'électorat et la capacité du gouvernement à remplir ses promesses. Une crise économique

GRAPHIQUE 2

Promesses tenues et intentions de vote après trois ans (%)

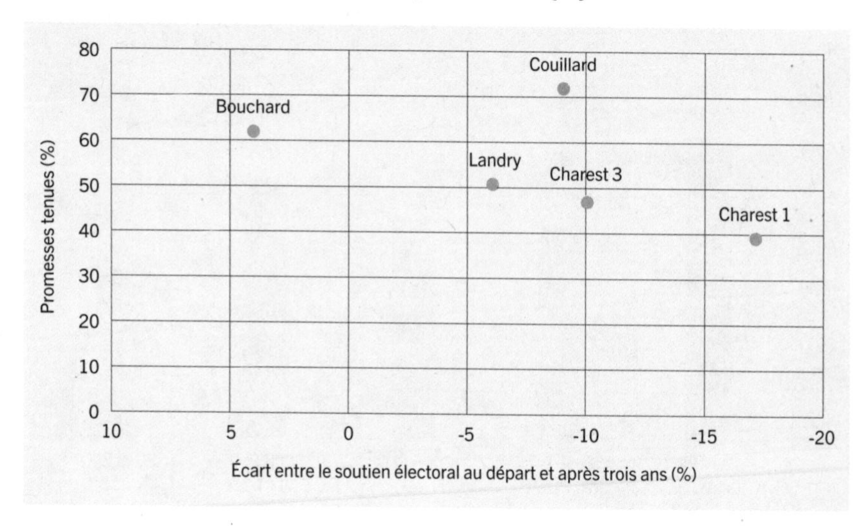

et un déficit budgétaire nuisent à la fois à l'appui électoral et à la capacité des gouvernements de tenir leurs promesses. À l'inverse, un fort taux de croissance économique et un surplus budgétaire permettent à un gouvernement de réaliser ses promesses et de conserver, ou même d'augmenter, son taux d'appuis populaires.

Le diagramme de la page précédente présente l'effritement du soutien populaire aux récents gouvernements majoritaires en fonction du pourcentage des promesses tenues après 36 mois au pouvoir. Les données du diagramme confirment nos attentes pour les gouvernements Bouchard, Charest et Landry : la corrélation est quasi parfaite. Mais ce n'est pas le cas pour le gouvernement Couillard, dont l'écart est trop important compte tenu de sa bonne performance en matière de promesses respectées. Comment alors expliquer le désenchantement de l'opinion publique envers le gouvernement Couillard ?

L'USURE DU POUVOIR

Une explication possible a trait aux symptômes d'usure du pouvoir, qui se manifeste lorsque l'électorat est las d'entendre les mêmes discours prononcés par les mêmes acteurs, et lorsque la crédibilité du gouvernement devient un enjeu. En effet, la crédibilité d'un gouvernement s'amenuise au rythme des crises éthiques et des réactions négatives des médias et de l'opinion publique quand des promesses populaires sont rompues et des promesses impopulaires sont mises en œuvre. Selon Paul Tellier, greffier du Conseil privé de Pierre Elliott Trudeau et de Brian Mulroney, l'arrogance, l'essoufflement du discours et les promesses brisées créent l'usure du pouvoir et mènent à l'alternance démocratique[8]. Un gouvernement en proie à un problème d'usure du pouvoir a un défi de taille à relever s'il souhaite remporter les prochaines élections.

Philippe Couillard est au pouvoir depuis seulement trois ans. Cela dit, abstraction faite du court intervalle pendant lequel Pauline Marois a dirigé un

Si on compare les promesses réalisées en entier ou en partie après 36 mois au pouvoir des cinq derniers gouvernements majoritaires, le gouvernement Couillard arrive bon premier, avec 72 % de promesses réalisées.

gouvernement péquiste minoritaire, le PLQ domine le paysage politique québécois depuis près de 15 ans, avec le soutien d'une fraction de l'électorat seulement. Un tiers des membres du cabinet Couillard étaient déjà ministres dans le gouvernement libéral précédent. Aucun gouvernement majoritaire depuis celui de Maurice Duplessis n'a duré plus de deux mandats. L'élection d'un gouvernement libéral majoritaire en 2014 semble donc constituer une exception à cette tradition d'alternance électorale. La déception de l'électorat se manifeste dans le taux d'insatisfaction à l'égard du gouvernement Couillard, qui atteint 65 % dans la province – et 71 % chez les francophones[9]. Ces piètres résultats contrastent avec le soutien croissant en faveur de la Coalition Avenir Québec (CAQ) et de son chef François Legault, perçus comme la solution de rechange porteuse de changement.

TOUTES LES PROMESSES NE SONT PAS ÉGALES

L'impact des promesses rompues sur l'usure du pouvoir est exacerbé par les préjugés défavorables (*negativity bias*) associés aux comportements politiques[10]. Les recherches récentes suggèrent que l'effet négatif des promesses brisées est beaucoup plus important dans l'opinion publique que l'effet positif des promesses respectées. Les études suggèrent également que l'impact d'une promesse rompue est encore plus négatif, et que son souvenir reste inscrit plus longtemps dans les mémoires, si cette promesse porte sur un enjeu consensuel qui a la faveur universelle du public (plus de liberté, plus de démocratie, plus de transparence, plus d'emplois, moins de taxes, par exemple) que si elle porte sur un enjeu conflictuel (signes religieux, enregistrement des armes à feu, par exemple).

Tôt dans son mandat, le gouvernement Couillard a rompu plusieurs promesses portant sur des enjeux consensuels (plus de soins de santé à domicile, plus d'aide aux devoirs, meilleure qualité de l'enseignement, crédit d'impôt pour les proches aidants, 2 000 nouvelles infirmières spécialisées, indexation des frais de garde) en invoquant que c'était nécessaire afin d'atteindre l'équilibre budgétaire et de permettre un réinvestissement dans les services publics. Ces promesses brisées ont marqué l'opinion publique négativement et de manière durable. Les Québécois continuent à lui en tenir rigueur. Les promesses réalisées récemment et portant sur des enjeux consensuels retiennent moins l'attention médiatique et citoyenne. Les multiples controverses entourant la révision en profondeur du financement et de l'organisation du système de santé, de même que les bourdes du ministre Gaétan Barrette – comme celles avec Diane Lamarre, députée de Taillon et porte-parole de l'opposition officielle en matière de santé et d'accessibilité aux soins – alimentent les journalistes davantage que les promesses respectées en matière d'enjeux consensuels, comme la stratégie maritime ou la lutte contre les changements climatiques, l'intimidation et la maltraitance.

Le retour au surplus budgétaire compte parmi les promesses réalisées du gouvernement Couillard. Mais pour atteindre cet objectif consensuel, il a dû rompre d'autres promesses qui étaient chères aux électeurs, notamment celles concernant l'augmentation des budgets en éducation et en santé. Les fortes compressions budgétaires et la restructuration de l'État requises pour arriver à tenir la promesse du retour au surplus budgétaire ont soulevé des critiques tellement négatives que le retour à l'investissement dans les services publics n'a pas effacé le sentiment d'amertume découlant des conséquences de ces compressions sur les plans humain et social.

Les annonces portant sur des enjeux consensuels (politique de la réussite éducative, stratégie de prévention des violences à caractère sexuel, crédit d'impôt aux personnes âgées actives physiquement, pacte fiscal avec les municipalités) ont reçu un accueil favorable, mais leur impact demeure insuffisant pour remplacer les sentiments négatifs existants.

ENJEUX CONFLICTUELS IMPRÉVUS DANS LA PLATEFORME

L'arrivée d'enjeux conflictuels et polarisants, qui n'étaient pas l'objet de promesses dans la plateforme électorale de 2014, contribue aussi à l'usure du pouvoir, car certains électeurs jugent que le gouvernement n'est pas suffisamment à leur écoute. Un exemple en est la mise en œuvre du projet de loi 62 sur la neutralité religieuse selon un modèle du « vivre-ensemble » qui respecte les valeurs basées, notamment, sur les droits à l'égalité, à la non-discrimination et à la liberté de religion. Cette vision est appuyée par la plupart des anglophones et des allophones du Québec, mais elle contribue au désenchantement d'une partie de la population francophone, surtout à l'extérieur de la région de Montréal. La consultation sur la discrimination et le racisme systémique a tellement irrité une partie de l'électorat que le gouvernement Couillard a dû revoir le mandat et les orientations de cet exercice.

> Les prochains mois diront si le gouvernement Couillard aura réussi à faire valoir le bilan positif du respect de ses promesses électorales.

UN DÉFI DE SÉDUCTION POUR LES PROCHAINES ÉLECTIONS

Le gouvernement Couillard a fait un grand nombre de promesses sur des enjeux consensuels que tout le monde appuie (forte croissance économique, budget équilibré, baisse des impôts, augmentation des investissements, création d'emplois, meilleur système d'éducation, meilleurs soins de santé, etc.). Toutefois, il a d'abord choisi d'assainir les finances publiques et, pour ce faire, il a dû miser sur l'austérité, ce qui l'a forcé à renier plusieurs de ses promesses consensuelles ou, du moins, à les mettre en veilleuse, engendrant ainsi une désapprobation généralisée et à long terme dans l'opinion publique. Son plan était que, une fois l'équilibre budgétaire atteint et la reprise économique sur les rails, il aurait les coudées franches pour réaliser les promesses qui font consensus.

Le plan n'a fonctionné qu'en partie. En effet, l'économie affiche le meilleur taux de croissance du PIB en 15 ans (à 2,8 %), des emplois sont créés, les investissements se multiplient et le gouvernement commence à mettre en œuvre ses promesses sociales. Mais malgré tout cela, les intentions de vote pour le PLQ sont en perte de vitesse, semblant refléter l'usure du pouvoir, le cynisme des électeurs et les effets des préjugés défavorables découlant de la période d'austérité, qui est perçue comme une « mauvaise surprise » imposée par le gouvernement Couillard au lendemain du scrutin de 2014.

Les prochains mois diront si le gouvernement Couillard aura réussi à faire valoir le bilan positif du respect de ses promesses électorales. Il bénéficiera de bonnes conditions économiques et budgétaires qui lui permettront probablement de compenser les mauvaises nouvelles par autant, sinon plus, de bonnes nouvelles. Mais réussira-t-il à rebâtir sa crédibilité en proposant un nouveau projet politique, en écoutant davantage l'électorat et en assurant un comportement exemplaire de ses ministres ? ◊

Notes et sources, p. 332

Les auteurs remercient le *Fonds de recherche du Québec – Société et culture* pour son soutien à leur équipe de recherche.

À LA BOXE, LE TRUC, C'EST DE LAISSER L'ADVERSAIRE SE FATIGUER!
CAQ
GARNOTTE
2017-08-31

Politique fédérale

COMMENT DONALD TRUMP POURRAIT CHANGER LE CANADA

Avec l'arrivée de Donald Trump au pouvoir, le gouvernement Trudeau doit composer avec un président américain imprévisible et hostile à la lutte contre les changements climatiques. Trump cherche aussi à renégocier l'Accord de libre-échange nord-américain (ALENA) au bénéfice des États-Unis. Cette présidence pourrait bien constituer le plus grand défi de Justin Trudeau.

FRÉDÉRIC BOILY
Professeur titulaire en science politique, Université de l'Alberta

Au Canada, la victoire de Donald Trump a été un choc pour le gouvernement libéral. Mais le premier moment de surprise passé, les libéraux ont géré avec un doigté remarquable leurs relations avec le nouveau locataire de la Maison-Blanche. Avant même le 8 novembre 2016, ils avaient déjà prudemment évité de critiquer le candidat Trump alors que, par le passé, ils avaient parfois exprimé publiquement leur dédain des républicains. Après l'élection de Trump, le premier ministre a fait appel à ses adversaires politiques, car l'équipe libérale avait peu de contacts avec celle du nouveau président. Il a su profiter de l'expertise de l'ex-premier ministre Brian Mulroney, qui connaît bien Trump et quelques membres de son entourage. Il a aussi mis sur pied un conseil consultatif comprenant des conservateurs (Rona Ambrose) et des néo-démocrates (Brian Topp, ex-candidat à la course à la direction du NPD).

La rencontre du 13 février 2017 entre Justin Trudeau et Donald Trump a été un franc succès. Soigneusement orchestrée, cette première visite officielle a permis au premier ministre canadien d'établir des liens avec un président qui, contrairement à ses prédécesseurs, ne manifeste toujours pas d'intérêt à visiter le Canada. Les ministres libéraux ont également multiplié les visites aux États-Unis. C'est notamment le cas de la ministre des Affaires étrangères, Chrystia Freeland, bien branchée à Washington, et même de premiers ministres et de maires canadiens. D'une certaine façon, les libéraux ont mis sur pied une coalition non partisane afin de contourner le président et de rencontrer directement les élus américains.

Ainsi, Justin Trudeau a livré un discours remarqué au Rhode Island devant la National Governors Association, une première pour un premier ministre canadien. Cette rencontre lui a permis de poursuivre la « campagne d'éducation » auprès des décideurs politiques[1].

Justin Trudeau a résisté à l'appel de ceux qui souhaitent que son gouvernement devienne le chef de file de l'opposition contre Donald Trump, comme plusieurs l'espéraient[2]. Les libéraux ont préféré la voie de la légendaire politesse canadienne à l'affrontement. Mais de profonds désaccords divisent les deux gouvernements. Que ce soit en matière d'immigration et de diversité ou en matière d'environnement, ils vont en fait dans des directions opposées.

> Les deux pays ont réaffirmé leur désir de travailler à un avenir commun en matière de « sécurité énergétique » et de faire « avancer des projets d'infrastructures énergétiques qui créeront des emplois ».

OPPOSITIONS ET POINTS COMMUNS : ENVIRONNEMENT ET KEYSTONE XL

Contrairement au président américain, Justin Trudeau reste convaincu de la nécessité des politiques visant à lutter contre les changements climatiques. « Profondément désappointé[3] » par la décision de Trump de se retirer de l'Accord de Paris, Justin Trudeau a réitéré sa volonté de mettre de l'avant des politiques environnementales rigoureuses. Cependant, d'autres croient que des engagements – comme la taxe sur le carbone, qui devrait s'élever à 50 $ la tonne en 2022 – pourraient être retardés avec l'arrivée de Trump[4].

En revanche, des possibilités d'entente existent entre les deux pays à propos de l'énergie. Lorsque Donald Trump a signé un décret, dès la fin janvier 2017, pour approuver la construction du pipeline Keystone XL (auparavant refusé par Barack Obama), le ministre des Ressources naturelles, Jim Carr, a salué la décision, qui constituait un « très bon moment pour l'Alberta[5] ». Dans la déclaration commune qui a suivi la rencontre de février 2017, les deux pays ont réaffirmé leur désir de travailler à un avenir commun en matière de « sécurité énergétique » et de faire « avancer des projets d'infrastructures énergétiques qui créeront des emplois tout en respectant l'environnement[6] ».

C'est pourquoi Trudeau a parfois été accusé de trahir ses engagements environnementaux sur l'autel du développement de l'énergie, comme l'a affirmé un influent leader environnemental, Bill McKibben[7]. Exagérée, la charge n'en montrait pas moins que Justin Trudeau devra composer avec les critiques de ceux qui l'accusent de jouer sur les deux tableaux.

Mais le vrai test pour les libéraux est la renégociation de l'ALENA, qui a officiellement débuté le 16 août 2017 et qui s'est poursuivie durant l'automne.

RENÉGOCIER L'ALENA

Avant même l'arrivée de Donald Trump, plusieurs affirmaient que ce «bol de spaghettis d'accords séparés[8]» (selon l'expression d'un ex-ambassadeur canadien aux États-Unis) devait être remis à jour; par exemple, qu'il était nécessaire d'y inclure le commerce en ligne, lequel n'existait pas au moment de conclure l'entente, en 1994.

Or, lorsque les discussions ont commencé, le négociateur en chef des États-Unis, Robert Lighthizer, a employé un langage décrit comme «agressif». Il a en effet affirmé aux négociateurs canadiens et mexicains que «le président n'est pas intéressé à faire quelques ajustements et à mettre à jour une couple de chapitres[9]». Et probablement qu'il est aussi peu enclin à le «moderniser» sur le plan social, comme le souhaite le Canada. Au premier jour des négociations, ce rappel laissait entendre que les négociations seront ardues et qu'un échec n'est pas exclu. En fait, le président laisse encore planer la possibilité de déchirer l'entente, comme il l'a martelé dans un discours qu'il a prononcé à Phoenix le 22 août 2017. Cependant, dans un tel cas de figure, le Congrès aurait son mot à dire, rendant ainsi peu probable la mise à exécution de cette menace.

Toutefois, une chose est sûre: la renégociation sera difficile, parce qu'on ne discerne pas réellement de lignes directrices du côté américain autres que la renégociation d'un accord au seul bénéfice des États-Unis. Du côté américain, on veut uniquement rééquilibrer le déficit de la balance commerciale, plus important avec le Mexique qu'avec le Canada. L'idée de mettre «l'Amérique en premier» constitue donc le défi que doit surmonter Justin Trudeau. Le gouvernement libéral devra batailler ferme en vue de protéger la gestion de l'offre pour les produits laitiers, ce qu'il s'est engagé à faire. Or, les pres-

> Après de multiples échecs législatifs, tout indique que Donald Trump espère une victoire claire avec l'ALENA. Peu d'analystes croient que le Canada en sortira gagnant.

sions sont fortes de la part des fermiers américains, qui espèrent obtenir un accès plus important au marché canadien[10]. Au Canada, plusieurs se plaignent aussi de la gestion de l'offre, comme l'ex-candidat à la course à la direction du Parti conservateur, Maxime Bernier. Aux yeux de ses opposants, ce système favorise un groupe au détriment des consommateurs et même d'autres agriculteurs : les producteurs de blé. C'est surtout le chapitre 19 – un mécanisme de règlement des différends – qui pourrait produire un affrontement majeur entre le Canada et les États-Unis. Lors des cinq premiers jours de renégociation, les Américains auraient d'ailleurs réclamé de nouveau l'abolition de ce chapitre bénéfique au Canada. Toutes les discussions qui touchent à l'industrie automobile promettent aussi d'être particulièrement corsées.

Enfin, derrière l'économie se profilent également des questions d'ordre culturel et environnemental. Au début de la négociation, Chrystia Freeland a d'ailleurs affirmé que le Canada voulait ajouter des chapitres progressistes à propos du genre et des Autochtones, mais ils ont peu de chance d'être acceptés. Jetés dans une renégociation que le Canada ne voulait pas, les négociateurs canadiens devront donc lutter âprement pour protéger à la fois l'économie et la culture.

Après de multiples échecs législatifs, tout indique que Donald Trump espère une victoire claire avec l'ALENA. En fait, peu d'analystes croient que le Canada en sortira gagnant, même si sur certains sujets, comme l'énergie (pétrole, gaz naturel et hydroélectricité), il devrait être possible de s'entendre. L'idée de la sécurité énergétique est très bien vue par les trois partenaires. Si les négociateurs canadiens parviennent à améliorer l'entente – par exemple en y faisant ajouter des chapitres pour les Autochtones – ou simplement à résister au protectionnisme américain, l'image du premier ministre Trudeau, très bonne au Canada comme aux États-Unis, en sortira encore meilleure.

> L'idée de mettre « l'Amérique en premier » constitue le défi que doit surmonter Justin Trudeau.

L'influence de Donald Trump se fait toutefois sentir dans d'autres dimensions. Sa victoire aux élections semble en effet avoir changé la nature des débats publics, ce qui pose un autre type de défi au Canada.

L'INFLUENCE DU « TRUMPISME » AU CANADA : UNE MENACE ?

On aime à croire que le Canada est immunisé contre les idées de Donald Trump, comme si le multiculturalisme faisait partie de l'ADN canadien. Or, des groupes ou des partis semblent tentés d'adopter un style ou type de discours similaire au sien. Ce dernier consiste à mélanger les thèmes du protectionnisme économique et de la préservation de l'intégrité culturelle en enrobant le tout d'un verbe haut en couleur qui dit les « vraies » choses et qui critique les politiciens de carrière.

Lors de la course à la direction du Parti conservateur, quelques candidats ont adopté un ton « trumpien ». La candidate défaite Kellie Leitch préconisait un test des valeurs pour les immigrants qui rappelait les idées de Donald Trump. En Alberta, le style du président américain s'est exprimé. Par exemple, lors d'une manifestation dénonçant la taxe sur le carbone, en décembre 2016, on pouvait entendre des appels à emprisonner la première ministre, Rachel Notley. C'était aussi ce que l'on criait (« *Lock her up* ») contre Hillary Clinton lors des ralliements de campagne de Trump.

Le Québec aurait tort de se croire à l'abri. Le verbe haut en couleur de Bernard « Rambo » Gauthier évoque le style du « parler vrai ». Des groupes dits d'extrême droite qui essaiment sur la Toile, comme la Fédération des Québécois de souche ou encore le site canadien Council of European Canadians, ont apprécié l'élection de Donald Trump. À leurs yeux, sa victoire représentait un pied de nez à l'*establishment*.

En ce sens, l'arrivée de Trump a donné une impulsion à l'expression d'idées déjà présentes, mais qui se faisaient plus discrètes par le passé. En 2017, des sondages ont montré que les sentiments populistes existent au Canada. L'un d'entre eux a dévoilé que si 47 % des sondés croyaient que le Canada accueille le bon nombre de réfugiés, 41 % estimaient ce nombre trop élevé[11]. À Québec et à Calgary, on a assisté à des manifestations idéologiques de groupes comme La Meute et North American Freedom Fighters. Or les partis politiques traditionnels sont déstabilisés par ces manifestations et les débats qui suivent. Surtout, d'autres pourraient en profiter pour se constituer un capital politique sans trop d'effort.

Néanmoins, il ne faut pas exagérer l'influence de tels groupes et crier avec trop de

Pour le moment, rien n'indique qu'un parti politique franchement hostile à l'immigration, comme le Front national en France, puisse faire une percée au Canada.

véhémence au retour du fascisme. Pour le moment, rien n'indique qu'un parti franchement hostile à l'immigration, comme le Front national en France, puisse faire une percée au Canada. Il est aussi improbable qu'un parti adopte les politiques préconisées par Trump. Par le passé, les élections ont montré à maintes reprises que les partis canadiens ont avantage à se tenir au centre de l'échiquier politique.

La classe politique devra toutefois se rappeler que des électeurs canadiens pourraient être tentés d'exprimer des sentiments anti-immigration. C'est en ce sens que la victoire de Trump, qui donne du crédit à l'idée de fermeture, complique la tâche de la classe politique canadienne. ◊

Notes et sources, p. 332

LÉGALISATION DU CANNABIS : L'ÉLÉPHANT DANS LA PIÈCE

La légalisation du cannabis était l'une des promesses électorales phares du Parti libéral de Justin Trudeau. Son gouvernement tiendra parole. Le projet de loi sur le cannabis prévoit un accès légal à cette drogue en juillet 2018. Les producteurs de cannabis thérapeutique, déjà prospères, auront le monopole d'un nouveau marché fort lucratif. Les gouvernements fédéral et provinciaux sous-estiment-ils leur pouvoir ?

LINE BEAUCHESNE
Professeure titulaire au Département de criminologie, Université d'Ottawa

Le 13 avril 2017 était déposé le projet de loi sur le cannabis (projet de loi C-45) qui prévoit la légalisation pour le 1er juillet 2018. La nouvelle loi encadrera la production et la transformation des produits du cannabis. À la suite de son adoption, les provinces et les territoires auront six mois pour mettre en œuvre une réglementation sur la distribution du cannabis, car la vente au détail relève de leur compétence.

Mais le gouvernement fédéral n'écrit pas sur une page blanche. La légalisation du cannabis au Canada aura comme premier producteur le marché bien établi du cannabis thérapeutique, dont on parle peu dans le débat, malgré le fait qu'il jouera un rôle crucial dans la suite des choses.

C'est pourquoi, pour comprendre les enjeux de la légalisation, il faut d'abord prendre la mesure du marché existant et examiner la législation dans ses grands axes.

LA PRODUCTION : UN CHANGEMENT DE VOCATION, MAIS LES PRODUCTEURS RESTENT LES MÊMES

Aujourd'hui, le cannabis n'est toujours pas un produit thérapeutique approuvé par Santé Canada, en raison d'un manque d'études cliniques[1] qui permettraient de le désigner comme un médicament. Cependant, c'est cette institution fédérale qui est responsable d'accorder une licence aux producteurs de cannabis thérapeutique et d'assurer la qualité et la sécurité des produits du cannabis, de même que leur traçabilité.

En effet, en 2013, le gouvernement conservateur de Stephen Harper modifiait le système de production et de vente de cannabis à des fins thérapeutiques. Il le remettait alors entre les mains de producteurs privés autorisés à vendre des produits du cannabis en ligne et à les distribuer par la poste[2].

Considérant les lacunes de preuves cliniques, peu de médecins canadiens se sentent à l'aise de recommander l'usage du cannabis. Qu'à cela ne tienne, les producteurs ont établi leur propre réseau de médecins qui examinent les demandes des patients (personnes mineures incluses). Une fois la demande approuvée par Santé Canada, le patient peut commander des produits du cannabis sur le site d'un producteur. Il peut être en possession de 150 grammes de cannabis séché – ou l'équivalent en capsules, en vaporisateur sublingual d'huile de cannabis ou en huiles comestibles.

Depuis 2014, le nombre d'usagers de cannabis thérapeutique croît de façon exponentielle : entre juin 2016 et juin 2017, le nombre de clients inscrits à Santé Canada a plus que doublé, passant de 75 000 à 200 000[3] ! C'est un marché de centaines de millions de dollars, et certains producteurs sont cotés à la Bourse. Il n'est donc pas étonnant que les producteurs licenciés aient vite fait savoir au gouvernement fédéral qu'ils souhaitent être les premiers producteurs de cannabis à des fins non médicales, puisque l'infrastructure de contrôle de la qualité de Santé Canada est déjà en place.

Et ce sera le cas : le projet de loi sur le cannabis confirme que ces producteurs seront les seuls à pouvoir produire du cannabis à des fins non médicales. En mai 2017, les règles de production encadrées par Santé Canada ont aussi été allégées afin de leur permettre d'élargir leurs installations et de stocker du cannabis. Le but est d'assurer un approvisionnement adéquat à la population lors de l'entrée en vigueur de la loi en juillet 2018.

Depuis 2014, le nombre d'usagers de cannabis thérapeutique croît de façon exponentielle.

LA DISTRIBUTION : LE NERF DE LA GUERRE. QUI LA CONTRÔLERA ?

Les produits

Dans un premier temps, la loi sur le cannabis ne permettra que la production et la vente de cannabis frais, de cannabis séché et d'huiles pour le vapotage, comme c'est le cas pour la vente de cannabis thérapeutique. La vente de graines et de plants pour la culture personnelle sera aussi autorisée. La production d'aliments et de boissons infusés au cannabis est prévue pour juillet 2019, le temps de finaliser la réglementation sur ces produits. La loi prévoit que les boissons ou les aliments qui contiennent du cannabis ne pourront renfermer d'autres drogues (nicotine, caféine, alcool) ni être des produits attrayants pour les enfants.

Publicité, emballage et consommation dans les lieux publics

Le projet de loi sur le tabac et les produits du vapotage (S-5), dont l'adoption est prévue à l'automne 2017, encadrera davantage la publicité, l'emballage et la consommation dans les lieux publics. La loi sur le cannabis sera harmonisée avec cette loi[4] ; les provinces et les territoires pourront ajouter des restrictions.

Comme pour le tabac, la publicité sur le cannabis sera interdite. Toutefois, la « promotion informative » sera permise[5]. Prend-on assez en compte le fait que la population, particulièrement les jeunes, s'informe sur Internet et que les producteurs, à cet égard, seront actifs sur le Web afin de faire connaître leurs produits ?

Si les provinces et les territoires le permettent, les producteurs autorisés pourront avoir pignon sur rue.

La vente au détail

Si les provinces et les territoires le permettent, les producteurs autorisés pourront avoir pignon sur rue. Il peut être tentant pour un gouvernement provincial d'alléger la bureaucratie liée à la gestion d'une multiplicité de lieux de vente diversifiés, étatiques ou non, afin de laisser opérer les producteurs licenciés dans la vente au détail, du moins sur Internet.

Compte tenu de la croissance des achats en ligne, le cannabis non médical se taillera un marché de choix sur le Web. À moins d'une interdiction par les provinces et les territoires, les producteurs pourront expédier leurs produits partout au Canada, et leur volume de ventes leur permettra d'offrir de meilleurs prix, ce qui fragilisera les petits distributeurs locaux.

La fixation des prix

Pour les produits du cannabis non médical, le gouvernement fédéral veut établir un prix de vente qui sera prohibitif pour les jeunes, mais assez bas pour éviter le développement d'un marché illégal – en juin 2017, Sécurité publique Canada évaluait à 7,50 $/g le prix moyen du cannabis sur le marché illégal de 2011 à 2015[6].

Trois phases de régulation du prix sont prévues[7]. D'abord, le premier prix fixé, comprenant la taxation, devra être bas pour casser les ventes de cannabis sur le marché illégal. Dans une deuxième phase, comme les coûts de production devraient diminuer, le gouvernement pourra percevoir davantage de taxes sans modifier le prix de vente. Enfin, après quelques années, un taux de taxation jugé adéquat – selon les habitudes de consommation – pourra être établi.

L'ENCADREMENT DE L'USAGE : 18 ANS ET PLUS, 30 GRAMMES ET 4 PLANTS

Par prudence, l'Association médicale canadienne et les associations médicales provinciales proposent que l'âge de consommation soit fixé à 25 ans, ou à 21 ans, au minimum. De son côté, considérant qu'un des objectifs de la loi est de mettre fin à l'approvisionnement en cannabis sur le marché illégal et que les jeunes de 18 à 24 ans sont les plus grands consommateurs de cannabis au pays[8], la loi fixe l'âge minimal à 18 ans, en précisant que les provinces et les territoires peuvent décider de l'élever. Mais dans un tel cas, les jeunes pourraient s'approvisionner sur le marché du cannabis thérapeutique, où l'âge des consommateurs n'est pas encadré, comme c'est le cas dans les États américains (Colorado, Washington, Oregon, Alaska) qui ont légalisé le cannabis, ou encore s'en procurer sur le marché illégal.

Le gouvernement recommande que la quantité de possession personnelle soit fixée à 30 grammes pour le cannabis séché (avec des équivalences pour les autres produits), une quantité semblable à celle permise en Uruguay et dans les États américains ayant légalisé le cannabis.

Comme il est permis de cultiver du tabac ou de produire son propre vin ou bière à des fins de consommation personnelle – et que cela demeure marginal –, le gouvernement permettra la culture du cannabis avec une limite de quatre plants par résidence. Les États américains ayant légalisé le cannabis permettent la culture personnelle sous certaines conditions. Les problèmes qui surviennent depuis concernent essentiellement le trafic dans les États voisins qui n'ont pas légalisé le cannabis.

LES CONTRÔLES ET LES SANCTIONS : TOUT NE DEVIENT PAS LÉGAL POUR AUTANT

Les producteurs seront soumis au modèle de sanction des entreprises : sanctions pécuniaires pour dérogation aux règles d'emballage et d'étiquetage ou de restrictions promotionnelles, rappel obligatoire de produits non conformes, révocation de licence pour violations répétées.

Les infractions criminelles ne seront maintenues que pour la production, l'importation et l'exportation illicites de produits du cannabis.

Au nom de la protection de la jeunesse, deux infractions criminelles avec des sanctions pouvant aller jusqu'à 14 ans d'emprisonnement ont été ajoutées dans le projet de loi sur le cannabis : donner ou vendre du cannabis à quiconque de moins de 18 ans et se servir d'un mineur pour commettre une infraction liée au cannabis.

Mais puisque 22 % des jeunes Canadiens[9] essaient le cannabis alors qu'ils sont encore mineurs, si ces derniers sont trouvés en possession de moins de 5 grammes de cannabis, ils ne seront pas pénalisés. C'est l'adulte qui leur aura procuré cette drogue qui sera puni.

La question des facultés affaiblies

Le projet de loi C-46, qui vise entre autres à encadrer la conduite d'un véhicule moteur sous l'influence du cannabis, est inspiré du modèle d'encadrement en vigueur aux États-Unis. Ce modèle est basé sur l'utilisation de tests de salive ou d'haleine à l'aide d'appareils de détection approuvés, comme l'alcootest, fixant un taux de THC limite pour la conduite d'un véhicule moteur.

Sur le plan politique, ce projet de loi était nécessaire pour répondre aux craintes de la population. Toutefois, il n'encadre pas la conduite avec facultés affaiblies par le cannabis comme il le prétend. D'abord, le taux de THC réglementé est arbitraire, puisqu'aucun lien entre une quantité de cannabis et des problèmes résultant de la conduite avec facultés affaiblies ne peut être validé scientifiquement à l'heure actuelle[10]. On mesure si la personne a consommé du cannabis dans les heures qui précèdent la conduite, et non si ses facultés sont affaiblies pendant qu'elle conduit.

Ensuite, la précision des tests salivaires est encore problématique, surtout s'ils sont utilisés à l'extérieur, sous le point de congélation[11]. Enfin, plus le taux fixé de THC est bas, comme c'est le cas dans ce projet de loi, plus le risque de faux positifs augmente, entre autres à cause de la fumée passive[12]. C'est pourquoi des résultats positifs devront être confirmés par des tests sanguins pour que les résultats servent de preuve devant les tribunaux.

Le test de sobriété normalisé, qui peut être filmé par les policiers lorsqu'ils interceptent un conducteur, serait plus efficace pour freiner la conduite avec facultés affaiblies, peu importe la raison de cet affaiblissement (diminution des réflexes liée à l'alcool, au cannabis, à la fatigue, aux médicaments prescrits, à l'âge, etc.). De nombreuses études en criminologie démontrent que des peines sévères rarement appliquées sont moins efficaces que des sanctions administratives courantes[13]. Le Comité sénatorial permanent des affaires juridiques et constitutionnelles recommande d'ailleurs l'usage de sanctions administratives plutôt que pénales en matière de conduite avec facultés affaiblies pour alléger la charge des tribunaux ; les procès pour ces accusations ont compté pour 11 % de tous les procès criminels au Canada en 2013-2014[14].

> Il y a un risque que se développe un « marché gris » de consommateurs qui se tourneront vers le cannabis thérapeutique afin de contourner les restrictions du marché légal.

La question des casiers judiciaires

Bien des gens s'interrogent sur ce que fera le gouvernement des 600 000 Canadiens qui ont un dossier criminel lié à la possession de cannabis. Ottawa se prépare à répondre à la question en révisant les règles de suspension dans la Loi sur le casier judiciaire (demande de suspension désignée autrefois sous le nom de « demande de pardon »), dont les conditions d'obtention se sont durcies sous le précédent gouvernement conservateur.

SERONS-NOUS PRÊTS LE 1er JUILLET 2018 ?

Ce n'est pas la bonne question à poser, car il faudra des années avant que ce nouveau marché mûrisse et que la recherche documente mieux les effets potentiels de la consommation du cannabis « légal ».

La question à poser serait davantage celle-ci : sommes-nous partis du bon pied pour réaliser les deux objectifs visés par la loi sur le cannabis, soit l'amélioration de la santé publique – par la réduction des usages problématiques du cannabis et l'amélioration de sa qualité – et la diminution des ventes sur le marché illégal ?

Sur le plan de la santé publique, rien n'est sûr, puisqu'il y a un éléphant dans la pièce. En effet, il y a un risque que se développe un « marché gris » de consommateurs qui se tourneront vers le cannabis thérapeutique afin de contourner les restrictions du marché légal, soit l'âge minimum de consommation et la concentration de THC pouvant être contenue dans les produits du cannabis.

De plus, les gouvernements doivent considérer le fait que les stratégies de prévention et de sensibilisation qu'ils mettront en place seront concurrencées par l'information attractive que les producteurs de cannabis seront libres de faire circuler sur le Net.

Enfin, les gouvernements auront-ils la volonté d'attacher les profits engendrés à l'implantation adéquate du cadre réglementaire (prévention, sensibilisation, etc.) et à la recherche scientifique sur les effets de cette drogue complexe ? Avant que les profits ne commencent à pleuvoir, cette volonté devrait être mieux affirmée.

Quant au marché illégal, son évolution dépendra de l'harmonisation des réglementations, des règles de distribution des produits du cannabis et, surtout, de la capacité des gouvernements fédéral et provinciaux à contrôler leur soif de taxation. ◊

Notes et sources, p. 332

Casal
18 fév. '17
VIVE
JUSTIN
L'ANTI-
TRUMP
JUSTIN
TRUMP

Premières Nations

LE DÉVELOPPEMENT DES RESSOURCES NATURELLES PASSE PAR LE CONSENTEMENT DES PEUPLES AUTOCHTONES

En septembre 2017, dans un discours remarqué devant l'Organisation des Nations unies, le premier ministre Justin Trudeau reconnaissait la « faillite » du Canada envers les peuples autochtones et s'engageait à redoubler d'efforts afin de corriger les erreurs du passé. Or la réconciliation avec les premiers peuples exige de profondes transformations dans la gestion du territoire et des ressources.

MARTIN PAPILLON
Professeur agrégé au Département de science politique, Université de Montréal

THIERRY RODON
Professeur agrégé au Département de science politique, Université Laval

En 2016, après 10 ans de refus et de tergiversations, le gouvernement fédéral appuyait « pleinement et sans réserve » le texte de la Déclaration des Nations unies sur les droits des peuples autochtones (DNUDPA). Il s'agit d'un moment charnière pour les peuples autochtones du Canada. D'autant qu'à peine six mois plus tôt, dans son rapport final, la Commission de vérité et réconciliation – chargée d'enquêter sur les séquelles des pensionnats autochtones – faisait de cette déclaration l'une des pierres d'assise de la réconciliation entre les premiers peuples et la société canadienne eurodescendante.

Mais de la parole aux gestes, la marge est considérable. Certains éléments de cette déclaration peuvent avoir un impact important, notamment en matière de gestion du territoire et des ressources naturelles. Le droit des peuples autochtones de participer et, dans certains cas, de consentir aux décisions gouvernementales pouvant affecter leurs terres ancestrales est sans nul doute l'aspect le plus controversé de la DNUDPA. Les gouvernements et les industries extractives – qui exploitent les ressources pétrolières, gazières et minérales – hésitent à mettre ce principe en œuvre, craignant qu'un pouvoir décisionnel trop important entre les mains des communautés autochtones ait pour conséquence de bloquer le développement économique.

Si la peur d'un « veto autochtone » apparait largement exagérée, il n'en demeure pas moins essentiel de clarifier le rôle des premiers peuples dans le processus décisionnel entourant la mise en valeur du territoire. La spoliation de leurs terres ancestrales est au cœur de la blessure historique associée au colonialisme. De ce fait, la réconciliation passe nécessairement par un rééquilibrage des droits et des intérêts de chacun sur le territoire que nous partageons aujourd'hui. Nous proposons dans ce texte quelques pistes afin de traduire dans les pratiques le principe du consentement préalable, libre et éclairé, dans une optique de réconciliation[1].

AU-DELÀ DU VETO

La DNUDPA est un document non contraignant pour les États. Elle est néanmoins le fruit de longues années de négociation et de nombreux compromis, si bien que les normes qui y sont définies sont aujourd'hui de plus en plus reconnues et acceptées. En l'endossant, les États s'engagent notamment à reconnaitre le statut des Autochtones en tant que peuples distincts porteurs de droits collectifs, dont le droit à l'autodétermination.

En tant que peuples libres de déterminer leur avenir, les peuples autochtones doivent logiquement pouvoir participer à la prise de décisions concernant leurs terres ancestrales. La Déclaration consacre à cet effet le principe du consentement préalable, libre et éclairé (CPLE), notamment à son article 32 (voir encadré de la page 215).

Notons que l'ambiguïté du texte, qui parle de « consultation [...] en vue d'obtenir le consentement », reflète la nature des débats au moment de son adoption, il y a plus de 10 ans. Pour certains, le consentement découle du droit à l'autodétermination, et donc de la capacité des nations autochtones de décider par elles-mêmes du devenir de leurs terres ancestrales. Le CPLE devrait alors logiquement équivaloir à un pouvoir de veto. Mais pour d'autres, l'objectif de l'article 32 serait de favoriser la consultation dans l'espoir d'obtenir le consentement, sans toutefois qu'il y ait d'obligation de résultat. C'est la position de la majorité des États, dont le Canada.

> À Ottawa comme à Québec, les gouvernements hésitent à se commettre sur la question du consentement et préfèrent attendre les interprétations des tribunaux.

Dans les faits, la question du veto fausse le débat. Un veto renvoie à un geste unilatéral de refus d'une action posée par autrui. Si le consentement ne peut être réduit à une simple consultation et doit inclure la possibilité d'un refus ultime, il doit surtout s'inscrire dans une logique de dialogue. Consentir (ou non) est le fruit de l'échange d'information, de l'écoute et de la délibération. La meilleure manière d'obtenir un tel consentement est de favoriser la collaboration entre les parties, dans le cadre d'un processus décisionnel conjoint. Il est dès lors préférable de parler de codécision plutôt que de veto.

QU'EN EST-IL AU CANADA ?

À Ottawa comme à Québec, les gouvernements hésitent à se commettre sur la question du consentement et préfèrent attendre les interprétations des tribunaux. Ainsi, la Cour suprême du Canada reconnait pour l'instant l'obligation des autorités fédérales et provinciales de consulter et, au besoin, d'accommoder les peuples autochtones lorsqu'un projet ou une mesure peut potentiellement porter atteinte à leurs droits ancestraux. Dans une décision historique – l'arrêt Tsilhqot'in, en 2014 –, le plus haut tribunal du pays précise toutefois qu'une atteinte au titre ancestral entraîne effectivement une obligation d'obtenir, ou à tout le moins de tenter d'obtenir, le consentement. Le droit canadien demeure cependant vague lorsqu'un titre ancestral n'est pas reconnu ou lorsqu'aucun traité ne précise la nature des droits ancestraux sur le territoire. C'est notamment le cas sur une bonne partie du territoire du Québec.

Le rôle des Autochtones dans la gestion des terres et des ressources baigne conséquemment dans un flou juridique et politique. Cette situation attise les tensions et contribue à l'incertitude entourant plusieurs projets importants de développement économique au Canada. Les débats entourant le projet d'expansion du pipeline Trans Mountain, en Colombie-Britannique, et celui de l'oléoduc Énergie Est, au Québec (abandonné depuis), témoignent d'ailleurs de l'importance de clarifier le rôle de chacun dans les processus décisionnels. Dans les deux cas, les tracés projetés traversent de nombreux territoires revendiqués par des nations autochtones. Ces dernières n'accepteront pas de se voir imposer de telles infrastructures sans leur consentement[2].

Dans ce contexte, l'approche actuelle des gouvernements fédéral et provinciaux – qui consiste à diluer leurs responsabilités en déléguant la consultation aux promoteurs ainsi qu'à esquiver la question du consentement tant qu'elle ne se retrouve pas devant les tribunaux – n'est pas viable à long terme.

CLARIFIER LES RÔLES

À la lumière des avancées récentes en droit international et en droit canadien qui vont dans le sens d'une plus grande reconnaissance du rôle des peuples autochtones en matière de gestion des terres et des ressources, les gouvernements fédéral et provinciaux ont tout avantage à dissiper l'ambiguïté. Ils doivent endosser le principe du consentement préalable, libre et éclairé, tout en précisant les modalités de sa mise en œuvre. Non seulement cela assurerait aux peuples autochtones un véritable droit de regard sur le développement économique de leurs terres ancestrales, mais cela favoriserait aussi, le cas échéant, une plus grande légitimité et de meilleures assises juridiques et politiques aux projets de mise en valeur des ressources.

Vu l'ampleur des coûts qu'occasionnent les conflits juridiques avec les peuples autochtones, certaines entreprises minières, pétrolières et forestières vont déjà au-delà de la simple consultation. Elles tentent ainsi d'obtenir par la négociation le consentement des communautés avant d'aller de l'avant avec des projets affectant leurs terres ancestrales. Ces ententes sur les répercussions et avantages (ERA) – qui visent à offrir une compensation financière ou à atténuer les effets environnementaux et sociaux des projets en échange du consentement autochtone – constituent un outil privilégié à cet effet.

Si les ERA représentent une avancée importante en ce qui a trait à l'inclusion des peuples autochtones dans la définition des modalités du développement économique sur leurs terres ancestrales, il est difficile ici de parler de consentement préalable, libre et éclairé, au sens de la déclaration des Nations unies. En effet, un important rapport de force s'exerce entre les promoteurs et les représentants des communautés autochtones lors de la négociation. Les Autochtones peuvent en fait difficilement lever le nez sur ces ententes, qui constituent souvent le seul moyen permettant d'influencer un tant soit peu la teneur du projet, voire d'en bénéficier. Souvent confidentielles, elles sont aussi négociées dans le plus grand secret. Autrement dit, le consentement obtenu dans le cadre d'une ERA est lacunaire, car il n'est souvent ni libre ni éclairé par un véritable débat au sein des communautés.

> Le rôle des Autochtones dans la gestion des terres et des ressources baigne dans un flou juridique et politique.

Plutôt que de s'en remettre aux promoteurs des projets, les gouvernements devraient clairement établir la place du CPLE dans le processus décisionnel lié à l'autorisation des grands projets d'extraction et de transport des ressources naturelles.

L'ARTICLE 32 DE LA DÉCLARATION DES NATIONS UNIES SUR LES DROITS DES PEUPLES AUTOCHTONES

(2) « Les États consultent les peuples autochtones concernés et coopèrent avec eux de bonne foi par l'intermédiaire de leurs propres institutions représentatives, en vue d'obtenir leur consentement, donné librement et en connaissance de cause, avant l'approbation de tout projet ayant des incidences sur leurs terres ou territoires et autres ressources, notamment en ce qui concerne la mise en valeur, l'utilisation, l'exploitation des ressources minérales, hydriques ou autres. »

Un CPLE exprimé démocratiquement au sein des communautés autochtones devrait être une condition *sine qua non* à l'autorisation de projets aux impacts potentiellement importants sur leurs droits ancestraux. Cela clarifierait le rôle de chacune des parties dans la mise en valeur du territoire. Un tel engagement créerait aussi un rapport de force plus équilibré entre les industries extractives et les communautés lors de la négociation des ERA. En outre, un processus d'approbation des projets reposant sur le CPLE permettrait aux Autochtones de devenir de véritables acteurs du développement de leurs terres ancestrales.

POUR UN VRAI CONSENTEMENT

Comment s'y prendre ? Le choix des mécanismes d'expression du consentement demeure la responsabilité des communautés autochtones. Cependant, dans un esprit de codécision, les gouvernements peuvent faciliter le processus. Une première approche consisterait à négocier des protocoles avec les communautés afin de leur permettre d'effectuer leurs propres consultations et études d'impact. C'est notamment l'approche adoptée par la nation squamish, en Colombie-Britannique. Un tel modèle n'est cependant pas accessible à toutes les communautés du pays en raison des ressources financières et de l'expertise que cela exige, sans parler des délais que peut entrainer la multiplication des processus.

Une autre approche consisterait à créer des comités paritaires pour l'étude des impacts environnementaux, sociaux et culturels des projets. Une sorte de « BAPE autochtone » doté d'un véritable pouvoir décisionnel, et dont le mandat serait précisément de tenir compte de l'impact des projets sur les droits et les pratiques ancestrales des premiers peuples. De tels organismes paritaires existent déjà au Québec, notamment sur le territoire de la Convention de la Baie-James et du Nord québécois, chez les Cris et les Inuits. Il serait tout à fait possible de leur donner une véritable autorité décisionnelle et d'en généraliser la pratique à l'échelle du Québec.

En somme, la réconciliation avec les premiers peuples exige de profondes transformations dans la gestion du territoire et des ressources. Que ce soit par la reconnaissance des mécanismes décisionnels autochtones ou par la création de structures de codécision, il est impératif de mettre en place les outils permettant aux communautés de participer pleinement à la prise de décisions entourant le développement économique de leurs terres ancestrales. Le principe du CPLE s'impose depuis quelques années comme un élément incontournable en ce sens.

Il faudra cependant que l'État accepte de partager son pouvoir décisionnel avec celui, tout aussi important, des peuples autochtones. Un tel changement des comportements et des mentalités est essentiel afin de reconstruire les ponts. Tant et aussi longtemps que les gouvernements pourront unilatéralement imposer leurs décisions aux peuples autochtones, la réconciliation sera illusoire. ◊

Notes et sources, p. 332

VAL-D'OR
PAS D'ACCUSATION CONTRE LES POLICIERS...
ENQUÊTES POLICIÈRES SUR LA POLICE
OÙ ÉTAIS-TU DANS LA NUIT DU 14 AU 15 JUIN 2008 ?
À TA PLACE... C'ÉTAIT À MON TOUR DE T'INTERROGER.
SPVM
SQ
GARNOTTE 2016·11·17

Générations

RAPPROCHER LES GÉNÉRATIONS POUR CONSTRUIRE LE QUÉBEC DE DEMAIN

En 2030, un Québécois sur quatre aura 65 ans et plus. Le vieillissement de la population entraîne de nombreux changements démographiques, économiques et sociaux. Le Québec est mûr pour une vaste discussion intergénérationnelle, et celle-ci est en marche.

FRANCIS HUOT
Chargé de communication, Institut du Nouveau Monde

Depuis quelques années, les questions de solidarité et d'équité intergénérationnelles s'imposent comme des enjeux politiques incontournables au Québec.

Le contexte sociodémographique particulier avec lequel nous composons rend ce défi social d'autant plus important. Le vieillissement de la population, l'arrivée des baby-boomers à la retraite, la progression de l'espérance de vie et le faible taux de natalité sont autant de facteurs qui rendent cette situation complexe, mais surtout digne de notre intérêt collectif.

Cette conjoncture particulière pose de nombreux défis pour la société québécoise, et ce, à plusieurs égards. Qu'on pense aux milieux et à la qualité de vie, à l'emploi et à la retraite, aux services et aux politiques publics ou à la démocratie et à la participation citoyenne, les enjeux sont nombreux.

Dans ce contexte, comment assurer une équité intergénérationnelle ? Comment les cinq générations qui se côtoient actuellement au Québec pourront-elles bâtir ensemble une solidarité et trouver les moyens de répondre aux défis posés par un Québec vieillissant ?

LE CONTEXTE SOCIODÉMOGRAPHIQUE PARTICULIER DU QUÉBEC

Statistique Canada découpe la société québécoise en cinq générations distinctes. Les parents des baby-boomers (personnes nées entre 1919 et 1945), les baby-boomers (personnes nées entre 1946 et 1965), la génération X (personnes nées entre 1966 et 1971), la génération Y (personnes nées entre 1972 et 1992) et la génération Z (personnes nées entre 1993 et maintenant) forment le Québec d'aujourd'hui[1].

La hausse marquée du taux de natalité qu'a vécue le Québec de 1946 à 1965 est à l'origine de ce qu'on a appelé *a posteriori* le baby-boom. Cette forte croissance des naissances a eu une influence importante sur le contexte sociodémographique du Québec.

La prépondérance de la génération des baby-boomers au Québec a retardé le vieillissement de la population en dopant

À PROPOS DES MILLÉNIAUX

La génération des milléniaux (*millennials*), un concept états-unien régulièrement utilisé à des fins de marketing, n'est pas retenue officiellement par Statistique Canada. Elle réfère aux jeunes nés entre 1982 et 2004[1]. Les milléniaux québécois seraient donc issus des générations Y et Z.

1. Cette classification de la génération des milléniaux est issue de Neil Howe et William Strauss, *Millennials Rising: The Next Great Generation*, Knopf Doubleday Publishing Group, 2009, 432 p.

la proportion des personnes âgées de 0 à 19 ans, puis de celles de 20 à 64 ans. Ce vieillissement est toutefois en train de s'accélérer, alors que les baby-boomers atteignent, depuis quelques années, l'âge de 65 ans. L'Institut de la statistique du Québec estime d'ailleurs qu'en 2030 la part des personnes de plus de 65 ans au Québec devrait être parmi les plus élevées des pays de l'OCDE[2].

> Comment faire face à l'augmentation importante de l'âge médian à laquelle font face certaines régions depuis 10 ans ?

LE QUÉBEC EST MÛR POUR UNE VASTE DISCUSSION INTERGÉNÉRATIONNELLE

C'est dans ce contexte que l'Institut du Nouveau Monde (INM) a lancé, à l'automne 2017, la Conversation publique sur la solidarité et l'équité intergénérationnelles, un processus consultatif qui vise à recueillir les préoccupations des citoyens, à débattre et à proposer des pistes de solutions sur les enjeux d'ordre intergénérationnel.

Bien qu'il existe des sources de division entre les générations au Québec, plusieurs points de convergence demeurent. Un sondage Léger/Institut du Nouveau Monde[3] mené à l'été 2017 révèle que pour toutes les générations, la priorité absolue pour le Québec est l'amélioration de l'accès à un médecin de famille et la réduction du temps d'attente aux urgences. La majorité des Québécois estime aussi que le gouvernement doit faire de l'investissement dans les services publics une priorité.

Les Québécois perçoivent toutefois des iniquités. Par exemple, la majorité des citoyens sondés considère que les mesures d'austérité mises en place par le gouvernement provincial ne touchent pas toutes les générations de façon équitable.

Les défis collectifs qui sont identifiés par les Québécois de toutes les générations, sans nécessairement que les mêmes raisons soient identifiées, démontrent qu'un dialogue intergénérationnel est souhaitable.

L'invitation est donc lancée aux jeunes, aux familles, aux personnes aînées et aux organisations pour discuter, au cours des deux prochaines années, des enjeux de solidarité et d'équité intergénérationnelles en abordant quatre grandes thématiques : les milieux et la qualité de vie ; l'emploi et la retraite ; les services et politiques publics ; la démocratie et la participation citoyenne.

MILIEUX ET QUALITÉ DE VIE

L'aménagement du territoire et des espaces publics, la mixité sociale, la vitalité des régions, la mobilité et l'environnement représentent tous des défis pour les différentes générations.

Comment faire face à l'augmentation importante de l'âge médian dans certaines

QU'EST-CE QUE LA SOLIDARITÉ ET L'ÉQUITÉ INTERGÉNÉRATIONNELLES ?

La **solidarité intergénérationnelle** fait référence au sentiment de responsabilité et d'interdépendance entre les citoyens et les générations, qui sont moralement obligés les uns par rapport aux autres. Ainsi, cette interdépendance positive entre les générations et leurs responsabilités réciproques priment sur les mises en opposition et sur le simple calcul comptable de ce qu'une génération donne par rapport à ce qu'elle reçoit des autres.

L'**équité intergénérationnelle**, quant à elle, fait référence à une attribution juste, neutre et impartiale de ce qui serait dû à des individus ou à des générations. Dans le contexte des questions d'ordre intergénérationnel, on réfère au principe selon lequel l'État distribue de manière équitable les coûts et les bénéfices associés aux choix collectifs d'une société. Il importe donc de reconnaître l'apport financier de chaque génération et de le mettre en relation avec ce qu'elle retire (en programmes sociaux par exemple) pour mesurer l'équité entre les générations. Cette vision est cependant l'objet de débats au sein de la communauté scientifique, alors qu'une analyse centrée sur l'équité (ou l'iniquité) entre les générations nous mène à éluder des injustices socioéconomiques qui ne seraient pas nécessairement liées à des facteurs générationnels, mais plutôt à des inégalités de classes[1].

1. Solange Lefebvre, « Responsabilité et équité intergénérationnelles: débats actuels », dans *Lien social et politiques*, n° 46, automne 2001, p. 141-149. En ligne: erudit.org/fr/revues/lsp/2001-n46-lsp376/000329ar/

régions depuis 10 ans[4] ? Comment gérer les coûts inhérents aux changements climatiques, qui pourraient représenter en 2050 pour le gouvernement du Québec des dépenses supplémentaires de 14,85 milliards de dollars par année[5] ? Les réponses à ces questions reposent sur les choix sociaux qui seront faits dans les prochaines années. Et c'est sans compter les enjeux plus difficilement quantifiables, comme l'isolement des aînés, qui pose des défis par rapport à la mixité sociale.

Il est temps de mettre à contribution le pouvoir citoyen afin de définir un projet social solidaire, équitable et inclusif.

EMPLOI ET RETRAITE

Ces deux enjeux, qui sont intimement liés et interdépendants, sont également au cœur des discussions sur la solidarité et l'équité intergénérationnelles.

Le marché du travail, par exemple, continuera de subir des transformations majeures dans les années à venir. En effet, le départ à la retraite des baby-boomers et la décroissance importante de la population active (les 20-64 ans) auront des répercussions sur le marché du travail, mais aussi, plus largement, sur la croissance économique du Québec[6]. L'augmentation du taux de diplomation, les clauses de disparité de traitement et la conciliation travail-famille sont également des facteurs qui contribuent à la transformation du marché du travail québécois.

En ce qui concerne la retraite, deux défis majeurs se présentent. Le premier : la sécurité financière. L'augmentation de l'espérance de vie couplée à la baisse de l'âge « normal » de la retraite de 70 à 65 ans rendent la retraite plus longue, et donc plus coûteuse, autant pour la société que pour les individus[7]. Le deuxième : la pérennité des régimes de retraite. Comment les régimes de retraite publics et privés s'adapteront-ils à la reconfiguration du marché du travail ? Et cette adaptation sera-t-elle équitable pour toutes les générations ?

SERVICES ET POLITIQUES PUBLICS

La gestion de la santé, de l'éducation, des programmes sociaux, des finances publiques et des inégalités sociales représente aussi un défi pour la société québécoise.

Les dépenses en santé, par exemple, augmenteront à un rythme de 5,2 % par année entre 2015 et 2035[8], notamment en raison du vieillissement de la population. Du côté de l'éducation, on prévoit une adaptation des dépenses, alors que la baisse du poids relatif des enfants et des jeunes adultes et les coûts liés à l'éducation aux adultes auront un impact sur le budget du ministère de l'Éducation et de l'Enseignement supérieur. Sans être une fin en soi, la gestion de la dette publique – qui s'élève à 207 milliards de dollars – représente également un défi d'équité intergénérationnelle.

DÉMOCRATIE ET PARTICIPATION CITOYENNE

Des iniquités persistent également quant à l'influence qu'ont les différentes générations sur les décisions politiques, et des changements s'observent dans la façon dont elles exercent leur participation citoyenne[9].

La participation électorale des parents des baby-boomers, des baby-boomers et des X est plus élevée. Leur influence est donc en théorie plus grande sur les institutions politiques[10]. D'ailleurs, toujours selon le sondage Léger/Institut du Nouveau Monde, seulement 11,3 % de la population estime que les 18-34 ans sont ceux qui ont le plus d'influence sur les décisions politiques, alors qu'ils représentent près de 30 % de la population éligible au vote au Québec[11]. Cette perception peut être attribuable à la sous-représentation des jeunes à l'Assemblée nationale du Québec, alors qu'en octobre 2017 seulement 13 députés sur 125 (10,4 %) avaient entre 18 et 39 ans et que 84 (67,2 %) étaient âgés de 50 ans et plus[12].

Toutefois, les jeunes seraient plus enclins à s'engager dans d'autres formes de participation citoyenne. Leur participation sociale s'articule notamment autour de mobilisations ciblées, tandis que leur participation publique se concrétiserait par l'engagement dans des conseils d'administration, des conseils d'établissement, des conseils d'élus, des forums jeunesse régionaux et des associations, par exemple[13].

UN DIALOGUE EST NÉCESSAIRE

Trop de bonnes idées n'ont pas encore été entendues. Trop de bons exemples de solidarité entre générations restent méconnus de la population et gagneraient à être mis de l'avant. Trop de défis d'équité intergénérationnelle doivent être surmontés.

Et par-dessus tout, des lieux et des occasions de dialogue entre les personnes des différentes générations doivent être créés afin de démystifier certains préjugés et certains tabous à l'égard du vieillissement de la population et de combattre l'âgisme et le jeunisme.

Il est temps de mettre à contribution le pouvoir citoyen afin de définir un projet social solidaire, équitable et inclusif pour le Québec qui permettra une meilleure cohabitation entre les générations.

Et c'est ce que l'INM propose : recueillir la parole des citoyens et la rapporter aux décideurs publics. ◊

Notes et sources, p. 332

Pour plus d'information et pour participer au dialogue : inm.qc.ca/intergenerationnel

BILAN DE LA TOURNÉE « OSEZ REPENSER LE PQ » DE PAUL ST-PIERRE PLAMONDON
LES JEUNES (D'À PEU PRÈS 40 ANS) SONT DE PLUS EN PLUS NOMBREUX
Je vous présente le nouveau président de la commission jeunesse...
POKEMON RARE
Pascal
2 mai 2017

Inégalités sociales

INÉGALITÉS ET POPULISME AUX ÉTATS-UNIS : UNE RELATION SURPRENANTE

Il existe bel et bien un rapport entre la montée des inégalités et celle du populisme en Occident. Mais cette relation n'est pas celle que l'on croit. C'est dans les agglomérations fortement inégalitaires, mais prospères, que se forge actuellement l'alliance progressiste contre les idéologies « de la détresse et de la déroute ».

JAMES K. GALBRAITH
Professeur en études gouvernementales à l'Université du Texas
et titulaire de la Chaire Lloyd M. Bentsen Jr en relations public-privé

Traduction de Christophe Horguelin

Depuis plusieurs décennies, je travaille avec mes étudiants à un projet visant à mesurer et à interpréter la hausse (et parfois le déclin) des inégalités économiques dans le monde. Quand nous avons commencé, le sujet ne suscitait parmi les économistes qu'un intérêt poli. C'est aujourd'hui un domaine de recherche majeur, auquel mes cohortes d'étudiants et moi-même avons – sans fausse modestie – apporté une contribution respectable et respectée.

Nos travaux, qui sont fondés sur une analyse par région et par secteur industriel, ont révélé une constante : à l'ère de la mondialisation de la finance, c'est la croissance hégémonique du secteur financier qui est responsable de l'augmentation des inégalités. La part grandissante des revenus de la finance est une conséquence du rôle de plus en plus central des banques dans l'orientation de l'activité économique, de la taille de plus en plus grande de ces mêmes banques, et de la concentration des revenus financiers dans les mains d'un petit nombre de personnes très bien rémunérées au sein d'un très petit nombre de firmes d'élite.

Si on se concentre maintenant sur les pays avancés, on constate qu'un second facteur entre en jeu, étroitement associé à l'influence du secteur financier : c'est la montée du secteur des technologies. Ce secteur joue un rôle majeur dans l'accroissement des inégalités parce que c'est lui qui, dans l'économie actuelle, détient ce qu'on pourrait appeler le pouvoir de « destruction créatrice » (au sens où l'entendait Schumpeter). Les nouvelles technologies ont été le moteur des changements structurels que nous avons tous vécus. À la faveur de ces changements, les entreprises relativement petites (en fait de quantité d'employés) qui en sont venues à dominer le secteur des technologies ont obtenu des valeurs boursières extraordinaires et une part disproportionnée du revenu global.

UNE CARTE DE LA PROSPÉRITÉ INÉGALITAIRE

Il se trouve, en outre, que ces deux secteurs (finance et technologies) sont très concentrés géographiquement. Leurs sièges sociaux se trouvent aux États-Unis d'Amérique, au bord de l'océan – en gros, l'Atlantique pour la finance, le Pacifique pour les technologies –, et cette carte correspond très précisément à celle de l'évolution des inégalités économiques dans ce pays. Mon étudiant Travis Hale, grâce à une simulation contrefactuelle, a calculé que la moitié de la croissance des inégalités de revenus entre comtés de 1993 à 2000 (soit les années du grand boum technologique) aux États-Unis est attribuable à seulement cinq comtés : celui de New York (où se trouve Wall Street), trois comtés au nord de la Californie (Silicon Valley) et un dernier dans l'État de Washington (Microsoft).

Comment tout ceci se rattache au populisme ? Le populisme est un phénomène politique. Pour le comprendre, il faut l'observer à travers le prisme de la structure politique de chaque société. Prenons comme exemple la carte des résultats électoraux de la dernière campagne présidentielle américaine.

> Les tendances politiques récentes indiquent que *plus* d'inégalités engendrent *moins* de populisme, ou du moins un populisme qui performe moins bien.

LE TRUMPISME

Pouvons-nous qualifier de populiste la campagne – sinon le gouvernement – du candidat qui est sorti vainqueur de cette élection? Cette campagne s'est caractérisée entre autres par l'expression d'une colère véhémente à l'égard des conditions économiques aux États-Unis, et cette dimension s'est révélée mobilisatrice notamment chez les ouvriers industriels, lesquels occupent une position géographique particulière aux États-Unis. La campagne s'est focalisée sur des questions de « race » et de genre ; les supporteurs de M. Trump étaient massivement blancs et de sexe masculin. Sur le plan culturel, ce fut également une campagne de rejet du pouvoir des classes professionnelles. Pour beaucoup, il s'agissait d'affirmer que le règne d'oligarques tel qu'on le connaît à présent (voir la composition du gouvernement Trump) était préférable au pouvoir des universitaires, des scientifiques et des professionnels. Sous ce rapport, en particulier, ce fut bien une campagne populiste.

Or donc, existe-t-il une relation statistique entre la montée des inégalités et la tendance du vote aux États-Unis ? Il faut se rappeler que l'élection présidentielle se décide État par État, et non à l'échelon national. Il faut aussi se rappeler que l'élection ne se fait pas au suffrage universel direct, mais via un collège électoral. La question à poser devrait donc être : existe-t-il un rapport entre la montée des inégalités *au niveau des États* et le résultat électoral de novembre 2016 ?

Par expérience, je sais que la plupart des lecteurs et des auditeurs répondent à cette question par l'affirmative. Ils s'attendent à ce que ce soit dans les États où les inégalités ont le plus progressé que la réaction populiste se manifeste. Ce serait logique. Ici, pourtant, la logique a complètement tort. Les données, en effet, disent tout autre chose.

LES INÉGALITÉS ET LE CHOIX DU PRÉSIDENT

Pour comprendre ce qui s'est passé, il faut pouvoir mesurer les inégalités au niveau de l'État dans chacun des 50 États américains, plus le district de Columbia, qui élisent le collège électoral. Or, si l'on souhaite remonter à 50 ou 60 ans, on a un problème de données. Avant l'an 2000, les inégalités ne sont mesurées de façon précise qu'une fois par 10 ans, à l'occasion des recensements décennaux ; dans les autres dénombrements, les échantillons pour les États de moindre importance sont trop petits pour qu'on en tire des résultats utilisables. Il a fallu remédier à cette lacune avant de pouvoir répondre à notre question de façon précise.

Mes étudiants, grâce à d'autres sources – les données sur l'emploi et le revenu colligées sur une base annuelle par le Bureau of Labor Statistics –, ont réussi à dresser un tableau très précis des inégalités dans les États américains depuis 1969. Armés de ces données, nous pouvons maintenant répondre à la question : quelle a été la croissance des inégalités dans les différents États des États-Unis ? Et à cette autre : cette croissance a-t-elle un lien avec le résultat des élections présidentielles de 2016 ?

Les résultats de notre analyse sont très nets : la relation entre les variables *croissance des inégalités* et *préférence présidentielle* est importante ; à l'échelle des corrélations statistiques en sciences sociales, elle est même remarquable. Dans chacun des 14 États où l'augmentation des inégalités a été la plus forte depuis un quart de siècle (de 1990 à 2014), Hillary Clinton a remporté l'élection. Les États avec la plus faible croissance des inégalités sont allés à Donald Trump. C'est un résultat contre-intuitif, mais qui suggère néanmoins l'existence d'une relation causale entre la montée des inégalités et les développements politiques récents aux États-Unis.

CHÂTEAUX FORTS ET CHÂTEAUX DE CARTES

À la réflexion, voici comment les choses se présentent. Un premier groupe d'États est acquis au Parti démocrate. Ce sont de grands États (avec d'autres plus petits) qui ont connu des augmentations d'inégalités majeures : New York, Connecticut, New Jersey, Californie, Maryland, et encore Hawaï, Massachusetts, Rhode Island et Nevada. Dans ces États existe une alliance effective entre les riches et les pauvres, entre les professionnels prospères qui dominent les grandes villes et les secteurs économiques, d'une part, et les minorités et communautés immigrantes récentes qui constituent la base du Parti démocrate, d'autre part. Lorsque ces deux forces *réunies* forment une majorité appréciable, l'État vote démocrate.

Dans certains États américains, il existe une alliance effective entre les riches et les pauvres, entre les professionnels prospères et les minorités et communautés immigrantes récentes.

Un deuxième groupe se compose d'États où ces deux forces réunies ne dominent pas de façon marquée. C'est notamment le cas des États à forte majorité blanche qui ne sont pas des centres de la finance, des technologies, de la santé, de l'aérospatiale, de la recherche ou des études supérieures, dont les communautés industrielles s'étiolent et où l'on trouve (parfois) des villes afro-américaines (Detroit, de larges portions de Milwaukee) qui connaissent un déclin démographique et une répression du vote noir. Ces États appartiennent au Parti républicain. C'est vrai des petits États des plaines de l'ouest, où l'industrie est à peu près inexistante, et c'est vrai des États du Deep South (sud-est).

Et puis on a les États qui se trouvent dans une position intermédiaire, territoires chaudement disputés lors de l'élection présidentielle. Ce groupe comprend les États qui sont passés dans le camp républicain en 2016 pour donner la présidence à Trump (Pennsylvanie, Michigan, Wisconsin), de même que les États du sud et du sud-ouest qu'Hillary Clinton a vainement tenté d'arracher au camp adverse. Ceux-là présentent le plus d'intérêt du point de vue des rapports futurs entre populisme et inégalités.

Politiquement, les États du Midwest industriel se déplacent aujourd'hui vers le camp des États républicains, pour des raisons démographiques et économiques. Peu à peu, ils cessent d'être des territoires contestés et s'ancrent dans le camp conservateur. En revanche, certains États républicains du sud et du sud-ouest (Caroline du Nord, Géorgie, Texas, Arizona) migrent en direction du parti démocrate, là aussi à cause de considérations démographiques et économiques. Leur électorat hispanique gagne en importance, et on y trouve à présent de grandes villes peuplées de professionnels progressistes.

Le Texas présente un cas particulièrement intéressant. Aux élections de 2016, Hillary Clinton y a recueilli beaucoup plus de voix que ne l'avait fait Barack Obama quatre ans plus tôt. Le phénomène est donc déjà bien amorcé dans cet État, qui pourrait être le prochain à faire basculer (une fois de plus) la politique américaine. Cela attendra peut-être encore une décennie ou davantage, mais la renaissance du Parti démocrate au Texas – notamment dans le comté de Harris (Houston), troisième comté le plus peuplé du pays – est un signe avant-coureur du changement à venir.

Il existe donc une relation claire entre le populisme et les inégalités – si l'on prend le mot *populisme* au sens trumpien. Les tendances politiques récentes indiquent que *plus* d'inégalités engendrent *moins* de populisme, ou du moins un populisme qui performe moins bien. Tel est le produit de la rencontre entre la structure de classes et les structures politiques américaines, étant donné les particularités du système électoral et la géographie des circonscriptions – dans ce cas-ci, les États. Or, des tendances similaires se font jour dans d'autres pays.

GÉOGRAPHIE DU SÉPARATISME BRITANNIQUE

La carte du vote sur le Brexit au Royaume-Uni en 2016 révèle un très net clivage régional entre, d'une part, les cités très riches de Londres et du sud de l'Angleterre et, d'autre part, les zones plus déprimées du Nord, des Midlands et de l'Est-Anglie. Là encore un populisme à la Trump était à l'œuvre : la colère contre certaines tendances économiques jointe à l'augmentation des inégalités dans certaines régions.

Ce qui est intéressant, en Grande-Bretagne, c'est que les élections subséquentes ont produit un résultat très différent. La montée du travailliste Jeremy Corbyn et le déclin des conservateurs confirment que l'alliance progressiste dont j'ai fait l'hypothèse est bien à l'œuvre, non pas dans les comtés pauvres mais dans les zones plus riches. La remontée du Labour à Londres de même que dans des comtés comme le Kent (notamment la ville de Canterbury) et d'anciens châteaux forts conservateurs situés dans les lointaines banlieues cossues de Londres (la *stockbroker belt*) a fortement contribué à frustrer la première ministre conservatrice Teresa May de sa majorité parlementaire, en juin 2017. La tourmente politique qui s'en est suivie fait encore rage et se poursuivra sans doute encore quelque temps.

ET DU LEPÉNISME EN FRANCE

Observons enfin la répartition du vote entre les candidats Macron et Le Pen au second tour de la présidentielle française, ou encore entre les candidats antisystème (Le Pen et Mélenchon) et leurs adversaires lors du premier tour. Le fait saillant est la forte concentration du vote pro-Macron autour du noyau parisien des professionnels, des fonctionnaires et des financiers, l'une des régions les plus riches d'Europe et du monde. Et de nouveau, le vote populiste de droite s'est exprimé surtout dans les régions industrielles en déclin, vers l'est du pays notamment.

Dans chaque pays, le même phénomène se déploie en suivant des lignes de démarcation géographiques. C'est-à-dire que les gens votent pour les candidats de la détresse et de la déroute non pas (nécessairement) lorsqu'ils s'appauvrissent eux-mêmes, mais lorsqu'ils habitent une région qu'ils estiment négligée et qui se vide au profit de centres où les possibilités économiques sont beaucoup meilleures. C'est une question d'environnement, de perspectives d'avenir pour les familles, de valeur des propriétés. Les gens coincés dans des maisons qu'ils ne peuvent pas vendre ne sont peut-être pas pauvres au sens traditionnel du terme, mais ils ressentent intensément leur appauvrissement relatif.

Et c'est bien le drame du Parti démocrate américain, du Parti socialiste français et du Parti travailliste britannique (du moins jusqu'à l'ascension de Corbyn) que d'évoluer dans des systèmes politiques où ces réalités ne sont pas complètement reconnues. Ces partis se sont tous construits autour d'un noyau de professionnels prospères, mais ils ont omis de consacrer les ressources nécessaires à un développement équilibré sur le plan géographique. Ils ont donc laissé de larges pans de leur base industrielle se désintégrer et devenir vulnérables aux appels irresponsables et dangereux des Donald Trump, Marine Le Pen, Nigel Farage et Boris Johnson.

* *Ce texte est tiré d'une conférence prononcée par l'auteur à la table ronde organisée par l'Institut du Nouveau Monde dans le cadre du Forum économique international des Amériques : « La croissance des inégalités, un terreau fertile pour la montée du populisme » (Montréal, 13 juin 2017).* ◊

ÉGALITÉ DES CHANCES AU QUÉBEC : MYTHE OU RÉALITÉ ?

Le système de redistribution de la richesse permet au Québec d'être parmi les meilleurs au Canada sur le plan de l'égalité des revenus. Toutefois, derrière ce portrait flatteur se cachent d'importantes inégalités de revenus avant redistribution. De plus, malgré une intervention de l'État relativement plus soutenue que dans les autres provinces, la mobilité sociale entre les générations au Québec se trouve dans la moyenne canadienne.

JEAN-GUY CÔTÉ

Directeur associé de l'Institut du Québec

FRANCIS GOSSELIN

Président de FG8

MIA HOMSY

Directrice de l'Institut du Québec

SONNY SCARFONE

Économiste à l'Institut du Québec

À l'inverse des inégalités de revenus, qui dressent un portrait de la distribution de la richesse d'une société à un moment précis, la mobilité sociale capte la distribution de la richesse à travers le temps, d'une génération à l'autre. Où en est le Québec au chapitre des inégalités de revenus ? Comment s'y porte la mobilité sociale ?

LES INÉGALITÉS AU QUÉBEC

L'indicateur le plus utilisé pour évaluer les inégalités est le coefficient de Gini. Celui-ci s'évalue sur une échelle de 0 à 1. Plus il se rapproche de 1, plus les inégalités de revenus sont importantes. On remarque que le coefficient de Gini est en hausse dans bon nombre de pays développés. Cette augmentation s'observe également au Québec depuis 30 ans : le coefficient y est passé de 0,38 à 0,44, lorsqu'on ne tient compte que des revenus de marché, c'est-à-dire des revenus avant la redistribution gouvernementale (impôts, soutien aux enfants, etc.). Après cette redistribution, on constate que l'indice de Gini québécois, donc les inégalités de revenus, est stable depuis trois décennies.

Le graphique à la page suivante présente le coefficient de Gini du Québec et des autres provinces avant et après les transferts et les impôts. On remarque que, si la province se classe deuxième sur le plan de l'inégalité de revenus de marché, cette inégalité redescend sous la moyenne canadienne grâce aux transferts gouvernementaux.

Théoriquement, le prélèvement d'un dollar en taxe ou en impôt visant à être redistribué crée toutefois des distorsions de marché. C'est le coût économique des fonds publics. Ainsi, si on ajoute les coûts de distorsion de marché et les coûts de gestion, on estime qu'un prélèvement de 1 $ aux États-Unis coûte entre 1,09 $ et 1,16 $. Il existe donc un coût à redistribuer les fonds publics.

S'il lui était possible de réduire les inégalités de revenus avant redistribution, un État bénéficierait donc en quelque sorte d'un « rabais », car il aurait

GRAPHIQUE 1

Mesures des inégalités de revenus : le coefficient de Gini par province avant et après les transferts et les impôts

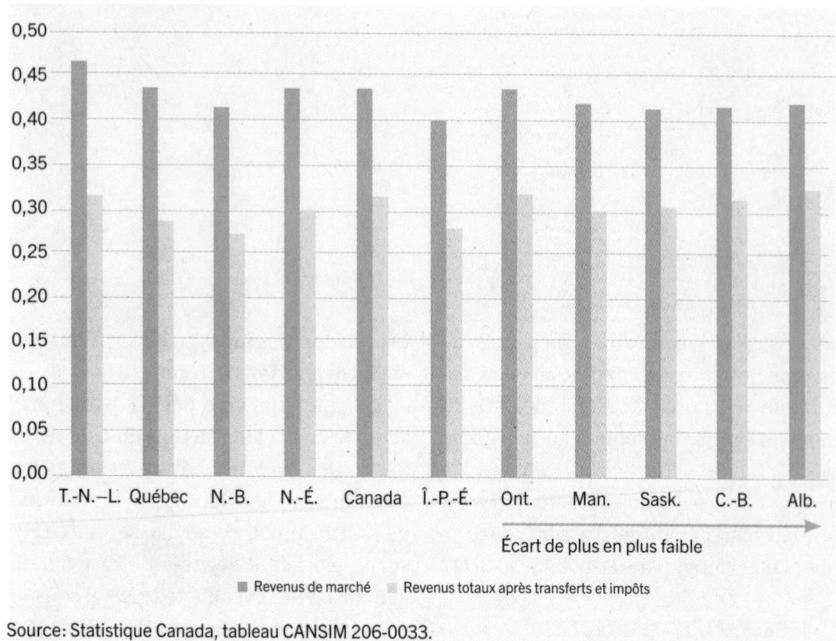

Source: Statistique Canada, tableau CANSIM 206-0033.

besoin de prélever moins d'argent pour le redistribuer. Dans un contexte de revenus budgétaires limités, la façon la plus économique de contrôler les inégalités persistantes est, par conséquent, de s'attaquer aux éléments fondamentaux à la base des inégalités économiques et de favoriser une meilleure mobilité sociale.

LA MOBILITÉ SOCIALE

Le concept de mobilité sociale permet de mesurer la persistance de la richesse d'une génération à l'autre. En d'autres termes, les citoyens ayant le plus de revenus sont-ils les enfants des citoyens riches des générations précédentes ? Quelle possibilité un enfant des classes les plus pauvres a-t-il d'accéder aux strates de revenus les plus élevées ?

Une certaine rigidité de la mobilité sociale n'est pas en soi un problème, à condition qu'il existe des mécanismes de redistribution des revenus et que l'origine sociale n'occupe pas une place démesurée dans les perspectives socioéconomiques des enfants. Les problèmes émergent lorsque les mécanismes de redistribution ne permettent plus de compenser l'absence de mobilité sociale et enferment les jeunes dans le groupe de revenus de leurs parents malgré leurs talents et leurs efforts.

Notre étude[1] sur la mobilité sociale pour le Québec répond à la question suivante : un enfant qui grandit dans la pauvreté au Québec a-t-il plus de chances d'atteindre la classe moyenne qu'ailleurs dans le monde ? La réponse est oui, mais...

Une des façons de mesurer la mobilité sociale est de déterminer quel pourcentage des revenus actuels d'une personne est attribuable à ceux de ses parents. C'est ce qu'on appelle l'élasticité intergénérationnelle du revenu (EIR), qui se calcule sur une échelle de 0 à 1. Plus l'indice est élevé, plus les revenus des enfants dépendent de ceux des parents. Inversement, plus il se rapproche de 0, plus la mobilité sociale est élevée.

Le graphique suivant illustre la corrélation EIR-inégalités. On observe une courbe ascendante nommée la *Great Gatsby curve*, ou courbe de Gatsby.

GRAPHIQUE 2

Élasticité intergénérationnelle du revenu dans le monde, y compris les provinces canadiennes

Mesure de la mobilité sociale

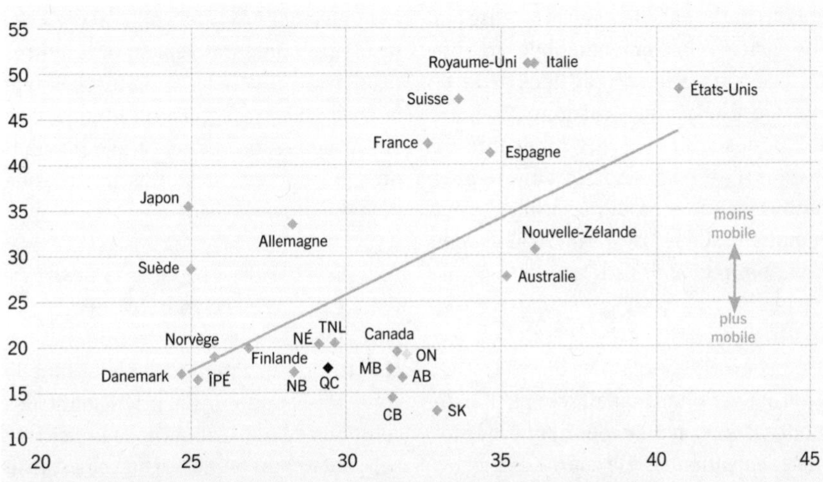

Note: Plus un pays obtient un score élevé sur l'axe vertical, moins il présente de mobilité.
Sources: Miles Corak (2013), Institut du Québec.

Mesure des inégalités
Coefficient de Gini (x100)

De manière générale, on sait que plus un pays est inégalitaire (par exemple les États-Unis), plus les revenus des enfants (devenus adultes) dépendent des revenus des parents. Ainsi, un haut niveau d'inégalité des revenus de marché est associé à une cristallisation des classes économiques.

Se pourrait-il que le Québec fasse le pari de l'égalisation des revenus sans que cela ait pour autant un effet sur les inégalités de revenus intergénérationnelles ?

Inversement, un pays qui se trouve sous la courbe de Gatsby se caractérise par une société relativement mobile, compte tenu de son niveau d'inégalités de revenus. C'est le cas du Canada, qui déjoue les pronostics parce que l'inégalité de revenus n'y est pas associée à une rigidité équivalente de la mobilité sociale. Le but de notre étude est de vérifier s'il y a des variations régionales au Canada.

LE QUÉBEC : UNE MOBILITÉ DANS LA MOYENNE CANADIENNE

À partir des données analysées par l'Institut du Québec, nous avons ajouté les provinces canadiennes à la courbe de Gatsby. Le Québec se situe au milieu du peloton provincial. On remarque qu'il est plus égalitaire après redistribution que l'ensemble du Canada. Il se compare donc à l'Allemagne sur ce plan, mais avec une mobilité beaucoup plus grande que dans la première économie de l'Union européenne.

Donc, le Québec fait bonne figure sur le plan des inégalités de revenus après redistribution et sur le plan de la mobilité sociale dans le contexte mondial, mais son modèle de redistribution n'offre pas une mobilité sociale plus élevée à ses résidents comparativement aux autres résidents du Canada. Se pourrait-il que le Québec fasse le pari de l'égalisation des revenus sans que cela ait pour autant un effet sur les inégalités de revenus intergénérationnelles ?

DES POLITIQUES PUBLIQUES POUR AMÉLIORER LA MOBILITÉ SOCIALE

Le Québec n'est pas exceptionnel au chapitre de la mobilité sociale dans le contexte canadien. En privilégiant des solutions de redistribution de la richesse agissant à court terme, le Québec se prive-t-il de possibilités d'investissements à long terme qui favoriseraient davantage la mobilité ? À un niveau d'imposition constant, il faudrait peut-être envisager une stratégie davantage axée sur l'investissement que sur les transferts.

Miles Corak[2] résume les deux voies qui s'offrent dans la formulation des politiques publiques : les politiques qui agissent sur la structure des marchés du travail et le degré d'inégalité (politiques de transfert des revenus) et les politiques qui agissent sur le fonctionnement des familles, les effets des dépenses publiques et les investissements dans l'éducation de la petite enfance (politiques d'investissement).

Ainsi, l'État devrait considérer des mesures qui permettraient de combattre davantage les inégalités de revenus à long terme, car, pour un niveau donné d'inégalités, la mobilité réduit les coûts de la redistribution de la richesse. Par conséquent, l'un des meilleurs investissements serait de mettre en place et de maintenir un réseau d'éducation performant. En étant mieux équipé, le réseau de l'éducation contribuera à améliorer l'employabilité et, par conséquent, les revenus de chacun, peu importe les revenus des parents. ◊

L'État devrait considérer des mesures qui permettraient de combattre davantage les inégalités de revenus à long terme, car, pour un niveau donné d'inégalités, la mobilité réduit les coûts de la redistribution de la richesse.

Notes et sources, p. 332

UN CERCLE VERTUEUX POUR COMBATTRE LES INÉGALITÉS

Même s'il a été affaibli au fil des ans, le modèle québécois remplit encore bien son rôle d'« égalisateur des chances ». Cette redistribution est rentable et elle ne se fait pas au détriment de la mobilité sociale – bien au contraire.

NICOLAS ZORN

Analyste de politiques, Institut du Nouveau Monde

À titre de société reconnue comme étant la plus égalitaire de toute l'Amérique du Nord, le Québec peut se compter avantagé par rapport à bien d'autres nations. En effet, il est prouvé[1] que de faibles écarts socioéconomiques favorisent le bien-être et la santé des citoyens, la croissance économique, la réussite éducative et la mobilité sociale.

On doit ce faible taux d'inégalités sociales à un assortiment de politiques publiques – souvent englobées sous l'expression « modèle québécois » –, c'est-à-dire un ensemble cohérent d'institutions guidées par des objectifs et des valeurs jugés désirables par la majorité de la population (comme la liberté, le bien-être, la solidarité, la prospérité et l'égalité).

Une politique familiale généreuse, des services publics accessibles, des outils de lutte contre la pauvreté ainsi que des impôts progressifs et un peu plus élevés qu'ailleurs sont autant de piliers sur lesquels repose le modèle québécois[2]. Ces bases favorisent l'égalité des chances, qui est mesurée notamment par le degré de mobilité sociale, c'est-à-dire la capacité d'une personne à monter ou à descendre dans l'échelle du revenu.

Malgré tout, les inégalités croissent au Québec depuis les années 1980, et le tout se traduit par une réduction de la taille de la classe moyenne et des écarts de revenus plus prononcés qu'il y a une génération[3]. Cette évolution est aussi marquée par une certaine stagnation du revenu médian, couplée à l'augmentation des revenus du 1 % le plus riche, une hausse quatre fois plus rapide que pour les revenus des 99 % restants[4]. Quant à la mobilité sociale, une récente étude de l'Institut du Québec – dont les constats sont résumés en page 234 – soutient que le Québec ne se distingue pas des autres provinces canadiennes en cette matière.

UN MODÈLE QUI S'ÉRODE

Ces constats laissent supposer que le modèle québécois perdrait en efficacité. Plusieurs changements militent en effet en ce sens. Au fil des ans, des baisses d'impôts ont fait en sorte que le gouvernement a davantage recours à des hausses de taxes et de tarifs régressifs pour remplir ses coffres. On l'a vu, notamment, avec le dégel des frais de garde dans les services de garde subventionnés. Le taux marginal d'imposition, qui atteignait presque 70 % dans les années 1980, a été réduit sous le seuil des 50 % dans les années 1990 et 2000, bien qu'il ait été relevé de quelques points ces dernières années.

De plus, la qualité et l'accessibilité des services publics ont été mises à mal par les cycles de restrictions budgétaires des deux dernières décennies. Le gouvernement actuel, autant que les trois derniers, a contribué à l'érosion des services publics sous prétexte que notre riche société vivait au-dessus de ses moyens... tout en promettant de baisser les impôts à l'approche des élections. Résultat : les baisses d'impôts successives depuis 1998 privent aujourd'hui le gouvernement du Québec de plus de quatre milliards de dollars de revenus chaque année[5].

Ajoutons que le modèle québécois a toutefois des limites. Par exemple, les montants fournis aux bénéficiaires de l'aide sociale ne permettent pas de couvrir la moitié des besoins jugés essentiels par notre société[6]. De plus, le système d'éducation peine à réduire les inégalités, indique un récent rapport du Conseil supérieur de l'éducation ; dans certains cas, le fonctionnement du système contribue même à la reproduction des inégalités sociales[7]. C'est sans oublier que des inégalités et des formes de stigmatisation, de discrimination et même de violence se perpétuent au Québec, ce qui affecte différemment les personnes selon leur genre ou leur origine ethnoculturelle[8].

> Le Québec a mieux combattu ce phénomène que les pays scandinaves.

UN REMPART EFFICACE MALGRÉ TOUT

Si tout n'est pas rose, certains changements institutionnels ont quand même été positifs. Notons par exemple la mise sur pied du régime public d'assurance médicaments et la création du réseau des centres de la petite enfance (CPE) en 1997, l'adoption de la Loi visant à lutter contre la pauvreté et l'exclusion sociale en 2002, le Régime québécois d'assurance parentale créé en 2006 et les bonifications successives du soutien financier aux familles.

C'est sans compter des changements modestes, mais soutenus, qui ont apporté des améliorations notables au fil des ans, comme ce fut le cas pour le système de protection de la jeunesse. Ce service public – représentant un investissement d'environ un milliard de dollars par an – favorise l'égalité des chances et la résilience d'enfants dont la sécurité ou le développement serait compromis[9]. Cet exemple est une autre caractéristique égalisatrice et unique du modèle québécois.

Au-delà de ces changements politiques, il faut surtout retenir que la hausse des inégalités des dernières décennies et leur niveau actuel restent modestes comparativement à ceux des autres pays. Le Québec a même mieux combattu ce phénomène que les pays scandinaves, qui sont les sociétés les plus égalitaires au monde[10].

En effet, le modèle québécois a absorbé les répercussions qu'ont eues sur la population la mondialisation des marchés, les innovations technologiques et la financiarisation de l'économie. Le modèle institutionnel spécifique du Québec[11] a fait en sorte que la part du revenu national captée par le 1 % le plus riche a connu une hausse bien plus modeste qu'aux États-Unis et en Europe.

L'ENJEU DE LA MOBILITÉ SOCIALE

Certains considèrent que la réduction des inégalités peut reposer sur un accroissement de la mobilité sociale[12], ce qui est vrai : plus celle-ci est élevée, moins le revenu et le statut socioprofessionnel d'une personne dépendent de ceux de ses parents. Autrement dit, les talents et efforts d'une personne comptent davantage que les avantages issus de son environnement, qui sont inégalement répartis dès la naissance.

Théoriquement, on pourrait favoriser la mobilité sociale à long terme au détriment d'une réduction à court terme des inégalités, en investissant davantage en éducation plutôt que de miser sur une redistribution immédiate de la richesse. Mais pour que cette stratégie fonctionne, plusieurs enjeux doivent être pris en compte, qui sont abordés dans les prochaines sections.

LA MOBILITÉ SOCIALE AU CANADA

Au Canada, en matière de mobilité sociale (l'élasticité intergénérationnelle du revenu), seules la Saskatchewan et la Colombie-Britannique s'en tirent beaucoup mieux que les autres provinces, selon l'étude de l'Institut du Québec (voyez le graphique en page 237). Le Québec y fait aussi bonne figure que l'Alberta. Mais selon les auteurs, cette bonne performance du Québec ne serait pas due à ses programmes sociaux plus généreux, qui, d'après eux, n'auraient pas de répercussions sur la mobilité sociale.

Cependant, cette méthode de calcul omet une variable importante : elle ne tient compte que des personnes qui ont habité dans une même province dans les années 1980 et en 2007, alors qu'il y a eu une importante mobilité interprovinciale et internationale entre ces deux périodes (causée en bonne partie par le boum pétrolier dans l'Ouest canadien). Ainsi, les Québécois qui ont eu les moyens financiers de migrer vers l'Ouest entre ces périodes ne sont pas pris en compte. On ne peut donc pas affirmer, comme le fait l'Institut du Québec, que les programmes sociaux plus généreux du Québec n'ont pas d'effet sur la mobilité sociale.

De plus, il ne faut pas tenir pour acquis qu'une meilleure mobilité sociale réduit automatiquement les écarts de revenus. Parfois, cette variation de la mobilité sociale telle qu'on la mesure peut n'avoir aucun effet sur les inégalités. Par exemple, si un plus grand nombre de personnes pauvres améliorent leur situation et rejoignent la classe moyenne, mais que le même nombre de personnes voient leur situation se détériorer au point de quitter la classe moyenne pour se retrouver sous le seuil de faible revenu, les inégalités seront, finalement, restées au beau fixe.

Cela dit, le Québec performe bien mieux sur le plan de la réduction de la pauvreté. En Saskatchewan et en Colombie-Britannique – ces « championnes » de la mobilité sociale –, la pauvreté est de 200 % plus élevée qu'elle l'est au Québec[13] ! La « profondeur » de la pauvreté et les inégalités entre personnes pauvres y sont aussi de deux à trois fois plus importantes qu'au Québec. Il est donc logique que les personnes pauvres, qu'on trouve en plus grand nombre dans ces deux provinces, soient aussi plus nombreuses à réussir à rejoindre éventuellement la classe moyenne.

Comme quoi chaque unité de mesure a des limites, parfois importantes, qu'il faut bien mettre en contexte. D'ailleurs, une réduction des inégalités est souvent une condition préalable pour accroître la mobilité sociale, dans la mesure où des écarts moins élevés entre citoyens facilitent leur mobilité entre classes sociales.

> Le Québec en fait davantage que les autres provinces en matière d'investissements sociaux qui favorisent la mobilité sociale.

LE QUÉBEC, MEILLEUR QUE LES SCANDINAVES

Si l'écart de mobilité sociale est modeste entre le Québec et les autres provinces, la Belle Province s'en tire presque aussi bien que le Danemark, et beaucoup mieux que la Suède, la Norvège et la Finlande – des pays qui misent beaucoup sur la redistribution de la richesse au sein de leur société. D'ailleurs, la mobilité sociale est probablement moins un enjeu pour les pays scandinaves, dans la mesure où les écarts entre les moins nantis et la classe moyenne, et entre cette dernière et les mieux nantis, y sont beaucoup moins prononcés. C'est sans compter que la taille de leurs classes moyennes y est aussi passablement plus importante qu'au Canada[14].

Fait à noter : l'écart de mobilité sociale est plus important entre la Suède et le Danemark (les pays qui redistribuent le plus au monde) qu'entre la meilleure et la pire province canadienne en matière de mobilité, soit la Saskatchewan et la Nouvelle-Écosse. Les enjeux de mobilité interprovinciale, d'immigration, d'inégalités et de pauvreté invitent donc à la prudence quant aux comparaisons, surtout lorsqu'on veut mesurer l'efficacité des efforts de redistribution de la richesse.

LA LANGUE : UN DÉFI SUPPLÉMENTAIRE

Le Québec se distingue des autres provinces sur un aspect particulier qui rend hasardeuse toute conclusion sur la mobilité sociale au niveau interprovincial : la langue. En effet, Montréal accueille le nombre le plus élevé de personnes pauvres au Québec, soit des gens qui sont en bonne partie issus de l'immigration et qui ne maîtrisent pas toujours un français fonctionnel – ce qui rend plus difficile leur intégration au marché du travail. Ainsi, sur le plan de la mobilité sociale, le Québec pourrait devoir faire davantage d'efforts pour obtenir les mêmes résultats que les autres provinces.

> La redistribution de la richesse est rentable, puisque les possibilités d'avancement qu'elle donne à tout un chacun produisent davantage d'impôts pour financer les chances d'avancement de ceux qui viendront. C'est un cercle vertueux.

ÉDUCATION CONTRE REDISTRIBUTION

La redistribution de la richesse au moyen de la fiscalité et des transferts peut être présentée comme étant en opposition à la redistribution par les services publics, ce que fait l'étude de l'Institut du Québec. Or, pour réduire les inégalités, il faut tenir compte de ces deux leviers qui se complémentent plus qu'ils ne s'opposent.

L'étude de l'Institut du Québec met de l'avant le concept de « coût des fonds publics », selon lequel chaque dollar redistribué serait plus « coûteux » comparativement à la réduction des inégalités avant impôts et transferts, c'est-à-dire une réduction qui mise davantage sur l'éducation. Or réduire les inégalités par la redistribution a aussi un effet favorable sur la croissance économique – qui n'est pas pris en compte dans le « coût des fonds publics ». Cette croissance économique favorise la mobilité sociale des moins nantis, à condition qu'elle ne favorise pas outrageusement les plus riches. Cet effet positif de la redistribution se fait sentir à court terme plutôt que dans 10 ou 20 ans, comme c'est le cas pour un investissement en éducation.

Si l'on veut que l'éducation réduise réellement les inégalités, une réorganisation de l'allocation des ressources serait nécessaire avant l'ajout de nouveaux fonds, dans la mesure où il faut éviter une répartition inégale des ressources disponibles et réduire le recours à l'école privée. En effet, si le fonctionnement du système d'éducation québécois favorise parfois la reproduction des inégalités sociales davantage que dans les autres provinces[15], une simple augmentation de son budget ne réglera pas ce problème. Pire : miser sur l'éducation plutôt que sur la redistribution de la richesse ne garantit pas une réduction des inégalités ni une augmentation de la mobilité sociale, et pourrait même empirer la situation[16].

Le Québec en fait davantage que les autres provinces en matière d'investissements sociaux qui favorisent la mobilité sociale[17]. Les services de garde subventionnés, les frais de scolarité peu élevés et les prêts et bourses favorisent considérablement l'égalité des chances, tout comme le font le système de protection de la jeunesse, les cégeps et certains programmes spécifiques pour décrocheurs. Pourquoi s'en priver ?

REDOUBLER D'EFFORTS

Il ne faudrait pas conclure que le Québec fait moins bonne figure et qu'il redistribue « mal » la richesse. Au contraire : même s'il a été affaibli au fil des ans, le modèle québécois remplit encore bien son rôle d'« égalisateur des chances ». Cet engagement collectif laisse une place prépondérante aux choix individuels. La redistribution de la richesse est rentable, puisque les possibilités d'avancement qu'elle donne à tout un chacun produisent davantage d'impôts pour financer les chances d'avancement de ceux qui viendront. C'est un cercle vertueux. ◊

Notes et sources, p. 332

COMPLÉMENT

Inégalités : B pour le budget Leitão et B- pour celui de Morneau

NICOLAS ZORN
Analyste de politiques à l'Institut du Nouveau Monde

Pour la première fois en trois ans, le budget du Québec contribue à réduire modestement les inégalités sociales. De son côté, bien qu'il perde des points, le budget fédéral fait tout de même bonne figure.

Un panel de 32 économistes et spécialistes des politiques publiques a été réuni par l'Institut du Nouveau Monde (INM) pour préparer le *Bulletin des budgets 2017*. Cette initiative annuelle vise à analyser l'effet et l'impact des budgets québécois et fédéral sur les inégalités sociales et économiques.

Élaborée par l'INM, la méthodologie s'inspire d'études similaires, notamment effectuées par l'OCDE (sur le protectionnisme) et par le Forum économique mondial de Davos (sur les risques pour l'économie mondiale), et a été enrichie grâce à l'apport d'une dizaine de spécialistes et d'économistes québécois.

De la même façon qu'un étudiant est évalué dans un bulletin, nos gouvernements reçoivent des notes en fonction de l'impact estimé de leurs mesures budgétaires sur les inégalités. A+ indique que l'ensemble des mesures réduit considérablement les inégalités ; E indique que l'ensemble des mesures augmente spectaculairement les inégalités. Ces deux notes sont toutefois quasi impossibles à atteindre, puisqu'il est rare que les effets d'un ensemble de mesures socioéconomiques fassent consensus chez plusieurs spécialistes d'horizons différents.

Dans l'ensemble, le panel estime que les deux budgets 2017-2018 réduisent les inégalités, bien qu'ils n'y parviennent que modestement.

BUDGET DU QUÉBEC

Le budget provincial fait meilleure figure que le budget fédéral grâce à une note d'ensemble de B. L'effet moyen cumulé des mesures contenues dans le budget 2017-2018 est évalué positivement par 66 % du panel, alors que 18 % estiment que l'effet sera plutôt négatif.

Selon le panel, 9 des 11 mesures provinciales évaluées contribueront à diminuer les inégalités. Celles qui auront l'impact le plus important à cet égard sont la construction de logements sociaux, les nouvelles sommes investies pour l'intégration des immigrants au marché du travail, le financement pour les communautés autochtones, l'augmentation des bourses pour les étudiants chefs de famille monoparentale et le financement pour l'égalité hommes-femmes. L'augmentation des dépenses de programme en éducation et la baisse d'impôt de 55$ par personne auraient un effet plus faible.

Seules deux mesures provinciales risquent de favoriser les inégalités: l'augmentation des dépenses de programme en santé (faible impact) et l'augmentation de la déduction sur les options d'achat d'actions aux fins de l'impôt (impact plus prononcé).

BUDGET FÉDÉRAL

Le budget fédéral 2017-2018 obtient de son côté une note moyenne globale de B-. Près de 60% des membres du panel d'experts estiment que ce budget aura un effet plutôt positif sur la réduction des inégalités. Quelque 30% pensent que l'effet des mesures sera plutôt négatif. Dans l'ensemble, l'impact serait modéré, mais les avis sont relativement partagés.

Évaluées séparément, les mesures ont obtenu des notes variant entre A- et D+. Selon le panel, cinq des huit mesures fédérales évaluées diminueront les inégalités: les investissements en santé pour les Premières Nations, la lutte à l'évasion fiscale, l'investissement en soins à domicile et en santé mentale, la fusion des crédits d'impôt pour les aidants naturels et l'élimination d'échappatoires fiscales. Le panel juge toutefois que l'élimination du crédit d'impôt pour le transport en commun et la taxation du tabac et de l'alcool augmenteront faiblement les inégalités. Finalement, l'entente sur le Transfert canadien en matière de santé creuserait fortement les inégalités.

UN ÉCLAIRAGE IMPORTANT POUR LES GOUVERNEMENTS

Un tel exercice d'analyse comporte ses limites. D'abord, les résultats sont évidemment influencés par la composition du panel et le nombre de ses membres. De plus, certaines mesures sont complexes et peuvent avoir des effets ambigus ou contradictoires. Il faut prendre en compte le fait qu'il existe plusieurs types d'inégalités: entre les riches et les pauvres, entre les moins nantis et la classe moyenne, et entre les mieux nantis et la classe moyenne. Mais il en existe aussi entre les hommes et les femmes, les jeunes et les aînés, les Québécois de longue date et les nouveaux arrivants, et ainsi de suite.

Le *Bulletin des budgets* de l'INM est un appel à la transparence et à l'accessibilité des données gouvernementales. C'est surtout un premier pas dans une direction prometteuse, dans la mesure où les gouvernements prennent ainsi l'habitude de mesurer l'effet de leurs politiques sur les inégalités économiques et sociales, éclairant leurs décisions et les débats publics à venir. ¶

Pour consulter l'analyse complète du *Bulletin des budgets 2017*: inm.qc.ca/bulletin-budgets.

Agence du revenu du Canada
Entreprises
Particuliers
KPMG

Féminisme

FAUT-IL REPENSER LE DROIT RELATIF AUX AGRESSIONS SEXUELLES ?

Largement médiatisées, les affaires Sklavounos et Paradis n'ont pas été judiciarisées, le Directeur des poursuites criminelles et pénales ayant décidé de ne pas porter d'accusations d'agression sexuelle. Au Québec, ces cas ont nourri le sentiment que les crimes sexuels demeurent largement impunis et que leur traitement juridique est inadéquat. Le droit relatif aux agressions sexuelles serait-il en cause ?

JULIE DESROSIERS
Professeure à la Faculté de droit, Université Laval

L'agression sexuelle est un phénomène social qui est peu judiciarisé. Un phénomène social, d'abord, parce qu'elle reflète les inégalités de genre au sein de nos communautés, parce qu'elle touche toutes les couches de la société et parce que malgré la baisse générale du taux de criminalité enregistrée au cours de la dernière décennie, le nombre de personnes qui déclarent avoir subi une agression sexuelle demeure stable. Selon Statistique Canada, ce sont 33 ou 34 femmes de plus de 15 ans sur 1 000 qui s'en déclarent victimes, bon an mal an[1]. Un phénomène peu judiciarisé, ensuite, parce que seulement 5 % des personnes qui affirment avoir subi une agression sexuelle dénoncent le crime à la police, un taux largement inférieur à celui d'autres crimes violents. Les voies de fait, par exemple, sont dénoncées dans une proportion de 38 %, alors que le taux est de 45 % pour le vol qualifié[2]. Ainsi, de manière générale, les femmes ne dénoncent pas la violence sexuelle qu'elles subissent aux autorités policières. Et lorsqu'elles le font, les policiers considèrent souvent que leur plainte est sans fondement et classent leur dossier sans suite, comme l'a révélé une enquête du *Globe and Mail* publiée en février 2017[3]. C'est donc une minorité d'agressions sexuelles qui est dénoncée aux autorités policières, qui franchit le stade initial de l'enquête et qui donne lieu à des accusations criminelles. Toutefois, lorsque l'appareil de justice est officiellement saisi, les chances d'obtenir une condamnation sont les mêmes que pour les voies de fait, soit 49,5 %[4].

Selon le Code criminel, le système de justice criminelle a pour objectif de « contribuer, parallèlement à d'autres initiatives de prévention du crime, au respect de la loi et au maintien d'une société juste, paisible et sûre[5] ». Dans ce contexte, il paraîtrait souhaitable qu'un plus grand nombre d'agresseurs sexuels soient traduits devant les tribunaux et que la dénonciation des infractions sexuelles soit encouragée. Or, les affaires Sklavounos et Paradis révèlent que la dénonciation a parfois un coût social élevé et qu'elle peut s'avérer inefficace. Dans la foulée de ces affaires, qui s'inscrivaient sur la toile de fond des acquittements pour agressions sexuelles de l'animateur radio de CBC Jian Ghomeshi, plusieurs ont remis en cause la pertinence du droit relatif aux agressions sexuelles, et parfois même du principe de la présomption d'innocence. Une exploration des données disponibles révèle toutefois que deux autres pistes méritent d'être étudiées, soit la lutte contre les préjugés envers les victimes, qu'ils soient exprimés dans l'espace public ou dans l'enceinte des tribunaux, de même que la diversification des réponses juridiques au phénomène de l'agression sexuelle.

> En matière d'agression sexuelle, le consentement est une frontière : d'un côté, une intimité partagée, de l'autre, un comportement criminel.

LE CONSENTEMENT SEXUEL EST UN ACCORD VOLONTAIRE QUI PEUT ÊTRE RETIRÉ EN TOUT TEMPS

Les règles de droit criminel définissent le consentement sexuel comme un accord volontaire, qui peut s'extérioriser par des mots ou par des gestes. La passivité, soit le fait de ne rien faire ou de ne rien dire, ne suffit pas à cet égard. Le consentement est également un acte continu, qui peut être retiré en tout temps. Une personne a le droit de poser des limites à l'intimité consentie et elle a également le droit de changer d'avis.

Ainsi, lorsqu'Alice Paquet affirme avoir passé la soirée avec Gerry Sklavounos, avoir consenti à des étreintes et des baisers, mais lui avoir signifié qu'elle ne souhaitait pas avoir de relations sexuelles avec lui, elle indique avoir retiré son consentement à la poursuite des échanges. Le Code criminel est formel : il n'y a pas de consentement lorsqu'une personne « manifeste, par ses paroles ou son comportement, l'absence d'accord à l'activité », ou lorsqu'après avoir consenti à l'activité elle « manifeste, par ses paroles ou son comportement, l'absence d'accord à la poursuite de celle-ci[6] ». Et même lorsqu'une personne a effectivement donné son consentement, il est possible qu'il soit invalide parce que la personne est incapable de consentir en raison de son âge, de son handicap ou de son intoxication, ou parce que le consentement n'est pas libre en raison de la force ou de la contrainte, d'un exercice d'autorité ou d'un abus de confiance ou de pouvoir[7].

Lors de la réforme législative de 1983[8] (qui a remplacé l'ancien crime de viol par le crime d'agression sexuelle dans le Code criminel), de même que dans les années qui ont suivi, tant le législateur que la Cour suprême du Canada se sont attelés à déboulonner les préjugés qui minaient la crédibilité des femmes devant les tribunaux. Il est clair aujourd'hui que le moment du dévoilement (par exemple le délai avant de porter plainte) ou le comportement postérieur à l'agression sexuelle (par exemple, le fait de revoir son agresseur) ne peuvent pas, à eux seuls, miner la crédibilité d'une plaignante. Il est aussi acquis que la preuve du passé sexuel n'est pas admissible pour démontrer qu'une personne est moins digne de foi ou qu'elle est plus susceptible d'avoir consenti aux gestes sexuels litigieux. Un tribunal n'aurait jamais admis la preuve qu'Alice Paquet avait déjà travaillé comme escorte, pour la simple et bonne raison que cette preuve n'est pas pertinente à l'un des faits en litige ; elle ne permet pas de savoir si Mme Paquet est crédible ni si elle était consentante au moment des faits. Des règles précises gouvernent également la communication des dossiers personnels (par exemple, des notes thérapeutiques d'un intervenant social ou d'un professionnel de la santé) afin d'empêcher que la fragilité psychologique d'une femme puisse être invoquée dans l'unique but d'affaiblir sa crédibilité.

LA PREUVE HORS DE TOUT DOUTE RAISONNABLE DE L'ABSENCE DE CONSENTEMENT REPOSE GÉNÉRALEMENT SUR LE TÉMOIGNAGE DE LA PLAIGNANTE

En matière d'agression sexuelle, le consentement est une frontière : d'un côté, une intimité partagée, de l'autre, un comportement criminel. Comme les gestes sexuels se déroulent généralement à l'abri des regards, la preuve de l'absence de consentement se pose avec acuité. La Cour suprême a clairement indiqué aux juges de première instance que le consentement devait être déterminé de manière subjective, suivant le point de vue de la plaignante : a-t-elle, en son for intérieur, consenti aux actes reprochés ? De manière typique, elle affirme que non, alors que l'accusé affirme le contraire. Le tribunal doit donc apprécier la crédibilité des témoignages en prenant en considération l'ensemble de la preuve. Il est tout à fait possible de conclure que l'absence de consentement a été prouvée hors de tout doute raisonnable sur la foi du témoignage de la plaignante. Depuis 1983, le Code criminel n'exige plus de preuve de corroboration et les tribunaux arrivent régulièrement à la conclusion que l'accusé est coupable sur la foi d'un seul témoignage non corroboré. Ceci étant dit, ils peuvent également conclure qu'un doute subsiste à cet égard. De nombreux facteurs entrent en ligne de compte dans l'évaluation de la crédibilité : cohérence et vraisemblance du témoignage en regard de l'ensemble de la preuve, compatibilité avec les déclarations antérieures du témoin ou avec ses paroles ou son comportement dans les moments précédant les faits en litige, capacité à se remémorer les événements et ainsi de suite.

Un procès pour agression sexuelle est chose grave. Les conséquences d'une déclaration de culpabilité sont importantes. Selon toute vraisemblance, l'agresseur sexuel devra purger une peine d'emprisonnement ferme, son profil ADN alimentera la Banque nationale de données génétiques, il figurera au Registre national des délinquants sexuels et il aura un casier judiciaire qui lui fera porter longtemps les stigmates de sa condamnation. Le contre-interrogatoire est un élément fondamental du droit à une défense pleine et entière ; toute personne qui dénonce une agression sexuelle doit s'attendre à ce que la véracité de son témoignage soit mise en doute par la défense.

L'expérience du contre-interrogatoire est souvent décrite de manière douloureuse par les victimes. Dans ce contexte, trois éléments méritent d'être soulignés. Premièrement, il arrive fréquemment que l'accusé plaide coupable. En pareil cas, il n'y a pas de procès sur la détermination de la culpabilité et la victime n'est pas appelée à la barre. Deuxièmement, les tribunaux reconnaissent que « chaque témoignage comporte son lot d'imprécisions, de nuances, et parfois même, d'incohérences ou de contradictions[9] ». Certains détails secondaires ou périphériques peuvent échapper à la mémoire d'une victime d'agression sexuelle, mais lorsque la preuve est par ailleurs convaincante, les juges en font peu de cas. Troisièmement, les tribunaux peuvent poser certaines limites au contre-interrogatoire : en principe, le contre-interrogatoire ne doit pas s'appuyer sur des préjugés (la victime aurait provoqué l'agression sexuelle par sa tenue vestimentaire, par exemple) et il ne doit pas être abusif (l'avocat tourmente la plaignante en répétant inlassablement les mêmes questions, par exemple).

Avant de loger des accusations, le Directeur des poursuites criminelles et pénales (DPCP) étudie son dossier et en évalue les forces et les faiblesses. Dans le cas du député Gerry Sklavounos, il a décidé de fermer le dossier sans porter d'accusation. En répondant aux questions des journalistes, Alice Paquet s'était contredite (elle aurait été dissuadée ou non de porter plainte, elle aurait complété ou non une trousse médicolégale), ce qui était de nature à nuire à sa crédibilité. Dans le dossier du ministre Pierre Paradis, à qui une employée politique reprochait différents gestes à caractère sexuel (lui prendre le pied durant une réunion pour le poser entre ses jambes, lui donner une claque sur les fesses, lui dégrafer son soutien-gorge, se dévêtir en sa présence), le DPCP n'a pas non plus entamé de poursuite parce qu'il n'était pas raisonnablement convaincu de pouvoir prouver les infractions hors de tout doute raisonnable. Or, entamer un procès sans croire à la possibilité d'un verdict de culpabilité constitue un manque d'éthique envers l'accusé, qui subira les effets négatifs des procédures criminelles, et ce, indépendamment de son acquittement, de même qu'envers la plaignante, qui se retrouvera dans un tourbillon judiciaire pénible et décevant où sa parole sera directement remise en question.

LES PRÉJUGÉS ENVERS LES VICTIMES D'AGRESSION SEXUELLE ALIMENTENT LE DISCOURS SOCIAL ET TEINTENT PARFOIS LE DISCOURS JUDICIAIRE

Est-ce à dire que tout va bien dans le meilleur des mondes, que le système judiciaire est sans reproche et que les décisions du DPCP sont toujours bien fondées ? Bien sûr que non. Si les règles du droit criminel définissent clairement la portée du consentement sexuel, leur application n'est pas toujours exempte de préjugés. Les mythes envers les victimes sont bien n'a-t-elle pas résisté, pourquoi n'a-t-elle pas dénoncé la situation plus tôt, pourquoi a-t-elle revu l'agresseur ? Ces mythes ressurgissent devant les tribunaux et teintent parfois la crédibilité des victimes. La Cour suprême a mis les juges en garde contre ces réflexes qui, selon elle, font malheureusement partie « du sens commun social », craignant que « leur omniprésence et la subtilité de leur influence » amènent juges et jurés à blâmer ou à discréditer injustement les victimes[10]. À ce jour, les tribunaux d'appel interviennent régulièrement en ce sens, au Québec comme ailleurs au Canada. Ce sont donc deux réalités qui coexistent : des agresseurs sexuels sont condamnés sur le fondement du témoignage de la victime et d'autres sont acquittés parce que la parole de la victime a été injustement discréditée.

> Entamer un procès sans croire à la possibilité d'un verdict de culpabilité constitue un manque d'éthique envers l'accusé.

vivants. Ils tendent à banaliser l'agression sexuelle – en qualifiant des gestes d'inconduite plutôt que d'agression, par exemple – ou à blâmer la victime pour la violence alléguée – elle n'aurait pas dû dénuder ses épaules, prendre un verre, sortir la nuit, monter à la chambre d'hôtel et ainsi de suite. Ils tendent à mettre la parole de la victime en doute – pourquoi

Le droit est un théâtre social, certes, mais il est balisé par des règles de droit. Or, rien ne protégeait Alice Paquet de l'étendue des préjugés auxquels font face les victimes. Après bien des luttes féministes, le droit a érigé des mécanismes pour protéger la vie privée des femmes qui se plaignent d'agression sexuelle devant les tribunaux. Elles ont notamment le droit d'obtenir une ordonnance interdisant la publication de tout renseignement susceptible de les identifier et elles peuvent demander que le procès qui les concerne se tienne à huis clos. Mais Alice Paquet n'était pas devant les tribunaux, elle s'exprimait sur la place publique. Les médias officiels ont largement traité de l'affaire, y compris de son passé d'escorte. Ses contradictions ont été mises en évidence et ont peut-être même été précipitées par les entrevues qu'elle a données. Sur les médias sociaux, elle a été maintes fois insultée, parfois violemment. Le silence n'a pas encore été brisé autour du phénomène des agressions sexuelles – les mouvements #agressionnondénoncée et #moiaussi s'inscrivent dans ce contexte – et celles qui parlent en paient encore le prix.

> La poursuite et la condamnation d'un individu ne sont pas les seules mesures d'une action dénonciatrice.

LES RAISONS POUR LESQUELLES LES AGRESSIONS SEXUELLES NE SONT PAS DÉNONCÉES POINTENT VERS UNE DIVERSIFICATION DES RÉPONSES JURIDIQUES À CE TYPE DE CRIME

Selon plusieurs indicateurs, les femmes craignent leur traitement par l'appareil de justice, ce qui est susceptible de les dissuader de porter plainte. Ce constat est particulièrement vrai pour les populations vulnérables, dont les femmes autochtones et les travailleuses du sexe, et il appelle à une plus grande sensibilité du système de justice criminelle envers les victimes d'agression sexuelle.

D'autres éléments doivent toutefois être pris en compte pour expliquer le peu de dénonciations en la matière. Plus de 80 % des femmes et des enfants qui sont agressés sexuellement sont victimes d'une personne de leur entourage : ami, amant, mari, collègue, père, beau-père, oncle, etc.[11]. Lorsqu'on demande aux victimes pourquoi elles n'ont pas signalé l'agression aux forces de l'ordre, 67 % d'entre elles indiquent « qu'il s'agissait d'une affaire personnelle qui s'est réglée de manière informelle », 30 % signalent qu'elles ne voulaient pas que le contrevenant ait des démêlés avec la justice et 30 % disent qu'elles ne voulaient pas que d'autres soient mis au courant[12].

Le droit criminel vise la répression des crimes. Son but premier n'est pas d'assurer la prise de parole des victimes, la reconnaissance des torts causés, la réparation. Il est possible que plusieurs victimes souhaitent un autre forum de discussion juridique. À l'heure actuelle, le droit criminel constitue l'unique réponse à ce type de criminalité. Or, s'il s'agit d'une réponse nécessaire, il s'agit également d'une réponse limitée (le droit criminel ne règle pas les problèmes sociaux) et insuffisante (le droit criminel ne répond pas aux besoins d'une majorité de victimes). Ce que montrent les affaires Sklavounos et Paradis, ce n'est pas tant l'échec du droit criminel, puisque du point de vue de sa logique interne il a bien fonctionné, que l'absence d'autres réponses juridiques appropriées.

La poursuite et la condamnation d'un individu ne sont pas les seules mesures d'une action dénonciatrice. Dans la foulée des affaires Sklavounos et Paradis, la ministre de l'Enseignement supérieur a annoncé un projet de loi qui obligerait les universités québécoises à adopter des politiques sur la prévention des agressions sexuelles, et l'Assemblée nationale a encadré la réponse aux situations de harcèlement sexuel au parlement. Le droit doit offrir d'autres réponses créatives pour répondre aux besoins des victimes d'agression sexuelle, libérer leur parole et entraîner des changements sociaux positifs. La réponse juridique au phénomène social qu'est l'agression sexuelle doit être multiple et diversifiée pour agir sur plusieurs fronts et éviter que les personnes qui en souffrent ne soient abandonnées à elles-mêmes. ◊

Notes et sources, p. 332

PAS D'ACCUSATIONS CONTRE PIERRE PARADIS...
UNE P'TITE PARTIE DE DAMES, PIERRE?
AVEC PLAISIR, GERRY!
CLUB DES AMATEURS DE DAMES DE L'ASSEMBLÉE NATIONALE
GARNOTTE
2017.06.20

Médias

LA CONFIDENTIALITÉ DES SOURCES JOURNALISTIQUES : UN ENJEU DÉMOCRATIQUE

Une commission d'enquête au Québec et une nouvelle loi fédérale visent à protéger le privilège des journalistes consistant à taire l'identité de leurs sources d'information. Voilà de bonnes nouvelles pour le milieu journalistique et la vie démocratique à l'ère des risques que pose la surveillance généralisée.

COLETTE BRIN
Professeure titulaire au Département d'information et de communication, Université Laval, et directrice du Centre d'études sur les médias

À l'automne 2016, la controverse éclate : des médias révèlent que des dizaines de mandats de surveillance à l'égard de journalistes sont accordés depuis plusieurs années à la Sûreté du Québec et au Service de police de la Ville de Montréal à des fins d'enquête. Le gouvernement québécois met alors sur pied la Commission d'enquête sur la protection de la confidentialité des sources journalistiques, aussi appelée la commission Chamberland.

Au même moment, à Ottawa, le sénateur conservateur Claude Carignan dépose le projet de loi S-231 visant à modifier la Loi sur la preuve et le Code criminel en consacrant et en délimitant le privilège des journalistes de ne pas divulguer l'identité de leurs sources ou toute information permettant de les identifier.

Adoptée en octobre 2017 à l'unanimité – et ce, tant au Sénat qu'aux Communes –, cette loi reconnaît aussi aux seuls juges d'une cour supérieure de juridiction criminelle (y compris la Cour du Québec et les tribunaux équivalents dans les autres provinces canadiennes) la capacité d'accorder un mandat de perquisition ou de surveillance concernant un journaliste. Ainsi, les juges de paix magistrats ne pourront plus attribuer de tels mandats, comme ils l'ont fait notamment dans le cas Patrick Lagacé (voyez l'encadré).

Ce sera désormais à ceux qui demandent aux journalistes de divulguer l'identité de leurs sources de montrer en quoi l'information est essentielle.

Cette nouvelle loi fédérale répond à plusieurs demandes des journalistes et des médias. D'abord, elle codifie un principe déjà pris en compte dans certaine décisions rendues par la Cour suprême du Canada (notamment à l'égard du *National Post* en 2009 et du *Globe and Mail* en 2010). Le fardeau de la preuve est maintenant officiellement inversé : ce sera désormais à ceux qui demandent aux journalistes de divulguer l'identité de leurs sources de montrer en quoi l'information est essentielle et ne peut être obtenue autrement. À la lumière des arguments présentés, le juge devra alors soupeser deux intérêts publics en concurrence : d'une part, la liberté de presse et le droit du public à l'information et, d'autre part,

La confidentialité des sources journalistiques est un outil important pour la pratique du journalisme d'enquête.

LA COMMISSION CHAMBERLAND EN BREF

- Présidée par le juge Jacques Chamberland (assisté des commissaires Me Guylaine Bachand et Alexandre Matte).
- Mise sur pied à la suite de révélations voulant que Patrick Lagacé, journaliste et chroniqueur à *La Presse*, ainsi que plusieurs autres journalistes québécois aient fait l'objet d'une surveillance policière (notamment par l'obtention de données à partir de leur téléphone portable: liste de contacts, appels, textos, géolocalisation, etc.).
- Le mandat de la commission Chamberland: faire la lumière sur les pratiques policières et d'éventuelles interventions politiques, de même que sur le processus d'autorisation judiciaire. La commission doit aussi formuler des recommandations au gouvernement « quant aux meilleures pratiques et aux actions concrètes » pour assurer la protection des sources journalistiques.
- Quelques chiffres: 37 jours d'audience entre avril et septembre 2017 ; 15 participants ; 5 intervenants ; 2 conférenciers invités ; 74 témoins ; 13 mémoires reçus.

le bon fonctionnement du système judiciaire. Dans certains cas, la sécurité nationale peut aussi prédominer sur le privilège journalistique. Ainsi, la protection de la confidentialité des sources n'est pas absolue, mais tout de même mieux balisée.

Ensuite, la nouvelle loi détermine qui peut s'en réclamer, c'est-à-dire qui est considéré comme journaliste. Elle définit le ou la journaliste comme une « personne dont l'occupation principale consiste à contribuer directement et moyennant rétribution, soit régulièrement ou occasionnellement, à la collecte, la rédaction ou la production d'informations en vue de leur diffusion par les médias, ou tout collaborateur de cette personne ».

Dans tous les cas, il reviendra au juge d'établir si une personne qui revendique le privilège de confidentialité de ses sources peut être considérée ou non comme journaliste, ce qui pourrait s'avérer compliqué lorsqu'il s'agit de blogueurs indépendants ou d'autres producteurs d'information ne travaillant pas pour des médias établis et reconnus.

La Fédération professionnelle des journalistes du Québec (FPJQ) aurait souhaité que la rémunération ne soit pas un critère de la définition de journaliste afin d'inclure les journalistes étudiants et les stagiaires. Plusieurs experts, dont le professeur Pierre Trudel de la Faculté de droit de l'Université de Montréal, ont pour leur part préconisé de protéger l'acte journalistique plutôt que le journaliste en tant que personne. Ces suggestions n'ont pas été retenues par le législateur.

Par ailleurs, la Loi facilitant la divulgation d'actes répréhensibles à l'égard des organismes publics (entrée en vigueur le 1er mai 2017 au Québec) vise à protéger les lanceurs d'alerte ou les dénonciateurs dans la fonction publique. Ceux-ci peuvent maintenant signaler en toute confidentialité à la Protectrice du citoyen des actes répréhensibles dont ils seraient témoins au travail. Toutefois, cette loi québécoise ne prévoit pas de protection pour les témoignages fournis à des journalistes, sauf en situation d'urgence. En d'autres mots, il faut que l'acte répréhensible qui a été dénoncé, « commis, ou sur le point de l'être, présente un risque grave pour la santé ou la sécurité d'une personne ou pour l'environnement », précise la loi.

À l'ère post-Edward Snowden, plusieurs médias disposent maintenant de plateformes sécurisées.

LA CONFIDENTIALITÉ DES SOURCES : UNE PRATIQUE BIEN ÉTABLIE

Déjà encadrée par des lois dans une centaine de pays, la confidentialité des sources journalistiques est un outil important pour la pratique du journalisme d'enquête. Elle permet d'établir une relation de confiance avec des personnes dont le propos est jugé fiable et d'intérêt public, mais qui refusent de témoigner publiquement pour des raisons valables – en particulier parce qu'elles risquent des représailles allant de la perte d'emploi aux menaces à l'intégrité physique.

Des enquêtes d'un intérêt public indéniable, comme celle des Panama Papers (qui a mis au jour un système de paradis fiscaux aux ramifications internationales), ont pu se faire grâce à la participation de sources confidentielles. Et à l'ère post-Edward Snowden – cet ancien employé du gouvernement américain qui a révélé des programmes de surveillance de masse –, plusieurs médias disposent maintenant de plateformes sécurisées et de techniques d'encryptage des communications en vue de faciliter l'obtention de témoignages et d'en assurer le secret.

Toutefois, selon la déontologie journalistique, le recours à la confidentialité doit être utilisé avec parcimonie et prudence. De manière générale, la parole donnée publiquement est jugée plus crédible et toujours préférable. Les journalistes sont conscients qu'un témoignage livré confidentiellement peut être inexact ou incomplet, même si l'interlocuteur est de bonne foi, ce qu'il n'est pas toujours facile d'établir. Ils doivent s'assurer de vérifier par d'autres moyens les informations ainsi obtenues. En outre, les journalistes ne sauraient – sauf à de très rares exceptions – fournir leur matériel non diffusé à la police ou à un tribunal, à moins d'y être contraints.

Stéphane Giroux, président de la FPJQ et journaliste à CTV, estime que la controverse a éveillé la conscience du public et forcé les gouvernements à agir. Mais après avoir entendu les témoignages de policiers et de procureurs devant la commission Chamberland, il considère que certains d'entre eux ne saisissent pas l'ampleur de l'enjeu. Il espère que la commission recommandera des directives beaucoup plus précises quant aux demandes de divulgation ou de mandats concernant des journalistes. En outre, le président de la FPJQ estime qu'il est nécessaire que les corps policiers, les procureurs et les juges soient à l'avenir mieux formés relativement aux implications concrètes de la liberté de la presse.

Selon la déontologie journalistique, le recours à la confidentialité doit être utilisé avec parcimonie et prudence.

La protection de la confidentialité des sources journalistiques relève donc essentiellement du système judiciaire. Le temps et le test des tribunaux permettront d'évaluer l'efficacité de la nouvelle loi fédérale et de voir comment celle-ci s'articulera aux recommandations de la commission Chamberland (qui sont encore à venir au moment d'écrire ces lignes) ainsi qu'à d'autres considérations, dont la protection des lanceurs d'alerte. Mais la question de la protection de la confidentialité des sources journalistiques concerne également les acteurs politiques, la fonction publique et l'ensemble des citoyens. Même si d'autres recours existent pour dénoncer des actes ou des situations jugés inacceptables, les médias doivent demeurer un lieu privilégié d'information, de débat et de critique en démocratie. ◊

On n'a rien contre vous, Monsieur Lagacé...
D'ailleurs, on va oublier le stop que vous avez brûlé à vélo ce matin...
1er nov. 2016

Territoires

MISER SUR LA CONTRIBUTION DES RÉGIONS POUR L'ÉPANOUISSEMENT DE TOUT LE QUÉBEC

En région, les populations et leurs élus souffrent d'un sentiment d'incompréhension et d'abandon. Aperçu de ce qui crée cette perception et des solutions pour y remédier.

BERNARD VACHON
Professeur retraité du Département de géographie de l'Université du Québec à Montréal, spécialiste en développement local et régional, décentralisation et gouvernance territoriale

Le sentiment d'incompréhension et d'abandon vécu par la population des régions québécoises repose sur deux perceptions qui n'ont plus leur raison d'être. Tout d'abord, celle que les grandes villes sont les seuls lieux capables d'assurer le succès des entreprises et, par conséquent, la prospérité d'un État. Ensuite, que les petites villes et la ruralité, premières composantes des régions non métropolitaines, appartiennent à un monde révolu qui n'est plus en phase avec la réalité contemporaine.

RÉINTRODUIRE L'HUMAIN ET LA BEAUTÉ

Le gouvernement Couillard a accordé 1,5 million de dollars à un projet mis de l'avant par l'architecte Pierre Thibault, le triathlète Pierre Lavoie et le cuisinier Ricardo Larrivée pour réfléchir à l'école du futur. « On est une société avancée, a déclaré l'architecte. On est capables de faire les meilleures écoles au monde[1]. » À l'instar de l'école réinventée, osons l'utopie d'un aménagement du territoire guidé par les principes d'équilibre, d'équité, de beauté, de cohésion sociale, de protection et de durabilité. Nous sommes une société avancée, capable de créer les meilleurs milieux de vie au monde. J'ai visité plusieurs pays, et très peu bénéficient d'autant d'atouts que le Québec pour atteindre un tel objectif.

L'expansion des grandes villes ne peut être la réponse unique aux problématiques d'occupation de l'espace et d'organisation territoriale. Luttons contre cette pensée fataliste qui ne voit dans les régions que des problèmes.

Plus que jamais, l'équilibre entre les territoires est souhaitable et possible. Les progrès accomplis au cours des dernières décennies permettent désormais l'éclatement des lieux de travail et d'habitation. En effet, la dématérialisation de plusieurs secteurs et activités de la sphère économique et leur « déspatialisation » (la production et l'organisation du travail sans lien avec l'espace ; des activités « *foot-*

loose»), l'aspiration croissante des travailleurs et des familles à une meilleure qualité de vie et le développement du télétravail (Internet et téléphonie mobile) sont autant de changements de société qui permettent d'envisager, avec réalisme, de rompre avec le modèle de concentration issu de la révolution industrielle un modèle qui génère des villes de plus en plus dysfonctionnelles et de plus en plus contraignantes pour leurs occupants, alors que plusieurs régions et territoires ruraux se vident et sont entraînés dans la spirale du déclin et de l'extinction.

La concentration de la capacité productive et de la population s'accompagne de la contraction de l'espace occupé et de l'abandon de vastes pans de territoires et de leurs ressources (terres agricoles, forêts privées, potentiel touristique, lieux d'habitation, etc.), autant de gisements et de possibilités pour l'épanouissement du Québec. Or, il n'y a pas de fatalité au gigantisme et à l'hyperurbanisation.

Comme le disait Luc Plamondon à travers la voix de Diane Dufresne: « Ne tuons pas la beauté du monde... »

L'OBLIGATION D'UNE VOLONTÉ POLITIQUE VISIONNAIRE

La défense et la promotion des régions passent par une vision renouvelée et une volonté politique d'investissement équitable. Mais celles-ci n'existent pas encore.

Propulsé par les révolutions technologiques et sociales, le Québec est aujourd'hui entraîné dans un processus de transformation sans précédent. Les changements de société qui prenaient hier des générations à se réaliser ne requièrent plus aujourd'hui qu'une dizaine d'années, parfois moins.

> Il faut faire évoluer le regard que posent les décideurs politiques sur les régions vers une image conforme à la réalité d'aujourd'hui.

Les forces qui ont façonné le Québec sont aujourd'hui en mutation et portent les ferments d'une autre économie, qui aura une tout autre emprise au sol, conjuguée à une société en quête d'une meilleure qualité de vie. Sous l'impulsion de ces nouvelles réalités, l'occupation du territoire est appelée à se recomposer. Dans ce contexte, la prospective devient une nécessité. Les solutions d'hier ne peuvent plus être appliquées dans un monde tourbillonnaire en processus de reconfiguration. Les instances politiques sont interpellées et doivent faire preuve d'une vision éclairée, de convictions, d'audace et de détermination.

PORTER UN NOUVEAU REGARD SUR LES RÉGIONS

L'action publique doit refléter clairement une volonté politique d'équilibre des territoires, en mettant de l'avant la reconnaissance du rôle des petites et moyennes villes et des espaces ruraux. Insistons sur le fait que ces derniers ne sont pas des espaces résiduels entre les villes, en attente d'urbanisation.

Il faut donc faire évoluer le regard que posent les décideurs politiques sur les régions vers une image conforme à la réalité d'aujourd'hui. Ce qui suppose de poursuivre les efforts pour mieux faire comprendre la dynamique des territoires et les mécanismes de localisation des activités économiques dans un contexte où les transitions numérique, écologique et énergétique modifient les rapports des activités de production (matérielles et immatérielles) avec le territoire. Ainsi pourra-t-on agir sur les causes des disparités territoriales plutôt que sur leurs conséquences.

La connaissance actualisée des nouveaux rapports entre ville et campagne, entre métropole et périphérie, permettra d'appréhender avec une plus grande justesse le rôle des régions non centrales. L'équilibre à promouvoir est également un allié du développement durable, car il favorise le desserrement des grandes villes, une lutte plus efficace contre leurs dysfonctionnements, des lieux de travail et d'habitation à échelle humaine et une mise en valeur des ressources de toutes les régions du Québec.

Une politique qui tend à l'équilibre des territoires n'est pas une porte ouverte à l'étalement urbain ni à la perte de terres agricoles. La croissance débridée des banlieues en périphérie des aires métropolitaines de Montréal et de Québec sous la pression des lobbys de développeurs urbains et des autorités municipales en quête de revenus supplémentaires – et ce, malgré l'existence du zonage agricole – est nettement plus nuisible à la cohésion sociale et à la pérennité des terres agricoles qu'un réseau hiérarchisé, équilibré et maîtrisé de villes et de villages en région. Et c'est sans compter qu'une telle politique offrirait de meilleures perspectives pour une agriculture de proximité, de nouvelles formes d'agriculture (tailles et productions variées) ainsi que de nouveaux modèles de gestion des fermes (à temps plein ou partiel) à promouvoir.

CHOIX DE PERSPECTIVE ET DE STRATÉGIE

Le développement régional doit être évoqué en termes de perspectives et de choix stratégiques d'organisation et de développement. Dans un contexte où il s'avère indispensable de considérer la modernité et la complexité du fonctionnement des territoires, il apparaît nécessaire que la classe politique ait envie de changer de perspective, de discours et de modèle d'intervention. La contribution des régions à l'épanouissement de la société globale ne pourra se traduire positivement que si les potentiels des régions, y compris les petites villes et les nouvelles ruralités, sont exploités. Il est nécessaire de valoriser leurs atouts et de ne pas avoir uniquement pour objectif de compenser les faiblesses et difficultés par des programmes d'assistance sporadiques et éphémères. Recherchons des solutions qui traiteront les causes, non les conséquences.

Quatrièmement, que les territoires dynamiques sont des « territoires de projets » faisant largement appel à la démocratie participative. Cinquièmement, que les infrastructures, équipements et services publics appropriés constituent le socle de toute stratégie de développement territorial. Et enfin, sixièmement, que si les aides

Il n'y a pas de territoires sans avenir. Il n'y a que des territoires sans vision ni projets. L'avenir du Québec se construira avec ses métropoles, ses régions, ses villes et ses villages dans un souci de complémentarité et d'équilibre.

financières ne font pas les politiques de développement, elles n'en sont pas moins nécessaires.

Les pays qui ont des politiques vigoureuses et efficaces de développement des territoires reconnaissent les six points suivants. Premièrement, que les initiatives de développement sont le résultat d'une démarche intégrée d'implication locale et de territorialisation de l'action publique. Deuxièmement, que cette démarche est à la fois sociale et culturelle, au cœur de la rationalité économique. Troisièmement, que la territorialisation de l'action publique repose sur des structures décentralisées et une modulation des dispositifs de développement adaptée aux spécificités locales et régionales.

ACCROÎTRE L'ATTRACTIVITÉ ET LA COMPÉTITIVITÉ

Rappelons que l'immense territoire du Québec est une mosaïque de régions aux caractéristiques différenciées. Chacune peut contribuer à sa manière à l'identité, à l'affirmation et à l'épanouissement économique, social et culturel de la société tout entière. Les handicaps de certaines d'entre elles, d'ordre géographique par exemple, appellent à des actions ciblées par souci d'égalité des territoires et de justice sociale.

Si l'économie est aujourd'hui mondialisée, la production est localisée. En région, hors des grands centres, l'activité économique repose très largement sur les PME. L'implantation et l'essor de celles-ci répondent à des logiques de localisation et de croissance que les milieux d'accueil doivent comprendre et tendre à satisfaire sur le plan de l'attractivité et de la compétitivité des territoires, avec l'appui de politiques nationales, car on ne peut faire naître des entreprises dans un désert social et culturel dépourvu d'infrastructures et de services.

Territorialiser l'action publique de développement requiert donc des programmes et des structures particuliers, de l'expertise et des budgets. Autant d'éléments que rassemble et offre une véritable politique de développement régional.

UN REGARD OPTIMISTE SUR L'AVENIR DES RÉGIONS

Il faut se réjouir des évolutions et des transformations économiques, sociales et technologiques des 30 dernières années et qui sont toujours en marche, qui permettent un desserrement des métropoles au profit d'une reconquête et d'une recomposition des régions et des espaces ruraux. Une occupation plus équilibrée des territoires peut ainsi être envisagée, ouvrant de nouvelles avenues à la conciliation entre le peuplement, l'accès aux emplois et aux services et le développement durable, partout au Québec.

C'est dans cette perspective que le modèle de deux régions métropolitaines et d'une nébuleuse de bassins de vie et d'activité composée des 87 municipalités régionales de comté (MRC), celles-ci dotées d'un haut niveau d'autonomie de proximité et articulées à un réseau de villes de centralité, apparaît comme un scénario possible et souhaitable d'organisation du territoire pour relever les défis de notre temps et ceux à venir.

Pour traiter des enjeux économiques et sociaux qui transcendent les frontières des MRC, un organisme de dialogue, de planification, de concertation et d'action s'avère nécessaire. Les conférences régionales des élus (CRE), instituées en 2003, où siégeaient des représentants élus des MRC et des secteurs économiques et sociaux, possédaient un tel mandat et géraient les budgets alloués au développement de chacune des régions dans le cadre de leur planification stratégique sur une base quinquennale. Jouissant d'une autonomie et d'un mode opératoire complémentaire à l'action des MRC, en interface avec les ministères, les CRE géraient elles-mêmes de nombreux budgets transférés par les ministères selon des ententes spécifiques correspondant à des enjeux régionaux de domaines variés : secteur agroalimentaire, économie sociale, accessibilité à la culture dans les petites municipalités, conditions de vie des personnes aînées, prévention de l'abandon scolaire, valorisation de l'éducation, condition féminine, promotion de la transition écologique et numérique, etc. Ces ententes ont permis la création de projets porteurs dont certains sont devenus des modèles au Québec.

Or, en 2014, le gouvernement Couillard abolissait les structures de développement local et régional (CLD et CRE) en même temps que la Politique nationale de la ruralité, et transférait leurs responsabilités aux MRC. La plupart des régions ont recréé, depuis, un organisme de planification et de concertation régionale animé par les préfets des MRC qui les composent. Les régions sont invitées à soumettre des projets au gouvernement, qui jugera de leur « acceptabilité » pour un financement par le Fonds d'appui au rayonnement des régions (FARR). Reste à cette structure et à cette façon de faire de démontrer leurs mérites au bénéfice des régions.

L'efficacité du modèle d'intégration des pouvoirs territoriaux (MRC et tables régionales des préfets) à la gestion du développement local et régional présenté ici suppose une implication vigoureuse du pouvoir central en appui aux collectivités territoriales, afin de doter les territoires des infrastructures, équipements et services publics nécessaires non seulement à l'amélioration de leur attractivité et de leur compétitivité, mais aussi au renforcement des pôles de centralité que sont les villes moyennes et les chefs-lieux des MRC, sans négliger les noyaux de villages. Le partenariat État-région-MRC-grandes villes devra par ailleurs se concrétiser par des projets de territoire intégrés, conformes aux orientations d'une nécessaire Politique nationale d'aménagement et de développement des territoires dans une perspective durable.

Ce modèle axé sur l'équilibre des territoires, l'autonomie des instances locales et régionales et la cohésion sociale permettrait d'éviter, ou pour le moins d'atténuer, les dysfonctionnements et les déséconomies associés à l'hyperconcentration dans quelques pôles. Il serait aussi plus à même de favoriser les conditions du développement durable des régions, offrant de ce fait des milieux de vie à échelle humaine dotés d'une gouvernance décentralisée, propice à une prise en compte des spécificités locales et à une intégration de la participation citoyenne au processus décisionnel.

Il n'y a pas de territoires sans avenir. Il n'y a que des territoires sans vision ni projets. L'avenir du Québec se construira avec ses métropoles, ses régions, ses villes et ses villages dans un souci de complémentarité et d'équilibre. ◊

Notes et sources, p. 332

RÉFORME MUNICIPALE: UNE FRACTURE ENTRE LES GRANDS CENTRES ET LES RÉGIONS

Alors que le ministre Martin Coiteux se réjouit de ce qu'il appelle « la plus grande décentralisation des pouvoirs vers les municipalités de l'histoire du Québec », la réforme proposée par le gouvernement creuse encore davantage l'écart institutionnel entre les grands centres urbains des régions métropolitaines et le reste de la province.

MARIE-CLAUDE PRÉMONT

Professeure titulaire à l'École nationale d'administration publique
et membre du Centre de recherche en développement territorial

GÉRARD DIVAY

Professeur titulaire à l'École nationale d'administration publique

Une trilogie de projets de loi importants a récemment été adoptée : un premier pour la ville de Québec, dont la charte devient la loi sur la capitale nationale du Québec, un second pour l'ensemble des municipalités, reconnues comme gouvernements de proximité, et un troisième qui fait formellement de la ville de Montréal la métropole du Québec.

Le ministre Coiteux présente cette trilogie comme « la plus grande décentralisation des pouvoirs vers les municipalités de l'histoire du Québec[1] ». Nous soutenons plutôt qu'elle creuse l'écart institutionnel entre les grands centres urbains et le reste du Québec. La réforme institutionnelle entamée au cours des années 1960 cible prioritairement les grands centres urbains pendant que les territoires ruraux et périphériques sont abandonnés à une structure institutionnelle du siècle dernier.

La présente réforme fait suite au dépôt des doléances des unions municipales en 2014 : le livre blanc de l'Union des municipalités du Québec (UMQ), *L'avenir a un lieu*, et le livre bleu de la Fédération québécoise des municipalités (FQM), *Une gouvernance de proximité*. L'UMQ, représentant surtout les plus grandes villes des régions métropolitaines, plaidait pour une décentralisation vers les municipalités locales, pendant que la FQM, représentant surtout les petites villes, les municipalités rurales et les municipalités régionales de comté (MRC), demandait que le transfert de compétences et de pouvoirs se fasse plutôt vers les MRC. Pour ne froisser personne, la FQM ajoutait que la décentralisation devait se faire par transfert de compétences depuis Québec et non pas par la réduction des pouvoirs des municipalités locales.

DES CLÉS POUR COMPRENDRE

Que nous révèle la trilogie du ministre Coiteux ? Qui a gagné, qui a perdu ? Les municipalités locales ou les MRC ? Les grands centres urbains ou la ruralité ? Pour répondre, il faut aller plus loin que le ministre, qui résume la chose en disant qu'une « métropole forte et prospère profite à l'ensemble des Québécois[2] ». La trilogie en cours s'inscrit dans la trame des réformes des dernières décennies, où se trouve la clé pour la comprendre.

D'abord, un mot sur les mots. La FQM semble *a priori* avoir remporté une victoire des mots avec l'adoption du projet de loi 122, dont le titre même affirme que son objet principal est de reconnaître les municipalités comme gouvernements de proximité, comme elle le demandait[3]. Mais là s'arrête sa victoire. En effet, la loi 122 est essentiellement une loi modificatrice de nombreuses lois municipales. Or, l'expression « gouvernement de proximité » n'est utilisée que dans le titre et les « attendus » de la loi, soit des parties évanescentes. Elle disparaît complètement dans l'œuvre d'amendement des lois. Nulle part le concept n'est présent dans les lois municipales amendées sur lesquelles les municipalités s'appuient pour exercer leurs pouvoirs et compétences.

Mais surtout, les nouvelles dispositions misent tout sur la municipalité locale et font bien peu pour les MRC. En effet, la loi conforte et renforce essentiellement les pouvoirs et compétences des municipalités locales (surtout en matière de zonage, avec des pouvoirs discrétionnaires accrus, mais aussi des pouvoirs fiscaux, laissant toujours la MRC sur le carreau). La nouvelle loi se limite, à peu de choses près, à imposer certaines charges à la MRC, comme la diffusion (par Internet) de l'information générée par les municipalités locales qui ne disposent pas d'un site Internet. La municipalité locale qui pourra surtout mettre à profit ces pouvoirs accrus n'est pas la plus petite, mais bien la plus grande, qui bénéficie déjà de la convergence de pouvoirs locaux et régionaux.

DERRIÈRE L'APPARENCE DES MOTS

Pour cerner le sens de la trilogie, il faut la voir comme l'œuvre qui suit la réforme municipale du début des années 2000, qui elle-même prenait acte des limites des réformes municipales préalables menées en se pliant aux volontés des pouvoirs municipaux.

À partir des années 1960, le Québec a d'abord misé sur les fusions municipales volontaires, qui ont donné de bien maigres résultats. Devant ce constat – l'histoire le confirme –, le gouvernement n'a pas hésité à forcer la main des grands centres urbains, en dépit des oppositions, des récriminations et des luttes qui ont été portées jusqu'aux plus hautes instances judiciaires. Après la création de la grande ville de Laval sous le gouvernement libéral de Jean Lesage en 1965, l'Union nationale doit être créditée du grand coup d'envoi d'une réforme institutionnelle fondamentale des grandes zones urbaines avec la création, en 1969, de trois communautés urbaines (Montréal, Québec et Outaouais).

Cette première étape – douloureuse certes pour plusieurs, mais combien essentielle – sera suivie d'une seconde phase au début des années 2000, qui non seulement s'attache à ces grands territoires déjà contraints de collaborer dans une certaine mesure, mais élargit la contrainte de collaboration à une mesure certaine. La réforme s'étend aussi aux autres grands centres urbains métropolitains pour forcer, par fusion, la collaboration territoriale. Outre Montréal, Québec et Gatineau sont institutionnalisées les grandes villes de Lévis, de Shawinigan, de Saguenay, de Longueuil, de La Tuque, de Sherbrooke, de Trois-Rivières, etc., obligées de mettre en pratique la solidarité institutionnelle et la collaboration territoriale. Malgré l'étape des défusions, la collaboration territoriale accrue des grands centres a été confirmée sous l'institution de l'agglomération. L'agglomération, et *a fortiori* celle qui s'inscrit à l'intérieur d'une communauté métropolitaine (Québec et Montréal), dispose de pouvoirs et de compétences majeurs, sans commune mesure avec les pouvoirs des MRC, plus ou moins figés dans le temps depuis près de 40 ans.

Pendant que les territoires métropolitains sont fortement orientés vers la collaboration territoriale, les territoires ruraux et périphériques doivent se débattre avec une structure institutionnelle d'une autre époque qui oppose systémiquement les édiles municipaux d'une municipalité à l'autre, vouant les territoires aux déchirures et aux luttes fratricides, sauf pour quelques rares politiques ciblées que Québec voulait favoriser, comme pour l'implantation de parcs éoliens.

L'ILLUSION DE LA MUNICIPALITÉ LOCALE

La réforme institutionnelle des grands centres urbains ne doit pas nous aveugler de ses mots. La « municipalité locale » des grands centres urbains est plus régionale que locale. Elle trône le plus souvent « hors MRC », soit par elle-même, qui en exerce les pouvoirs, soit sise au sein d'une agglomération. Si en plus elle est la municipalité centrale de l'agglomération, son influence peut s'étendre à l'échelle de la communauté métropolitaine, comme pour Québec et Montréal. Bref, la municipalité locale des grands centres urbains n'a plus de local que le mot. Une ville comme Québec ou Montréal, même si formellement qualifiée de locale, a peu en commun, du point de vue institutionnel, avec Amos, Granby, Baie-Comeau ou Sept-Îles. La puissance d'un outil dépend tout autant de l'outil lui-

> Les pouvoirs particuliers accordés à la capitale nationale et à la métropole confirment la tendance à renforcer les pouvoirs « régionaux » des grands centres urbains.

même que de la force de qui l'utilise. Ainsi en va-t-il des nouveaux pouvoirs confiés aux municipalités locales dans la loi dite des gouvernements de proximité. Le traitement apparemment égal, sans égard au contexte institutionnel qui distingue les municipalités hors MRC des autres, accroît encore davantage les disparités qui séparent les centres urbains métropolitains de la périphérie et de la ruralité.

Bref, on comprend maintenant mieux le sens de la demande de l'UMQ, à laquelle cède la réforme Coiteux, qui décentralise vers la municipalité locale, paravent d'une municipalité à l'échelle régionale des grands centres urbains métropolitains. La trilogie sert de troisième étape à la réforme des grands centres urbains – ce qui est certes positif –, mais oublie du coup près de la moitié de la population du Québec et la plus grande partie du territoire.

Les chiffres de Statistique Canada selon lesquels 81 % de la population du Québec est urbaine et seulement 19 % vit en ruralité[4] ne permettent pas de cerner certaines dimensions cruciales de l'organisation et de la gouvernance territoriale du Québec. La réforme Coiteux ne bénéficie pas à toute la population urbanisée du Québec. Elle vise plutôt celle qui occupe un territoire autrefois régional devenu local et affublé non seulement des pouvoirs de la MRC, mais, surtout, de tous les pouvoirs municipaux qui ont convergé. Cette population hors MRC[5] représente aujourd'hui 54,3 % de la population du Québec[6] est donc laissée à la porte par 45 % de la population qui habite un vaste territoire où municipalités de villes, de paroisses, de villages sont réunies sur le territoire de vraies MRC. À l'exception des MRC incluses dans le territoire d'une communauté métropolitaine, la collaboration territoriale institutionnalisée y est bien faible, comparativement à l'intégration des pouvoirs dont jouissent les grands centres urbains, encore renforcés d'un cran par la présente réforme. Cette population se calque sur celle que représente surtout la FQM, mais elle ne se limite pas à la ruralité, loin s'en faut. Elle représente plutôt le territoire où le mariage ville-campagne, annoncé au moment de la mise sur pied des MRC en 1979, n'est pas encore consommé. La ruralité, les petites villes, tout comme les plus grandes villes industrielles (parfois mono-industrielles) de la périphérie proche ou éloignée sont placées dans un carcan à faible solidarité institutionnelle qu'ignore la réforme municipale.

Les pouvoirs particuliers accordés à la capitale nationale et à la métropole confirment la tendance à renforcer les pouvoirs « régionaux » des grands centres urbains pendant que, dans les MRC, les pouvoirs les plus significatifs se terrent sur le plan local. D'un côté, la Ville de Québec et la Ville de Montréal peuvent s'accaparer une compétence d'arrondissement. De l'autre, les nouvelles mesures pour favoriser l'intégration du logement social sont maintenues à l'échelle locale dans le projet de loi 122, pendant qu'en agglomération d'importants pouvoirs quant au financement du logement social appartiennent déjà à l'instance régionale de l'agglomération voire de la communauté métropolitaine.

Le tour de prestidigitation que représente la trilogie quant aux écarts entre les territoires métropolitains et le reste du Québec est particulièrement visible sur le plan des pouvoirs accordés aux municipalités en matière de développement économique. La magie a été rompue lors de l'étude détaillée en commission parlementaire du projet de loi 121 sur la métropole du Québec, au sujet du déplafonnement de l'aide financière sous toutes ses formes (crédits de taxe, subventions, cautionnement, etc.) que peut accorder la Ville de Montréal pour attirer des entreprises privées. Dans un échange étonnant, la députée de Hochelaga-Maisonneuve, Carole Poirier, a refusé les explications du ministre Coiteux et a voulu comprendre qui détient vraiment les pouvoirs en matière de développement économique : est-ce bien la Ville de Montréal, promue au rang de métropole[7] ? Après avoir demandé l'aide du juriste de son ministère pour éclaircir la chose, le ministre a bien dû concéder qu'en dépit des apparences que laisse entrevoir le projet de loi sous étude, ce n'est pas la Ville de Montréal qui seule peut accorder crédits et subventions, mais bien l'agglomération, même si les pouvoirs sont explicitement attribués à la Ville de Montréal dans la loi fraîchement adoptée touchant la métropole.

Par conséquent, pendant que dans les territoires de MRC les municipalités locales devront continuer de se battre entre elles pour attirer des activités économiques (la loi 122 ne change rien à ce chapitre), l'île de Montréal parlera d'une seule voix, et presque sans limites.

LA FRACTURE INSTITUTIONNELLE

La trilogie du ministre Coiteux se déploie sur le socle de l'héritage de la réforme institutionnelle qui mise tout sur les grands centres métropolitains. La réforme actuelle renforce et confirme les pôles de croissance des grands centres urbains réformés en 2000, en abandonnant à son sort la ruralité larvée de villes et de villages, qui sont pourtant si essentiels à ce qu'est le Québec d'aujourd'hui.

Dans son livre bleu, la FQM rappelait l'État à son rôle afin qu'il lutte contre la fracture entre les régions et les grands centres[8]. Elle n'aurait su mieux dire. Pourtant, la réforme dont elle se réjouit poursuit la fracture du Québec. La représentante de près de 46 % de la population du Québec a peut-être gagné la bataille des mots, mais elle a perdu la guerre qui s'annonce encore plus féroce entre les grands centres urbains et les autres régions du Québec, vouées à la ruralité et à l'exploitation des ressources naturelles.

Avant de célébrer la réforme municipale, il faudrait s'assurer que tout le Québec soit invité à la fête. Il faudrait surtout s'affairer à imaginer enfin un nouveau modèle institutionnel de collaboration territoriale propre à ces vastes territoires oubliés des réformes successives, territoires qui nourrissent le Québec, lui fournissent ses ressourcese et son énergie, et lui donnent son âme. ◊

DÉVELOPPEMENT TERRITORIAL : VERS UN NOUVEAU PARTENARIAT AVEC L'ÉTAT ?

Si un réinvestissement se concrétise en matière de développement des régions non métropolitaines, comment devrait-on orienter les choix gouvernementaux ? La perspective du développement territorial offre quelques grands principes comme points de repère.

MARIE-JOSÉ FORTIN
Professeure au Département Sociétés, territoires et développement, Université du Québec à Rimouski, et directrice du Centre de recherche sur le développement territorial

GUY CHIASSON
Professeur au Département des sciences sociales, Université du Québec en Outaouais, et codirecteur du Centre de recherche sur le développement territorial

Les années se suivent et ne se ressemblent pas. En 2015, le gouvernement libéral de Philippe Couillard faisait de la lutte au déficit sa priorité. Pour s'y attaquer, nombre de financements, de programmes et d'organisations ont été supprimés. Les régions du Québec ont particulièrement souffert de la perte soudaine de ressources et d'institutions qui avaient été au cœur du développement régional depuis la Révolution tranquille[1].

Mais une tout autre dynamique s'annonce pour 2017. Les élections à venir et de nouveaux surplus dans les finances publiques laissent espérer des réinvestissements. La question est donc de savoir comment les deniers publics seront réinvestis dans le cadre de la mission du développement des régions. La « gouvernance de proximité », misant sur les élus locaux et les MRC, sera-t-elle le seul cadre de référence sur lequel appuyer la politique régionale ? Nous souhaitons ici mettre de l'avant une autre perspective, plus globale : celle du développement territorial.

PRENDRE EN COMPTE L'HÉRITAGE

Un premier principe de la perspective territoriale est de considérer que la trajectoire historique a des effets structurants sur les territoires qui, à leur tour, pèsent sur les possibilités de développement. Tel est le cas pour les régions dont l'économie repose historiquement sur les ressources naturelles. Pensons aux 275 municipalités québécoises recensées par la commission Coulombe où, en 2004, la transformation de la matière ligneuse représentait au moins 90 % des activités manufacturières locales.

Cette dépendance à l'économie des ressources est fortement liée au modèle d'exploitation adopté au Québec et au Canada depuis la colonie, et que l'on retrouve dans plusieurs secteurs (mines, forêt, pêche). Appelé « économie des matières premières » (*staples*), ce modèle est fondé sur l'extraction d'une ressource naturelle destinée à être exportée sur les marchés mondiaux, en étant peu ou pas transformée.

Historiquement, ce modèle a su apporter la prospérité aux régions non métropolitaines. Par contre, aujourd'hui, face à la forte compétition de pays émergents, les producteurs canadiens et québécois ont réduit leurs coûts de production par la mécanisation, générant ainsi beaucoup moins d'emplois locaux. Ces pertes sont accentuées par le recours au modèle du «*fly-in fly-out*». Puisque les entreprises d'extraction favorisent des migrations pendulaires de leurs employés, une bonne partie des retombées économiques n'est plus captée par les territoires d'activité.

Le modèle de l'économie des matières premières est mis en débat. Plusieurs luttes épiques en témoignent. Pensons à la municipalité de Ristigouche-Sud-Est qui fait face à une poursuite de 1,5 million de dollars de l'entreprise Gastem pour avoir tenté de mettre en place un règlement municipal visant à protéger son eau potable contre les risques des activités de forage.

Sous une autre forme, avec son projet Canadian Malartic, la minière Osisko a imposé son modèle de mine à ciel ouvert dans la municipalité de Malartic, en déplaçant tout un quartier résidentiel. Enfin, on ne peut passer sous silence l'imposante mobilisation citoyenne contre le projet d'exploitation du gaz de schiste prévu dans la vallée du Saint-Laurent, qui a mis en lumière la prépondérance du droit minier sur tout autre droit, dont l'agriculture et l'aménagement du territoire.

Or, même si ce modèle de développement historique ne fait plus l'unanimité, il reste difficile d'en sortir au vu de ses conséquences pour les territoires :

- De nombreuses décisions cruciales pour l'économie régionale (ouvertures ou fermetures d'usines, investissements et désinvestissements, emplois) et pour la qualité de vie (environnement, paysages, etc.) sont prises par des entreprises dont les stratégies sont internationales, et donc déconnectées des intérêts des communautés locales.
- Les *régimes de ressources* et leurs règles ont tendance à favoriser un accès quasi monopolistique à ces entreprises, rendant difficiles d'autres stratégies de mise en valeur des ressources par les acteurs des territoires.
- Les municipalités et les MRC n'ont pratiquement pas accès aux bénéfices tirés de l'exploitation des ressources. Outre les redevances captées par l'État central, d'autres exemptions d'impôt foncier, comme celles historiquement accordées aux producteurs d'énergie, privent les acteurs publics territoriaux d'un levier important pour stimuler une démarche de développement.
- Il devient difficile de diversifier l'économie locale et de lancer de nouvelles filières d'activité, d'une part à cause des faibles capitaux disponibles dans les territoires, et d'autre part en raison de la forte spécialisation des entreprises sous-traitantes et de la main-d'œuvre.

Ce sont donc les régimes autour des ressources naturelles qui nécessitent une révision majeure afin de s'adapter aux besoins des sociétés contemporaines. L'héritage pèse et doit être considéré, avec toutes ces variables, comme premier principe pour amorcer un véritable travail de transition.

FAVORISER LA TRANSITION

Pour prendre le virage de l'économie du savoir, deux facteurs sont souvent mis de l'avant : le dynamisme entrepreneurial et l'innovation.

Contrairement à une perspective ambiante qui pense l'innovation seulement sur le plan technique (voire technologique), de nombreux courants de recherche (milieux innovateurs, *clusters*, etc.) considèrent le rôle du territoire comme primordial. Le territoire est créé par des acteurs tant comme espace de vie que comme lieu de coopération pour résoudre des problèmes, saisir une occasion, voire forger un projet politique commun.

Cette conception implique des débats, parfois longs, pour permettre la construction et le partage d'apprentissages, de codes, de normes et, potentiellement, d'une culture entrepreneuriale commune.

Également, l'innovation n'est pas seulement urbaine, et les qualités d'un territoire innovant ne sont pas liées à sa taille. Ainsi, de nombreuses innovations émanent du milieu rural comme réponses à des problèmes vécus dans les communautés et ne relevant pas nécessairement de l'entreprise privée. Pensons aux coopératives forestières, aux ententes de services intermunicipales, aux partenariats public-public (municipalité et école, par exemple) pour le prêt de services, aux tables de gestion intégrée des ressources, etc. En conséquence, l'intervention publique, autre grand principe de développement territorial, doit mobiliser les forces vives des milieux et soutenir l'action collective afin de stimuler l'innovation et de favoriser l'éclosion d'une culture de l'innovation.

GOUVERNANCE DE LA TRANSITION

Dans le contexte actuel, le développement des régions non métropolitaines passe par une stratégie combinant une reconnaissance des acquis – y compris ceux reliés à l'économie des ressources naturelles – et une mise en valeur des potentiels grâce à l'entrepreneuriat (privé, public et communautaire) et à l'innovation.

Ce type de situations exige une présence forte de nos institutions publiques. Dans la foulée de la course mondiale à l'énergie et aux ressources naturelles, les régions dites ressources et manufacturières sont devenues très convoitées par de grandes entreprises. Or, les capacités politiques et institutionnelles existantes au sein de ces régions ne peuvent à elles seules faire contrepoids à des acteurs aux moyens si imposants.

Un tel travail renvoie à plusieurs missions fondamentales de l'État, à commencer par son devoir de maintenir certains standards pour tous les Québécois (qualité de l'environnement, santé, services publics). De même, il rappelle le rôle d'arbitre que doit jouer l'État pour assurer l'intérêt général. Cette démarche ne peut se faire en vase clos et de façon descendante. C'est sur ce point que la gouvernance territoriale devient essentielle.

La gouvernance territoriale compte plusieurs acteurs (privé, État, secteur associatif, citoyens), et ce, à plusieurs niveaux. Elle permet de cadrer des espaces d'action à des échelles variées, en correspondance avec les enjeux soulevés, toujours dans le but de répondre pleinement aux défis complexes de la société actuelle. Elle fait écho au principe de subsidiarité. Dans cette mouvance, les échelles de la gouvernance seront multiples et interreliées. Un seul palier ne pourra résoudre tous les défis. À cet égard, les récents choix gouvernementaux de miser essentiellement sur les élus locaux grâce aux MRC suscitent des appréhensions, surtout si l'on admet les capacités organisationnelles et financières limitées de nombreuses MRC. Par ailleurs, certains ont développé des modèles originaux basés sur la coopération et permettant d'accroître les retombées. Mais l'abolition des conférences régionales des élus en 2015 et des commissions régionales sur les ressources naturelles et le territoire qu'elles chapeautaient prive dans bien des cas les régions d'un lieu de concertation important pour favoriser le renouvellement de la trajectoire de développement.

Certes, la concertation est un processus exigeant, souvent long, parfois houleux. Pourtant, elle constitue pour ainsi dire la seule voie possible pour construire des compromis solides, qui soient véritablement portés par tous les acteurs sociaux et, donc, admis comme légitimes. La concertation pousse à reconnaître la remise en cause de règles et de façons de faire. Elle permet de construire un rapport de force avec certains grands acteurs exogènes et de proposer des solutions adaptées aux besoins régionaux spécifiques. Même les grandes entreprises réclament de connaître ces « conditions d'acceptabilité sociale » afin de diminuer les incertitudes entourant leurs investissements.

> Il ne s'agit pas de demander moins d'État, mais bien un État engagé autrement.

En somme, en amont de tout grand projet et politique publique, un temps est requis pour penser, concevoir et planifier, et cela, à plusieurs. Il s'agit donc d'encourager des façons de gouverner plus ouvertes, mises en œuvre au sein d'un État engagé autrement, garant de l'intérêt général, appuyant et soutenant tout à la fois les efforts des acteurs locaux.

Dans plusieurs pays, on observe un déplacement du soutien de l'État en matière de développement régional : il est axé moins sur les infrastructures (routes, parcs industriels) et davantage sur l'accompagnement et l'appui de projets et d'organismes. Selon l'OCDE, les politiques adaptées aux économies du savoir et aux régions non métropolitaines devraient être flexibles et valoriser la multifonctionnalité, afin de répondre à leurs besoins spécifiques. De telles politiques exigent cependant une forte action publique territoriale et donc, par extension, une déconcentration des ressources de l'État (financières, professionnelles, politiques) et une décentralisation des pouvoirs. La défunte Politique nationale de la ruralité du Québec, reconduite sous deux gouvernements, avait été reconnue par l'OCDE comme un modèle répondant à ces exigences.

POUR UN PARTENARIAT RÉGIONS-ÉTAT

Pour conclure, des dynamiques internes propices à l'innovation et au développement sont bel et bien présentes dans les régions « non métropolitaines » québécoises. Elles gagneraient cependant à être mieux comprises et, surtout, valorisées par les politiques et interventions publiques. Plusieurs régions font face à des contraintes « externes » lourdes découlant du modèle d'exploitation des ressources, qui rendent difficile la transition vers d'autres pratiques de développement. Des politiques publiques adaptées aux particularités de ces régions et aptes à soutenir le dynamisme des acteurs du territoire face au défi de la transition vers de nouveaux modèles semblent plus que jamais nécessaires.

Il ne s'agit pas de demander moins d'État, mais bien un État engagé autrement. En véritable partenaire des territoires, cet État saurait tout à la fois accompagner les efforts des acteurs locaux et faire respecter les standards nationaux qui assurent une qualité de vie à tous les citoyens, peu importe où ils habitent.

Un réel partenariat exige un respect des parties impliquées et un partage des responsabilités, même si les pouvoirs demeurent forcément asymétriques. Cela signifie que le gouvernement accepte de se faire contredire et de ne pas imposer ses décisions unilatéralement, pour plutôt chercher à construire la décision à plusieurs. C'est d'ailleurs là le premier fondement de la gouvernance pensée dans des termes contemporains. En la matière, le Québec a développé une culture dite de la concertation. C'est une véritable ressource pour créer un socle de décisions solides, qui passent le test de l'acceptabilité sociale et stimulent de vrais projets et démarches. Parce qu'un développement durable et prospère du Québec passe par la force de toutes ses régions. ◊

Ce texte est une version modifiée d'un texte cosigné par 27 chercheurs du Centre de recherche sur le développement territorial (crdt.ca) et présenté lors du Forum des idées pour le Québec *De l'ambition pour nos régions* tenu en septembre 2017.

Notes et sources, p. 332

DISPARITÉS DÉMOGRAPHIQUES ET LINGUISTIQUES ENTRE RÉGIONS : MONTRÉAL, SOCIÉTÉ DISTINCTE ?

Le fossé démographique et linguistique entre la région métropolitaine de Montréal et les autres régions du Québec ne cesse de se creuser. De nombreux enjeux sociopolitiques émergeront inévitablement de cette cassure.

MARC TERMOTE
Professeur au Département de démographie, Université de Montréal

La hiérarchie urbaine et régionale du Québec est particulièrement verticale : au sommet on retrouve la région métropolitaine (RM) de Montréal, qui compte plus de la moitié de la population québécoise. Celle de Québec se situe au deuxième rang, avec 10 % de la population. Quant aux autres RM (Saguenay, Sherbrooke, Trois-Rivières et la partie québécoise de la RM d'Ottawa-Gatineau), elles occupent le troisième rang et représentent ensemble 10 % de la population. Or, cette très forte concentration spatiale de la population est accompagnée d'importantes différences dans les conditions démographiques et linguistiques.

DES DISPARITÉS DÉMOGRAPHIQUES

Le nombre moyen d'enfants par femme (indice synthétique de fécondité, ISF) est l'indicateur privilégié pour évaluer la fécondité. Ce nombre varie significativement selon les régions. Ainsi, en 2016, l'ISF était de 1,6 enfant par femme pour l'ensemble du Québec, mais n'atteignait que 1,5 dans l'ensemble des RM. Par ailleurs, l'île de Montréal se distingue par son ISF très bas (1,4 en 2016), et ce, malgré la présence importante dans cette région d'immigrants, dont le taux de fécondité est relativement élevé (2 enfants par femme). La population résidant en dehors des RM affiche un taux nettement plus élevé : 1,8 enfant par femme.

Le nombre d'immigrants internationaux admis au Québec est resté relativement stable au cours des dernières années, variant de 50 000 (en 2014) à 55 000 (en 2012). Cependant, un pourcentage considérable de ces immigrants ne restent que peu de temps au Québec : des 263 000 arrivés entre 2010 et 2014, 23 % avaient quitté la province en janvier 2016 – après une durée de séjour de 3,5 ans en moyenne – pour rentrer dans leur pays d'origine ou pour migrer vers une autre province ou un autre pays. Pour étudier l'importance de l'immigration internationale, il semble préférable de ne considérer que ceux qui sont restés au moins quelques années. Si l'on applique ce critère, on obtient les résultats suivants : 79 % des immigrants arrivés au Québec entre 2010 et 2014 se retrouvent, début 2016, dans la RM de Montréal – 65 % sur l'île et 14 % dans le reste de la RM (7 % dans le nord de la couronne ; 7 % dans le sud). Tout le reste du Québec se partage les 21 % restants. En nombres absolus, l'île de Montréal aura reçu (entre 2010 et 2014) et gardé (début 2016) en moyenne 25 000 immigrants par an ; le reste de la RM de Montréal, un peu moins de 6 000 ; et toutes les autres régions du Québec, quelque 8 000. Au vu de tels chiffres, il est clair qu'en matière d'immigration internationale, il existe un clivage très important entre la RM de Montréal (en particulier l'île) et le reste du Québec.

La migration interne mérite également d'être prise en considération. Les migrations entre régions du Québec sont nettement dominées par un étalement urbain autour de Montréal qui s'étend de plus en plus loin : pour l'année censitaire 2014-2015, la perte nette de l'île de Montréal s'élève à 14 000 personnes, au profit, essentiellement, de la Montérégie et des Laurentides (un gain net supérieur à 5 000 personnes dans les deux cas). Les migrations interprovinciales affectent également avant tout l'île de Montréal. En 2015, ces migrations se sont soldées par une perte nette de 15 000 personnes pour l'ensemble du Québec, et si quasiment toutes les régions affichent un solde négatif, la seule île de Montréal encaisse la moitié de la perte québécoise totale, ce qui souligne que la migration vers les autres provinces est essentiellement l'affaire des anglophones et des allophones, fortement concentrés dans cette région. L'île de Montréal, qui contient le quart de la population du Québec, prend à son compte l'essentiel de. la redistribution de la population due à la migration interne.

> En dehors de la RM de Montréal, les francophones demeurent très fortement majoritaires.

CONSÉQUENCES SUR LE VIEILLISSEMENT DE LA POPULATION

Si le comportement démographique décrit ci-dessus se poursuivait au cours des prochaines décennies, cela entraînerait des conséquences importantes sur la structure par âge de la population. Plus précisément, le vieillissement de la population serait beaucoup plus rapide en dehors de Montréal. En 2011, l'âge moyen de la population québécoise s'élevait à 40,9 ans. Il devrait atteindre 45,2 ans en 2036, selon les prévisions de l'Institut de la statistique du Québec. L'île et la RM de Montréal, qui présentaient en 2011 un âge moyen plus bas (respectivement 40,2 et 39,7 ans), connaîtraient la croissance la moins rapide (respectivement 42,5 et 43,2 ans en 2036). En dehors des RM, l'âge moyen passerait de 42,6 à 46 ans.

Le pourcentage de la population âgée de 65 ans et plus est un autre indicateur significatif : il passerait de 15,7 à 25,9 % pour l'ensemble du Québec, mais la hausse serait nettement moins importante à Montréal, déjà moins « vieille » au départ : de 15,3 à 20,8 % sur l'île et de 14,4 à 22,4 % dans la RM. En dehors des RM, où la part des 65 ans et plus est déjà la plus élevée, la hausse serait la plus forte : de 17,7 % en 2011 à 31,2 % en 2036. Ce vieillissement démographique plus lent à Montréal (surtout sur l'île) est dû essentiellement aux immigrants internationaux, dont l'âge moyen à l'arrivée est inférieur de 12 ans à celui de la population d'accueil, et dont la fécondité est nettement supérieure. L'arrivée de jeunes adultes en provenance des autres régions du Québec venus étudier et travailler sur l'île joue également un rôle.

DES DIFFÉRENCES LINGUISTIQUES

En matière linguistique, la cassure régionale est très nette : la dynamique est en effet fort différente entre la RM de Montréal et le reste du Québec, l'indicateur retenu étant la langue d'usage principale à la maison. Celle-ci devient la langue maternelle des enfants, ce qui est crucial dans une perspective de long terme. Sur l'île de Montréal, le poids démographique des francophones ne cesse de diminuer : de 61,2 % en 1971 à 53,1 % en 2016, alors que celui des anglophones, qui avait diminué entre 1971 et 2001 (de 27,4 à 24,8 %), augmente légèrement depuis le début du siècle (25,2 % en 2016). En outre, le groupe de langue tierce (les « allophones ») voit sa part augmenter continuellement (de 11,4 % en 1971 à 21,7 % en 2016).

Dans le reste de la RM de Montréal, le groupe francophone, fortement majoritaire, avait connu une croissance importante entre 1971 et 2001 (de 79 % à 86,5 %) à cause de l'étalement urbain, puisque beaucoup de jeunes ménages, surtout francophones, migrent en banlieue, mais aussi à cause de l'extension spatiale de cette région par annexion de municipalités périphériques, essentiellement francophones. On assiste cependant à un net revirement depuis 2001 : en 2016, la part de ce groupe y avait baissé à 82,1 %. Le poids démographique des anglophones a été réduit de près de moitié entre 1971 et 2016 (de 18,6 à 9,7 %), avec cependant une légère remontée au cours des derniers lustres (8,9 % en 2001). Quant au groupe allophone, dont la part était très faible en 1971 (2,4 %), il a connu une croissance rapide depuis 2001 (de 4,6 à 8,2 % en 2016).

Le groupe francophone de la couronne de Montréal connaît donc, depuis 2001, la même évolution négative que celle remarquée sur l'île depuis 1971, alors que dans ces deux régions le groupe anglophone enregistre depuis 2001 une évolution positive. Pour sa part, le groupe allophone poursuit tout au long de la période une croissance rapide dans les deux régions.

La dynamique linguistique est tout autre dans le reste du Québec. En dehors de la RM de Montréal, les francophones demeurent très fortement majoritaires (92,9 % en 1971 et 93 % en 2016), avec cependant une légère baisse depuis le début du siècle (94,2 % en 2001). La part du groupe anglophone y a diminué (de 6,2 % en 1971 à 4,4 % en 2016), avec néanmoins une très légère remontée récemment (4,3 % en 2001). Le poids démographique des allophones, dont la moitié parlent une langue autochtone, y a augmenté (de 0,9 % en 1971 à 2,6 % en 2016), mais demeure très faible.

> Ces différences entre groupes linguistiques et entre régions s'expliquent essentiellement par la fécondité et la migration.

Dans ses prévisions linguistiques publiées début 2017, Statistique Canada considère que le revirement observé en faveur du groupe anglophone depuis 2001 se poursuivra, sauf sur l'île de Montréal, et que la baisse du poids démographique des francophones continuera. Sur l'île de Montréal, ce dernier groupe deviendrait minoritaire (49,2 %) en 2036, alors que dans le reste de la RM de Montréal sa part diminuerait à 71,9 %, de telle sorte que dans l'ensemble de la RM les francophones ne représenteraient plus que 60,8 % (comparativement à 68,7 % en 2011). Ce groupe resterait très majoritaire en dehors de la RM de Montréal (91 %), mais sa part dans l'ensemble du Québec serait réduite à 74,4 % (comparativement à 81,6 % en 2011). La part des anglophones diminuerait légèrement sur l'île (23,5 % en 2036), mais augmenterait fortement dans le reste de la RM de Montréal (14,3 %) et légèrement dans le reste du Québec (5,1 %). Parallèlement, la forte croissance du poids démographique des allophones se poursuivrait : ce groupe représenterait 27,4 % de la population de l'île et 13,8 % de celle du reste de la RM de Montréal, mais resterait faible dans le reste du Québec (3,9 %).

Ces diverses différences entre groupes linguistiques et entre régions s'expliquent essentiellement par la fécondité et la migration. Dans chacune des régions considérées, la fécondité des francophones est inférieure à celle de chacun des deux autres groupes linguistiques ; cette sous-fécondité représente quelque 20 000 naissances manquantes chaque année pour l'ensemble du Québec par rapport au nombre de naissances requis pour maintenir constants les effectifs de la population francophone.

L'immigration internationale (de 50 000 à 55 000 personnes par an) est essentiellement non francophone. Sur ce nombre, plus de la moitié sont allophones et quelque 10 % sont anglophones. Cette immigration est fortement concentrée dans la RM de Montréal, surtout sur l'île. La migration interne joue également un rôle important, l'étalement urbain faisant perdre à l'île de Montréal quelque 10 000 francophones chaque année. Sans oublier la migration interprovinciale, essentiellement anglophone, actuellement de l'ordre de 30 000 personnes par an (mais plus du double dans les années 1970) ; sans la migration des anglophones vers le reste du Canada, les francophones seraient depuis longtemps minoritaires à Montréal. Les changements de langue d'usage jouent également un rôle, mais leur effet sur l'évolution du groupe francophone est très marginal : on estime à environ 6 000 par an le nombre total de ces transferts linguistiques, pour un gain annuel net d'environ 2 000 unités au profit du groupe francophone, ce qui est dérisoire comparativement à l'impact des phénomènes démographiques décrits plus haut. La cassure linguistique entre la RM de Montréal, où le groupe francophone est en voie de minorisation – il est déjà proche du seuil de 50 % sur l'île –, et le reste du Québec, où le poids prédominant de ce groupe semble assuré à long terme, ne pourra guère être résorbée grâce à ces rares transferts linguistiques.

Sans la migration des anglophones vers le reste du Canada, les francophones seraient depuis longtemps minoritaires à Montréal.

UNE CASSURE ENTRE MONTRÉAL ET LE RESTE DU QUÉBEC

La dynamique démographique et linguistique est manifestement fort différente entre la région de Montréal et le reste du Québec. D'un côté, on a une région de moins en moins francophone, de plus en plus bilingue et cosmopolite, dont la population continue de croître de manière soutenue et vieillit moins vite. Et de l'autre, on a une région très majoritairement francophone, dont la population n'augmente presque plus ou diminue, tout en vieillissant très rapidement. Cette cassure démographique et linguistique est accompagnée d'un clivage économique considérable : la seule île de Montréal produit 35 % du PIB québécois, et le PIB par habitant y est 50 % plus élevé que celui de l'ensemble du Québec (62 000 contre 42 000 $). Les conséquences sociopolitiques de cette triple cassure ne devraient pas être sous-estimées. ◊

COMMENT LES RÉGIONS SE RÉORGANISENT

La décision du gouvernement libéral québécois, nouvellement élu en 2014, de démanteler le palier de décision régional que constituaient les conférences régionales des élus a été vécue comme un traumatisme. Mais de nouvelles instances de concertation et de développement voient le jour.

BRUNO JEAN
Professeur émérite au Département Sociétés, territoires et développement de l'Université du Québec à Rimouski

Investies de la mission du développement régional, les municipalités régionales de comté (MRC) sont en train de recréer des instances régionales de concertation et de développement qui, avec les tables des préfets, opèrent selon un meilleur principe de gouvernance régionale : celui de la subsidiarité.

RÉALITÉ RÉGIONALE AU QUÉBEC : QUELQUES ÉLÉMENTS HISTORIQUES

Pour comprendre la façon dont se sont développées les instances de concertation régionale, il faut remonter aux origines du développement des régions. Ainsi, la société québécoise s'est d'abord installée dans la vallée laurentienne, mais avec l'ouverture au peuplement de plusieurs zones périphériques, elle a débordé de ce cadre géographique. Il en a résulté une typologie allant des régions métropolitaines ou centrales aux régions intermédiaires, puis aux régions périphériques ou éloignées.

À cette diversité géographique s'est ajoutée une forte diversité économique grâce à une grande métropole et à plusieurs régions ressources, dont la prospérité repose sur l'extraction des matières premières. Un tel contexte était propice à la naissance de régionalismes forts dans chacun de ces territoires, qui furent organisés en régions administratives par le gouvernement du Québec en 1966. Une régionalisation sous l'impulsion de l'État se mettait ainsi en place dans la province, qui dura plusieurs décennies.

Avec l'exercice du Plan de développement de l'Est du Québec, il y a plus de 50 ans[1], une sensibilité de la société québécoise pour le développement régional a vu le jour. Dans ce plan, on posait justement la question de la pertinence de constituer au Québec de véritables gouvernements régionaux. Cette idée d'une instance politique régionale est alors devenue une aspiration pour de nombreux citoyens, surtout ceux des régions ressources vivant des problématiques de développement fortement différentes de celles des régions centrales. Sans doute pour répondre à ces attentes, plusieurs régions se sont dotées d'un conseil régional de développement reconnu comme instance-conseil du gouvernement québécois en matière de développement de leur territoire. Quelques décennies plus tard, dans les années 1990, un gouvernement du Parti québécois a mis en place le ministère des Régions, ainsi que des conseils régionaux de concertation et de développement (CRCD) dans les 17 régions administratives du Québec. Ce même gouvernement avait mis sur pied les MRC en 1979. Les CRCD, composés d'acteurs régionaux des différents secteurs socioéconomiques, incluant la société civile, avaient pour mission de conseiller le gouvernement sur les attentes régionales. Ils exécutaient des actions de l'État dans le cadre d'ententes spécifiques, selon une formule de délégation ou de dévolution des compétences.

Une première commotion a été vécue par les élites régionales avec la transformation du CRCD en conférence régionale des élus (CRE). Cette réforme initiée par le gouvernement libéral de Jean Charest, en 2003, voulait renforcer la place des élus dans cette instance régionale de décision en laissant une portion congrue aux autres acteurs, notamment ceux de la société civile.

Malgré ce changement majeur, la CRE continuait d'exercer une fonction d'instance-conseil, en plus de favoriser la concertation entre les différents partenaires socioéconomiques de sa région, d'établir un plan quinquennal de développement et de réaliser des mandats dans différents domaines pour le compte de l'État québécois grâce à des ententes spécifiques. Ainsi, les CRE sont devenues des institutions très actives, créant des dizaines et des dizaines d'emplois de qualité dans les régions, et consolidant de cette façon une précieuse expertise régionale.

> Ces dernières années, on a vu apparaître des instances régionales dans la quasi-totalité des régions du Québec selon des modalités variables, et avec un degré de formalisation différent selon les régions.

UNE NOUVELLE GOUVERNANCE RÉGIONALE

En désignant les MRC et leurs préfets comme les intervenants de première ligne en matière de développement régional, le gouvernement du Québec a laissé le champ libre à ces acteurs pour mettre en place une instance régionale qui s'occuperait de questions dépassant l'échelle d'une seule MRC et constituant des préoccupations communes à toutes les MRC d'une région donnée. Cette instance régionale, qui manifeste un « paysage institutionnel en recomposition » selon l'heureuse expression de mes collègues[2], propose une délégation de pouvoir du bas vers le haut, fonctionnant donc selon le principe de la subsidiarité. La région du Bas-Saint-Laurent a été une des premières à réagir en mettant en place le collectif régional de développement (CRD) du Bas-Saint-Laurent. Composée uniquement des préfets, cette structure financée par les huit MRC de ce territoire exécute les décisions prises par le Forum de concertation bas-laurentien, qui, par sa composition, ressemble étrangement à l'ancienne CRE de cette région. Sur le site Internet en construction du CRD du Bas-Saint-Laurent, on peut lire la définition suivante du rôle que se donne cette instance régionale : « Il a pour mandat d'agir à titre de gestionnaire de projets collectifs convenus avec le Forum de concertation bas-laurentien, de mettre en œuvre des ententes pour et au nom des MRC participantes, d'offrir des services administratifs et d'assurer la gestion des fonds confiés par des partenaires selon les protocoles établis. »

Ces dernières années, on a vu apparaître des instances régionales dans la quasi-totalité des régions du Québec selon des modalités variables, et avec un degré de formalisation différent selon les régions. Dans plusieurs cas, on parle d'une « table des préfets » qui n'a pas nécessairement de statut légal et qui reprend le mécanisme de la table des préfets qui existait avec les CRE (comme en Mauricie, en Outaouais, en Montérégie, dans les Laurentides, dans Lanaudière, dans Gaspésie–Îles-de-la-Madeleine ou dans le Centre-du-Québec). En Estrie, on retrouve plutôt une table des MRC ; dans la Rive-Sud de Montréal, une table des préfets et des élus ; dans la Côte-Nord, une assemblée des préfets ; au Saguenay–Lac-Saint-Jean, une conférence régionale des préfets ; en Abitibi-Témiscamingue, une conférence des préfets. Peu importe la désignation choisie, dans tous les cas, l'instance régionale demeure une émanation des élus des MRC d'un territoire donné, et elle exerce le pouvoir dans ce nouveau mécanisme de gouvernance régionale.

La Table régionale des élus municipaux de la Chaudière-Appalaches (TREMCA) ainsi que le Collectif régional de développement du Bas-Saint-Laurent sont de bons exemples de la nouvelle gouvernance mise en place dans plusieurs régions. Sur son site Internet, la TREMCA rappelle qu'elle a été formée en décembre 2015, à la suite de la disparition des conférences régionales des élus. Elle ajoute que ce nouveau mécanisme régional est un lieu de concertation, de collaboration et d'actions établissant des ponts entre les MRC, les ministères et les différents partenaires régionaux.

La TREMCA coordonne notamment des dossiers ou des projets touchant plusieurs

MRC, à la demande de ces dernières. Les MRC peuvent décider de confier à la Table des mandats pour gérer certains dossiers communs ou stratégiques. La TREMCA favorise aussi la concertation et le réseautage des élus et des acteurs socioéconomiques de Chaudière-Appalaches. Par ailleurs, elle définit les enjeux et priorités de la région Chaudière-Appalaches, notamment à partir des planifications locales et territoriales réalisées par les MRC et les villes. Enfin, elle a aussi pour mission de représenter la région et les élus dans les instances nationales et régionales et de prendre position sur des politiques et des orientations gouvernementales, ainsi que sur des projets ayant un impact sur la région.

DÉVELOPPEMENT RÉGIONAL : UN ENJEU ÉLECTORAL EN 2018

Pour plusieurs observateurs, les coupes dans les programmes de développement régional ne se justifiaient pas par une volonté de redressement des finances publiques, mais par une nouvelle vision idéologique proposant un effacement du rôle de l'État.

L'année 2018 sera une année électorale ; on peut donc se demander si la signature du pacte fiscal entre le gouvernement et les municipalités et, surtout, l'annonce de la création du Fonds d'appui au rayonnement des régions (FARR) marqueront le retour d'une préoccupation pour le développement régional au sein de l'actuel gouvernement, lequel est loin d'être redevenu le « parti des régions » comme il le prétendait il n'y pas si longtemps encore.

Sur le site Internet du ministère des Affaires municipales et de l'Occupation du territoire (MAMOT), on peut lire à propos du FARR que « ce nouveau programme vise à soutenir des projets de développement régional porteurs, choisis par les régions selon les priorités propres à celles-ci[3] ». Les instances régionales ont vite décrié l'ambivalence du discours gouvernemental : si, officiellement, on dit qu'il s'agit d'un fonds, dans les faits, c'est plutôt un programme. L'enjeu débattu actuellement concerne l'autonomie des régions dans la gestion de ce fonds, notamment le processus de prise de décision sur les projets à financer. Le gouvernement québécois parle de partenariat avec le monde municipal et de sa volonté de répondre aux attentes de celui-ci, dont une plus grande modulation des interventions gouvernementales, une plus grande coordination interministérielle et la prise en compte des particularités territoriales. Mais les règles de gestion du FARR redonnent une large place au contrôle administratif du MAMOT. Ce « fonds d'aide » ressemble donc davantage à un programme gouvernemental traditionnel, comme l'a conclu la Fédération québécoise des municipalités.

Le dispositif de gouvernance régionale qui se met en place avec les tables de préfets, s'il s'inspire d'un principe de subsidiarité qu'il convient de saluer, reste encore très loin d'une solide instance régionale comme les conseils de concertation et de développement, qui étaient capables de représenter les intérêts de tous les partenaires régionaux, de dialoguer avec l'État central et de participer à la réalisation d'actions de développement. Dans le cadre actuel, on demande à des élus locaux de penser régionalement alors qu'ils doivent par ailleurs attirer des avantages non pas vers leur région, mais vers leur municipalité. Tout aussi inquiétante est la perte d'une expertise en région, les anciens employés des CRE étant réduits à une situation de précarité comme consultants ou travailleurs autonomes.

La perspective d'une élection semble remettre la question régionale à l'ordre du jour, et il reste encore du temps pour que le gouvernement actuel exprime davantage sa sollicitude face au développement des régions. Mais la publication récente d'un document sur les « orientations gouvernementales en matière d'aménagement du territoire » a été mal reçue, car elle annonce clairement un retour aux vieilles idées des années 1960 sur le renforcement des « pôles de croissance » associé à la concentration des populations rurales dans des centres urbains densifiés.

On laisse entendre que les petites collectivités rurales ne sont pas viables et que la ruralité est sans avenir. Le démantèlement de la Politique nationale de la ruralité, dans le même mouvement de réduction au sein des instances régionales, a aussi été vécu comme un drame dans les milieux ruraux.

On laisse entendre que les petites collectivités rurales ne sont pas viables et que la ruralité est sans avenir. Le démantèlement de la Politique nationale de la ruralité, dans le même mouvement de réduction au sein des instances régionales, a aussi été vécu comme un drame dans les milieux ruraux. Il ne serait pas étonnant de voir réapparaître une revendication pour le retour de cette politique par des organismes comme Solidarité rurale du Québec, qui, fortement affaiblie par les coupes du gouvernement, pourrait redevenir porteuse de ces aspirations dans le cadre d'une année électorale. ◊

Notes et sources, p. 332

L'*ORGWARE*, UNE PISTE À SUIVRE ?

Le développement régional est un enjeu majeur pour la croissance du Québec. Dans un tel contexte, l'*orgware*, c'est-à-dire l'organisation et la coordination du développement économique et social au niveau régional, peut-il représenter une solution ?

FRÉDÉRIC LAURIN
Professeur en économie à l'École de gestion et chercheur à l'Institut de recherche sur les PME, Université du Québec à Trois-Rivières

Les effets conjugués de la mondialisation, de la tertiarisation de l'économie coïncidant avec le déclin des industries traditionnelles, des changements technologiques et de l'instabilité du marché des matières premières perturbent profondément le tissu économique et le bien-être des collectivités dans les régions du Québec.

De ce fait, les différents gouvernements du Québec ont mis en œuvre, depuis les 20 dernières années, diverses mesures en vue de soutenir le développement régional – des mesures qui prennent essentiellement la forme de subventions, de crédits d'impôt aux entreprises, de programmes de soutien à des secteurs d'activité précis ou d'investissements dans des infrastructures. Malgré des effets bénéfiques ciblés, on peut se questionner sur l'efficacité systémique et globale de telles stratégies pour redresser la trajectoire de développement des régions québécoises.

Or, les discussions sur le développement régional au Québec tendent à négliger un concept crucial, qui peut expliquer la faible efficacité des pratiques passées : la composante « *orgware* », c'est-à-dire l'organisation du développement économique territorial.

L'*orgware* fait d'abord référence à la coordination de l'action des acteurs du développement socioéconomique de la région, afin de mettre en œuvre une stratégie intégrée, cohérente et efficace dans tous ses éléments. C'est aussi un ensemble de mécanismes et de pratiques qui favorise le réseautage, la coopération et le partage d'information entre acteurs économiques (tout particulièrement entre les entreprises), et qui permet d'accélérer le développement de celles-ci.

LES STRATÉGIES « *ORGWARE* »

Entre les années 1960 et 1990, les stratégies de développement régional étaient particulièrement axées sur des politiques de type « *hardware* », c'est-à-dire qui visent l'érection d'infrastructures physiques – par exemple dans le domaine du transport ou des communications. Ce sont des intrants essentiels au développement des entreprises, mais leur présence ne suffit pas à garantir la croissance économique d'une région.

Par la suite, dans les années 1990, les stratégies de développement régional ont plutôt été orientées vers le soutien de type « *software* », venant en appui à la compétitivité et à la croissance des entreprises. Ces mesures touchent par exemple l'innovation, l'exportation, le capital financier, l'entrepreneuriat, la main-d'œuvre. Or, les politiques de type « *software* » n'auront des répercussions sur le plan régional qu'à condition que les entreprises réagissent effectivement aux incitatifs qu'on leur présente.

Les théories les plus récentes du développement régional mettent plutôt l'accent sur la composante « *orgware* », c'est-à-dire des politiques visant la coordination, la mise en relation et la mobilisation des acteurs du développement régional, particulièrement les entreprises. C'est peut-être le concept le plus important permettant de distinguer les régions qui « réussissent » des autres.

LES BARRIÈRES À LA CROISSANCE DES ENTREPRISES

Pourquoi les politiques de type « *software* » ne réussissent-elles pas toujours à stimuler le développement des entreprises ? Tout d'abord, une PME fait face à diverses sources de risque et d'incertitude qui peuvent influencer ses décisions en matière d'investissements, de développement, d'innovation, d'expansion et bien plus. Le risque, le manque d'information et l'incertitude – même s'il ne s'agit que de perceptions – représentent probablement l'une des plus grandes barrières au développement des PME.

> L'organisation du développement économique régional au Québec est fractionnée entre une panoplie d'organismes dont les missions, les compétences et les responsabilités diffèrent.

Par exemple, l'un des obstacles principaux à l'exportation est le manque de connaissances. Faut-il passer par un distributeur ou un agent ? Comment résoudre un conflit commercial sur le marché étranger ? Les formalités douanières sont-elles

L'EXEMPLE DE LA MAURICIE

La Mauricie subit actuellement de profondes restructurations industrielles. À l'initiative d'un groupe d'entrepreneurs de la région, GROUPÉ a vu le jour. Ce partenariat économique Mauricie–Rive-Sud regroupe une centaine de PME et vise à mettre en œuvre des projets structurants en vue d'accélérer le processus de diversification et le développement économique. Cette organisation repose notamment sur six secteurs d'activité importants et porteurs pour la région. Chaque secteur dispose d'une table de concertation réunissant des entrepreneurs et d'autres parties prenantes dans le but de mettre sur pied des projets concrets pour accélérer sa croissance. On parle par exemple de stratégies communes d'attraction de la main-d'œuvre, d'une participation collective à des salons professionnels, d'achats groupés et de partage d'équipements, d'actions de marketing territorial, de formation collective d'employés, de co-investissement en innovation, etc.

GROUPÉ est donc un partenariat entre entreprises et est géré par ces dernières, ce qui favorise les logiques de partage d'information, de coopération et de codéveloppement. Mais c'est aussi un partenariat avec les différents acteurs socioéconomiques locaux, provinciaux et fédéraux qui souhaitent s'impliquer en fonction de leurs responsabilités. En ce sens, GROUPÉ est un vecteur important de coordination au niveau régional – surtout depuis la disparition de la CRE –, qui dépasse les frontières administratives. En effet, GROUPÉ couvre la Mauricie ainsi que les villes sur la rive sud du fleuve (Bécancour et Nicolet, dans le Centre-du-Québec). Les entrepreneurs reconnaissent que c'est bel et bien la définition de leur espace économique régional.

complexes ? Quelles sont les différences culturelles ?

De plus, il faut que l'équipe de direction se sache suffisamment compétente pour évaluer et mettre en œuvre un projet de croissance, ou qu'elle se perçoive comme telle. De surcroît, l'entreprise doit être animée d'un désir de croissance. On suppose généralement qu'une entreprise cherche toujours à maximiser son profit, mais en réalité, dans le monde des PME, chaque organisation dispose d'un profil de croissance différent. À partir d'un certain niveau de stabilité financière ou d'emploi, de nombreuses petites entreprises préfèrent continuer à jouir de cet état plutôt que de courir le risque de grandir.

Pour toutes ces raisons, une PME pourrait repousser un projet d'investissement ou de croissance. La barrière n'est donc pas ici d'ordre financier, mais d'un autre genre, et c'est pourquoi de nombreuses entreprises ne répondent pas aux incitatifs financiers ou fiscaux mis en œuvre par les gouvernements, étant donné qu'elles n'ont initialement pas l'intention de procéder à l'action que ces mesures visent à encourager.

L'IMPORTANCE DES RÉSEAUX ET DU CAPITAL SOCIAL

De par leur petite taille, les PME disposent de ressources généralement limitées, et ce, tant du côté des connaissances et des informations que de celui des ressources humaines, des moyens financiers et de la capacité d'innovation ou d'autres expertises. La grande entreprise, elle, peut aisément recourir à des consultants ou à des experts externes qui peuvent l'accompagner et la conseiller, notamment dans les démarches qui consistent à décoder, à absorber et à utiliser l'information afin de réduire le risque et l'incertitude, ou encore dans ses efforts en innovation et en recherche et développement (R&D).

Par contre, les PME peuvent compter sur leur réseau de contacts d'affaires afin de contourner ces limitations, le tout dans un objectif de croissance et de pérennité. Il peut s'agir de partage d'informations et d'expériences avec d'autres entreprises, de financement par les pairs, d'échange de main-d'œuvre, de partage d'équipements sous-utilisés, de codéveloppement, d'innovation en commun ou d'autres formes de coopération et d'entraide. De là vient toute l'importance des réseaux dans une région. Les PME peuvent donc se développer plus rapidement en allant chercher dans leur réseau de proximité les compétences, les informations, l'expertise, le financement ou le soutien dont elles ont besoin.

Dans un contexte de risque et d'incertitude, tous ces partages peuvent encourager des entreprises qui seraient hésitantes à investir et à croître. Les entreprises du milieu peuvent apporter une perspective nouvelle sur l'évaluation d'un projet, tout en offrant des informations et de l'expérience. Dans certaines régions, il existe une culture de financement croisé entre entreprises qui devient un complément ou parfois même un substitut au financement bancaire. Ce système garantit la disponibilité d'un financement pour l'entreprise sous l'œil informé et le jugement rassurant d'autres entrepreneurs.

Il se crée donc, à l'échelle régionale, un « capital social » qui bénéficie à l'ensemble des entreprises de la région et leur permet de croître plus rapidement. C'est une autre composante importante de l'*orgware*.

Les autorités publiques jouent aussi un rôle : un rôle d'information et de soutien. En effet, elles peuvent sensibiliser les entreprises à différents aspects de leur croissance (exportation, innovation, R&D, problème de relève, etc.) en fonction de leur profil, en plus de les aiguiller vers les ressources et les moyens appropriés.

Les entreprises doivent reconnaître l'existence de ces logiques et y concourir en entretenant leurs réseaux, en allant y puiser de l'information, en y participant activement et en assurant la réciprocité envers les autres partenaires. La littérature scientifique montre d'ailleurs que cette capacité réticulaire est l'un des facteurs clés non seulement du développement des PME, mais de celui de la région, comme le montrent les exemples de Drummondville et de la Beauce.

Or, ce capital social n'émerge pas toujours naturellement. Les autorités locales peuvent contribuer à instaurer différents mécanismes de coopération et de partage d'information entre les acteurs socioéconomiques. Ces mécanismes peuvent être formels (des activités d'affaires structurées, notamment) ou informels, c'est-à-dire qu'ils relèvent d'efforts de mise en relation ciblés. Par exemple, il peut s'agir d'actions de maillage entre donneurs d'ordres et sous-traitants ou fournisseurs au niveau régional. De même, les autorités locales peuvent travailler au développement d'un « milieu innovateur » et collaboratif dans les régions en assurant une mise en relation des entreprises et des institutions de recherche et en encourageant la co-innovation ou le codéveloppement entre entreprises.

L'IMPORTANCE DE LA COORDINATION ET DE LA COHÉRENCE

Pour être efficace, une stratégie doit toucher à tous les leviers du développement économique régional, et ce, de façon cohérente et intégrée. Les différentes dimensions du développement économique sont étroitement interreliées et interdépendantes. La mise en œuvre d'une stratégie doit donc considérer ces interrelations en agissant sur chacune de ces dimensions.

> Il ne s'agit pas de doubler les responsabilités des divers acteurs socioéconomiques, mais d'en assurer la coordination, et ce, en s'appuyant sur les compétences et les expertises de chacun.

Or, l'organisation du développement économique régional au Québec est fractionnée entre une panoplie d'organismes dont les missions, les compétences et les responsabilités diffèrent : municipalités, MRC, Emploi-Québec, ministères fédéraux et provinciaux, commissions scolaires, cégeps et universités, Investissement Québec, sociétés d'aide au développement des collectivités (SADC), etc.

De là vient la nécessité d'avoir un « chef d'orchestre » régional qui assure une coordination institutionnelle de façon efficace et fonctionnelle. Ces efforts doivent cependant être réalisés en collaboration intime et continue avec les entreprises du territoire, en fonction de leurs besoins et de leurs problèmes – car, au bout du compte, c'est à elles que revient la tâche de produire les emplois et les investissements qui généreront le développement économique.

FAIRE ÉMERGER L'*ORGWARE*

Le gouvernement du Québec propose toute une série de mesures afin de favoriser le développement régional. Cependant, un processus de type « *orgware* » est souvent l'ingrédient manquant pour que toutes ces mesures puissent jouer pleinement leur rôle. L'*orgware* provient toujours d'un leadership local : une grande entreprise, un élu régional, une université, etc. Il n'émerge pas naturellement. Dans les régions où il existe, le rôle du gouvernement devrait être de l'accompagner et de le renforcer ; sinon, il doit contribuer à le faire émerger et à le développer. À ce propos, on ne peut que regretter la disparition des conférences régionales des élus (CRE) et la quasi-disparition des centres locaux de développement (CLD), qui assuraient en grande partie ce processus dans les régions québécoises.

Par conséquent, la politique de développement régional du Québec devrait viser la création et le renforcement des capacités d'*orgware* par la mise en œuvre de mécanismes souples qui soient adaptés à la culture entrepreneuriale, aux spécificités et aux besoins de chaque région (une approche « *bottom-up* »), tout cela en évitant l'imposition d'un modèle unique. Aussi, il ne s'agit pas de doubler les responsabilités des divers acteurs socioéconomiques, mais d'en assurer la coordination, et ce, en s'appuyant sur les compétences et les expertises de chacun. Par contre, le mécanisme doit bénéficier d'une réelle capacité d'action, en disposant d'outils ou d'incitatifs, ou encore d'une légitimité suffisante pour atteindre ses objectifs. ◊

GARE AU COMMERCE FOLKLORIQUE QUI GUETTE NOTRE PATRIMOINE RÉGIONAL

La protection du patrimoine s'inscrit dans la fierté identitaire d'une provenance et dans l'affirmation d'une nation, de ses origines et de son cheminement. À une époque où la mondialisation balaie tout sur son passage, plus que jamais, la conservation du patrimoine est devenue un rempart contre l'uniformisation.

MICHEL LESSARD
Historien

Dans les années 1960, un mouvement populaire de fierté identitaire comme on n'en avait jamais vu ici traverse le Québec. Le premier ministre Jean Lesage le traduit dans une élection par son slogan *Maîtres chez nous*. Son successeur immédiat, Daniel Johnson, va plus loin en réclamant l'égalité entre le Canada anglais dominateur et le Québec français jusque-là soumis ; sinon, c'est l'indépendance.

En 1967, Montréal accueille le monde entier à bras ouverts : c'est *Terre des hommes*, exposition universelle qui connaît un immense succès grâce à l'inventivité des Montréalais dirigés par un Jean Drapeau audacieux. La même année, le général de Gaulle apporte le soutien de la mère patrie et confirme, par son « Vive le Québec libre ! », que la colonie conquise par les Britanniques en 1760 possède maintenant tous les leviers pour devenir en Amérique un pays francophone moderne. Des révolutions tranquilles ont cours en éducation, en culture et en services sociaux. Par la création de ministères, on met sur pied un appareil d'État engagé dans un grand renouvellement des politiques.

Les poètes chantent le pays et les saisons en célébrant la terre d'ici avec des airs que tous fredonnent. C'est le début d'un temps nouveau, qui conduit à la prise du pouvoir par un parti souverainiste, en 1976, avec René Lévesque à sa tête. Mais on ne crée pas un pays sans protéger farouchement sa langue ; sans mettre en évidence son histoire et son patrimoine ; sans marquer de façon ostentatoire son enracinement dans un territoire. Le contraire conduit au suicide culturel.

UN ÉLAN DE FIERTÉ

Déjà, dans l'entre-deux-guerres, le Québec s'était éveillé à un patrimoine original grâce à la création de la Commission des monuments historiques de la province de Québec, en 1922. Les églises, les manoirs et les vieilles maisons, tout comme l'île d'Orléans, avaient donné lieu à la création de publications attrayantes et abondamment illustrées. Plusieurs auteurs et toute une littérature dite « du terroir » valorisaient en même temps les pratiques artisanales traditionnelles en milieu rural : ils encourageaient une relance de l'artisanat associée au bonheur de vivre à la campagne en famille, à l'abri près du clocher, célébrant autant la terre de chez nous que les vieilles maisons et les objets anciens d'un quotidien poétisé. Qu'on pense à Edmond-Joseph Massicotte dans ses grands dessins fouillés (1923) ou à Alfred Laliberté dans sa série de 215 bronzes (1928 et 1932) consacrés aux coutumes, aux légendes et aux activités rurales traditionnelles, ces artistes élaboraient alors une sorte de musée ethnographique national. Les almanachs annuels regorgeaient depuis belle lurette d'illustrations montrant un art de vivre enraciné – notre goût, notre manière –, le tout toujours encadré dans des rameaux d'érable et orné du castor travailleur (nos grands attributs identitaires, avec le coq gaulois et chrétien).

Cette première période de conscientisation de la possession d'un patrimoine identitaire bien marqué avait été affaire d'élite. La seconde vague – celle qui balaiera toutes les régions, entre 1960 et 1995 (avec un sommet dans les années 1970 et 1980) – doit être considérée comme un phénomène populaire, encadré par des lois et des actions gouvernementales réfléchies. Mentionnons la Loi sur les biens culturels (1972) ; une direction générale du patrimoine ; la définition d'arrondissements historiques ; la restitution de la place Royale à Québec ; les inventaires scientifiques nationaux du bâti et des sites culturels ; des publications ethnohistoriques par milliers (dont plusieurs sont des meilleurs vendeurs à répétition) ; les chroniques patrimoniales hebdomadaires sur les chaînes de télévision et dans les journaux ; les grandes séries télévisuelles (diffusées maintes fois en période de grande écoute) portant sur la musique traditionnelle, la culture matérielle, les pratiques artisanales et les arts sacrés ; la création d'un réseau de musées régionaux ; la restauration et la mise en valeur de nombreux bâtiments ouverts au public pour servir l'interprétation héroïque (manoirs seigneuriaux, moulins

En 50 ans, on a sacrifié non seulement l'unité des ensembles, mais la poésie historique et urbanistique de nos bourgs sur l'autel d'un progrès pauvrement interprété.

à eau ou à vent, maisons de célébrités historiques, écoles de rang, couvents, etc.); la multiplication de terroirs bien enracinés dans les traditions culinaires locales; les festivals régionaux inscrits dans une provenance... Voilà un élan de fierté qui poussera même des publicitaires à faire la promotion de véhicules automobiles dans des cadres patrimoniaux aisément reconnaissables.

Le passé est alors à la mode; des milliers de nos concitoyens ratissent le Québec pour dénicher la maison ancestrale de leurs rêves et entreprendront une restauration selon les règles et l'état de la connaissance ethnohistorique de l'époque. Ce sont des urbains passionnés qui vont conquérir le patrimoine en région et le ressusciter, souvent avec une énergie surprenante – et à grands frais. Aujourd'hui, on est à des lunes de cet élan collectif de fierté.

UN MANQUE DE VISION

La quête du patrimoine demeure un baromètre de l'état d'une société à la recherche de son identité. Or, les temps actuels favorisent le multiculturalisme et moussent l'idée que nous sommes tous des immigrants. Résultat: toute tendance mononationale est donc plus ou moins suspecte. Les Québécois contestent cette vision. Le Québec français, qui croyait dur comme fer que les anciens avaient inventé un pays (cadastres, maisons, vêtements, transports d'été et d'hiver, agriculture et élevage, conservation des aliments...) et qu'ils avaient abouti à l'établissement d'un art de vivre rassurant, en harmonie avec le milieu neuf; ce Québec, bref, selon les tenants du multiculturalisme, devrait réajuster cette perception. Affirmons-le hautement: les citoyens de souche française demeurent quand même les bâtisseurs du pays du Québec, bien que l'on doive reconnaître les apports d'intérêt de groupes minoritaires (dont la communauté anglophone).

Dans sa dernière mouture, la Loi sur le patrimoine culturel (2012) incite à la protection des paysages qui caractérisent chacune des régions du Québec – un trait majeur de l'identité collective, et qui signe l'espace. Les peintres, les aquarellistes et les photographes s'inspirent de leur milieu depuis longtemps pour nous émouvoir tant sur les cimaises que dans de beaux albums imprimés, lesquels nous révèlent la beauté du monde dans tous les coins du Québec. Les experts universitaires qui étudient la question n'arrivent pas à établir de consensus sur les grilles d'analyse, tant et si bien que ce volet majeur du patrimoine évolue à pas de tortue dans l'axe des inventaires et dans la protection des sites émouvants, faisant en sorte que nous accusons un grave retard. Et les élus sont pour la plupart insensibles à cette beauté profitable et libératrice.

La Loi sur la protection du territoire et des activités agricoles (1978 et 1996) sert partiellement de police des panoramas en région, les villes étant laissées à elles-mêmes. Or, les grandes corporations (publiques et privées), les municipalités et les ministères, dont ceux du Transport et des Ressources naturelles, devraient donner l'exemple en se souciant de mettre en valeur le territoire par un développement respectueux de la beauté et de l'harmonie de la nature.

Mais ce n'est pas le cas : il n'y a qu'à penser au projet de port méthanier Rabaska de Gaz Métro devant l'île d'Orléans, ou encore au Northern Pass d'Hydro-Québec, en Estrie. N'oublions pas non plus ces puits potentiels de gaz et de pétrole que l'infâme Loi sur les hydrocarbures (2016) permettra d'installer partout dans les basses terres du Saint-Laurent. Même les lacs et les rivières ne sont pas épargnés. En pelletant la gestion du patrimoine dans la cour des municipalités sans l'accompagner de moyens adéquats, le gouvernement du Québec a fait preuve d'une absence totale de vision. Des organismes comme Ruralys, qui exerce ses activités dans la Côte-du-Sud, incitent à une prise de conscience quant à la nécessité de mettre en valeur des paysages intègres.

En 1997, des passionnés ont créé l'Association des plus beaux villages du Québec. La liste en compte 38 (sur plus de 700) qui sont répartis partout sur le territoire national. Aujourd'hui, pour les experts consultants en la matière, 90 % de ces agglomérations de tailles diverses sont irrémédiablement perdues. En 50 ans, on a sacrifié non seulement l'unité des ensembles, mais la poésie historique et urbanistique de nos bourgs sur l'autel d'un progrès pauvrement interprété. Si certaines maisons donnant sur la voie principale ont conservé leur cachet, et si l'église, le presbytère, les écoles et les chapelles de procession composent encore parfois un noyau institutionnel enraciné dans certaines paroisses, le reste du village s'est développé à la va comme je te pousse. Les caractéristiques du bâti original disparaissent derrière des interventions malheureuses, et le voisinage de nouvelles constructions bâclées appartenant parfois à la municipalité ou au gouvernement du Québec, sans oublier certains commerces incongrus, viennent corrompre irrémédiablement l'ensemble.

Comme personne, en général, n'a les compétences pour conseiller les citoyens dans leur désir de rénover leur maison ou

Les élus municipaux qui étudient en comité les demandes de démolition de bâtiments patrimoniaux n'ont souvent pas les compétences et l'expertise pour se prononcer.

leur commerce au sein d'une société qui compte pourtant près de 5 000 architectes, on se fie à l'inspecteur de la municipalité, qui suggère alors de visiter la quincaillerie du coin. La protection du patrimoine en région et dans les petites villes se fait sous l'égide des vendeurs de matériaux ou des prétendus experts en rénovation. Le résultat demeure souffrant !

Les élus municipaux qui étudient en comité les demandes de démolition de bâtiments patrimoniaux n'ont souvent pas les compétences et l'expertise pour se prononcer : ils sont plutôt influencés dans leur décision par les promoteurs et les revenus fiscaux potentiels des projets de remplacement. La Loi sur le patrimoine culturel doit être assortie d'outils et de règlements de conservation, et le ministère de la Culture doit créer des incitatifs pour encourager les municipalités à agir afin de mieux protéger leur patrimoine. Aucune sensibilisation à la protection des intérieurs n'a jamais eu cours – une tragédie ! Peu d'intérêt, également, dans les inventaires nationaux pour toute œuvre érigée après 1900, comme si la modernité n'appartenait pas au patrimoine national ! Entre 1970 et 1990, tous les rangs ont été vidés de leur substance, sauf quelques perles qui triomphent et qu'on peut apercevoir à l'occasion de promenades dans l'arrière-pays. La Beauce, qui a vécu un boum économique, demeure un parfait exemple du saccage d'une région, tout comme la vénérée île aux Coudres.

> La protection du patrimoine s'inscrit toujours dans la fierté identitaire d'une provenance et dans l'affirmation d'une nation, de ses origines et de son cheminement.

PROTÉGER LE PATRIMOINE POUR LUTTER CONTRE L'UNIFORMISATION

Depuis 1995, le gouvernement du Québec, les municipalités et certaines institutions ont consacré ensemble plus de 415 millions de dollars à la conservation du patrimoine religieux. C'est dire l'importance qu'on accorde aux traces des liens avec la divinité et les personnages célestes portés par nos aïeux ; une présence que reflète bien notre toponymie. Chaque paroisse possède son trésor où les plus grands artistes ont donné le meilleur d'eux-mêmes en architecture, en peinture, en sculpture, en vitrail, en orfèvrerie, en arts textiles et en musique sacrée. Nos églises racontent notre société. On ne peut imaginer un village sans son église et ses structures d'accompagnement, qui donnent tout son sens – géographique, urbanistique, historique et culturel – à l'agglomération...

Or la démolition d'églises en milieu rural est déjà en marche. Ainsi, celles de Pierreville et de Saint-Majorique sont tombées sous le pic du démolisseur en 2017. D'autres sont recyclées avec bonheur en bibliothèques (Lévis, Sainte-Foy) ou en espaces municipaux (Saint-Vallier, La Durantaye). Racontant, à l'instar du manoir, l'histoire de notre architecture domestique avec éloquence, le presbytère devient quant à lui mairie (Saint-Charles-de-Bellechasse, Deschambault-Grondines), salon de thé saisonnier et résidence curiale (Saint-Roch-des-Aulnaies), foyer pour aînés (Lévis), funérarium (Saint-David-de-l'Auberivière), maison des naissances (Saint-Romuald), centre culturel et galerie (Saint-Nicolas) ou centre d'archives (Sainte-Famille, sur l'île d'Orléans).

D'autres lieux passent tristement du social enraciné de notre grande commune identitaire à des mains privées, avec un respect mitigé de leur intégrité. Les cimetières paroissiaux sont sous l'étroite surveillance des membres de l'Écomusée de l'au-delà pour éviter leur ravage et leur perte de sens.

Partout – surtout le long des anciennes voies, sur les deux rives du Saint-Laurent, dans les vieux villages de seigneurie –, on trouve des maisons qui témoignent avec force des héritages culturels du Québec. Le programme Villes et villages d'art et de patrimoine (1998-2010) de la Faculté d'aménagement, d'architecture, d'art et de design de l'Université Laval a formé plus de 250 agents culturels qui rayonnent dans les régions. Des centaines de sociétés historiques composées de passionnés veillent partiellement au grain. La Loi sur l'aménagement et l'urbanisme (1979) oblige les municipalités à se doter d'un schéma d'aménagement qui vise à écarter les dysfonctions d'occupation du sol et qui les oblige à identifier certains éléments patrimoniaux à conserver. Les principes en sont heureux, mais les élus préfèrent encore écouter les promoteurs que travailler de concert avec des architectes, des urbanistes et des aménagistes afin d'étoffer des règlementations efficaces de protection et d'intervention. Sauf le volet religieux, et encore, le patrimoine national en région souffre d'un sous-financement chronique dont les travailleurs culturels font les frais et qui menace l'industrie touristique régionale et nationale.

La protection du patrimoine s'inscrit toujours dans la fierté identitaire d'une provenance et dans l'affirmation d'une nation, de ses origines et de son cheminement. Pourtant, en ces temps où le multiculturalisme et l'immigration dominent nos valeurs sociétales – moussées (voire imposées) par nos gouvernements dans des stratégies de marketing réfléchies –, les nationalismes revendicateurs d'une fédération sont associés à de la xénophobie, à un refus de l'autre. Le passé est passé de mode, répète-t-on. On cherche à vivre intensément le présent avec une curiosité pour l'avenir, point !

CONCLUSION

Nos vies sont acceptables pourvu que chacun puisse exprimer sa liberté de pensée, ses croyances et ses choix. Le grand plaisir des voyages tient dans la découverte des cultures enracinées, que ce soit en France, au Japon, au Mexique, en Italie ou aux États-Unis. Pourtant, la mondialisation tend à uniformiser ces traits stimulants dans nos existences. À Vérone, à Rio, à Athènes, à Paris, à Tokyo ou à Pékin, on trouve ainsi les mêmes enseignes de restauration rapide ou de commerces vendant chaussures, parfums et vêtements que celles qui ont pignon sur rue à Miami ou dans la 5e Avenue de la Grosse Pomme. Tout tend à se standardiser. Les traditions déracinées passent de plus en plus dans le commerce folklorique. La conservation du patrimoine – de tous les patrimoines, en fait – devient plus que jamais un rempart contre l'uniforme en favorisant le plaisir de vivre et l'expression des libertés. Que faire alors au Québec pour stopper cette standardisation et protéger ces patrimoines uniques, aux traits culturels français dominants ? Des États généraux sur le patrimoine constitueraient un bon premier pas en la matière. ◊

La conservation du patrimoine – de tous les patrimoines, en fait – devient plus que jamais un rempart contre l'uniforme en favorisant le plaisir de vivre et l'expression des libertés.

PLONGEON SYNCHRONISÉ HAUT VOL, R. LABEAUME ET D. CODERRE...
OUPS! J'ESPÈRE QUE LES COLS BLEUS ONT MIS DE L'EAU DANS LA PISCINE!
GARNOTTE 2016-08-17

Le Québec dans le monde

DE L'AUDACE POUR SE POSITIONNER SUR L'ÉCHIQUIER PLANÉTAIRE

La nouvelle politique internationale veut accroître le rayonnement commercial, culturel et politique du Québec à l'étranger. Remplira-t-elle ses promesses ?

STÉPHANE PAQUIN
Professeur titulaire à l'École nationale d'administration publique
et directeur du Groupe d'études et de recherche sur l'international et le Québec

Les partis politiques québécois en conviennent généralement : on ne gagne pas les élections sur les enjeux soulevés par les relations internationales du Québec. Ils ont dès lors tendance à sous-estimer, voire à ignorer ces questions. Par exemple, la plateforme électorale de 2014 du Parti libéral du Québec – porté au pouvoir cette même année – n'annonçait aucun engagement précis sur la politique internationale du Québec[1]. C'est en parcourant d'autres thèmes qu'on pouvait déduire ses orientations en la matière.

Cette sous-estimation de l'importance capitale des questions internationales a joué des tours à l'administration Couillard. Le programme d'austérité qui a marqué les premiers mois de son mandat a entraîné de lourdes coupes au ministère des Relations internationales et de la Francophonie (MRIF). Avec le retour à l'équilibre budgétaire, le gouvernement a changé de cap : le budget du MRIF, qui avait été abaissé à près de 90 millions de dollars après l'élection des libéraux, est passé en 2017 à 105 millions de dollars, auxquels s'ajoute une hausse additionnelle de 100 millions étalée sur cinq ans.

En outre, après une vague de fermetures de représentations à l'étranger (Moscou, Taipei et Santiago), le gouvernement a récemment décidé de favoriser une nouvelle expansion ou un renforcement des représentations internationales du Québec. Début 2017, il comptait 26 représentations dans 14 pays. Dans les prochains mois, ce nombre passera à 33 représentations dans 19 pays. Plusieurs villes accueilleront une représentation québécoise pour la première fois, dont Philadelphie (États-Unis), Guadalajara (Mexique), La Havane (Cuba) et Dakar (Sénégal). Par ailleurs, une nouvelle présence ou un réinvestissement est planifié à Atlanta (États-Unis), en Corée du Sud, au Vietnam, en Chine, à Singapour et en Inde. L'importance des États-Unis se confirme également, car 35 % des nouvelles ressources seront déployées dans ce pays[2].

Avec l'adoption d'une nouvelle politique internationale, en avril 2017, l'actuel gouvernement poursuit sur la même lancée. Intitulée *Le Québec dans le monde : s'investir, agir, prospérer*[3], elle entend favoriser le rayonnement du Québec et redéfinit les priorités du gouvernement. Analysons ses principales visées.

OSER LA PROSPÉRITÉ

La politique propose trois grandes orientations étroitement liées. La première vise à rendre les Québécois plus « prospères » en améliorant leur mobilité et en favorisant des relations commerciales. Dans ce premier thème, le gouvernement met un accent particulier sur la mobilité internationale des travailleurs, des jeunes, des chercheurs, des entrepreneurs, des artistes et des étudiants en raison de l'importance du capital humain comme outil de création de la prospérité.

Autre axe fondamental : l'importance de l'immigration au Québec pour atténuer le problème de vieillissement de la main-d'œuvre. La politique rappelle qu'en cette matière le Québec détient la responsabilité exclusive de la sélection, de l'accueil et de l'intégration des immigrants. Elle insiste notamment sur l'importance des défis liés à la francisation et ceux de la reconnaissance des qualifications professionnelles.

Particulièrement ciblés par la nouvelle politique, les étudiants internationaux souhaitant s'établir au Québec à la fin de leurs études pourraient contribuer à hausser le PIB québécois de 1,3 milliard de dollars tout en permettant le maintien de 20 000 emplois, estime le MRIF. En effet, leur influence s'avère fondamentale pour développer la recherche scientifique de pointe et pour favoriser la création d'une image de marque pour le Québec à l'international.

La nouvelle politique internationale souligne également l'importance de la croissance du tourisme sur le plan mondial : le nombre d'arrivées de touristes internationaux dans le monde a plus que quadruplé entre 1980 et 2015, selon l'Organisation mondiale du tourisme[4]. Au Québec, où il représente un axe majeur de développement économique, le tourisme génère 350 000 emplois et a rapporté plus de 13 milliards de recettes en 2014.

Les questions commerciales occupent aussi une place centrale dans le document. Devant le retour du protectionnisme, notamment au sud de la frontière, le gouvernement réitère son appui aux partenariats économiques, qui « stimulent la

Devant le retour du protectionnisme, le gouvernement réitère son appui aux partenariats économiques.

prospérité et permettent le progrès social». L'importance de cet enjeu pour le Québec est indéniable. Par exemple, les exportations de biens et de services ont représenté environ 30% du PIB du Québec en 2016[5]. Si on ajoute les exportations québécoises vers les autres provinces, cette proportion approche les 45%, ce qui est énorme en comparaison d'autres pays. Même si la part de ses exportations par rapport à celles de l'ensemble du Canada n'est que de 15%, le Québec est dans les faits un des territoires les plus mondialisés qui soient.

Dans ce contexte, le gouvernement du Québec soutient les efforts d'Ottawa dans la création d'accords de libre-échange. Il entend également participer activement à toutes les étapes des négociations commerciales, comme il l'a fait lors de la négociation de l'Accord économique et commercial global (AECG) entre le Canada et l'Union européenne, afin de défendre ses intérêts économiques tout en faisant respecter ses spécificités.

Au nom des principes de la Convention sur la protection et la promotion de la diversité des expressions culturelles de l'UNESCO, Québec compte également soutenir les initiatives visant à exclure la culture des accords commerciaux. Il appuie en outre la protection de la propriété intellectuelle, dont la lutte contre le piratage.

Le gouvernement veut aussi utiliser les accords commerciaux comme levier pour favoriser la transition vers une économie durable. À cet égard, la sécurité alimentaire, le maintien du système de gestion de l'offre en agriculture et la protection de l'éducation supérieure font notamment partie de ses chevaux de bataille.

Afin de stimuler l'internationalisation des entreprises québécoises de façon à les rendre plus productives et plus innovantes, la nouvelle politique souligne l'importance de l'AECG entre le Canada et l'Union européenne. Cet accord, dont la mise en œuvre provisoire a débuté en septembre 2017, leur donne accès à un marché de 500 millions de consommateurs. Québec soutient donc davantage les efforts d'internationalisation, notamment l'inclusion de la production des entreprises dans les chaînes de valeur mondiales (c'est-à-dire dans les différentes étapes de la production internationale d'un bien ou d'un service, de la conception au produit final).

Enfin, la politique internationale met l'accent sur l'importance d'attirer les investissements directs étrangers, les centres de décision ainsi que les événements majeurs. Elle rappelle que le Québec accueille sept organisations ou institutions gouvernementales internationales, dont l'Organisation de l'aviation civile internationale, l'Institut de la statistique de l'UNESCO et le Secrétariat de la Convention sur la diversité biologique.

UN LEADERSHIP ACCRU

Le second axe ou thème de la politique porte sur un monde «plus durable, juste et sécuritaire». Dans ce contexte, le Québec souhaite renforcer son leadership en matière de lutte contre les changements climatiques et de transition énergétique.

Il priorise par exemple l'élargissement de la Western Climate Initiative – un regroupement d'États américains et de provinces canadiennes au sein d'un marché du carbone – avec la Californie. Déjà, l'Ontario s'est jointe au mouvement, tandis que le Mexique constitue un autre partenaire de choix, selon le gouvernement. Le Québec est également présent dans plusieurs réseaux (The Climate Group, nrg4SD, etc.) afin de diffuser l'expertise québécoise et d'échanger sur les meilleures pratiques en matière de changements climatiques.

Il est rare qu'un gouvernement non souverain ait développé une telle expertise et qu'il explique comment les transformations de la politique internationale affectent ses champs de compétence.

En raison de l'importance des ressources naturelles et de la biodiversité au Québec, le gouvernement est aussi actif dans divers réseaux, comme la Conférence des gouverneurs ou la Conférence des gouverneurs et des premiers ministres des Grands Lacs et du fleuve Saint-Laurent. Il souhaite en outre approfondir ses liens avec les acteurs des régions nordiques par l'entremise de l'Arctic Circle.

La solidarité internationale est aussi à l'ordre du jour de la nouvelle politique internationale. Québec souhaite par exemple favoriser la solidarité internationale, notamment en accordant son appui à divers organismes de coopération et d'éducation à la citoyenneté mondiale, et il encourage la promotion des droits et libertés de la personne. Lors de conférences de presse, la ministre des Relations internationales et de la Francophonie, Christine St-Pierre, insiste souvent sur l'égalité entre les femmes et les hommes et le respect des droits des personnes de toutes orientations sexuelles et identités de genre.

La politique favorise également la coopération internationale en matière de sécurité, de radicalisation ainsi que de cybersécurité. La sécurité à la frontière est essentielle pour assurer la fluidité commerciale, entre autres enjeux, rappelle-t-elle. Des ententes conclues avec divers États américains – Maine, Massachusetts, New Hampshire, Vermont, New York – privilégient d'ailleurs une meilleure collaboration en la matière. En outre, afin de lutter contre la propagation des maladies infectieuses et des risques de pandémie, le ministère de la Santé et des Services sociaux du Québec a établi des réseaux internationaux, notamment avec le Center for Disease Control and Prevention des États-Unis, souligne Québec.

CULTURE, SAVOIR ET SPÉCIFICITÉ DU QUÉBEC

La troisième orientation de la politique internationale porte sur la créativité, la culture, le savoir et la « spécificité du Québec ». Elle se décline en trois volets : recherche, innovation et développement du savoir ; culture ; promotion de la langue française.

L'appartenance à la francophonie internationale ainsi que la valorisation de la spécificité québécoise sur les plans linguistique et culturel forment les axes transversaux qui guident l'ensemble de la politique. En effet, la « projection de l'identité québécoise constitue un élément fondamental de la Politique internationale », peut-on y lire. L'originalité du Québec repose aussi sur « l'apport des onze nations autochtones, de la communauté québécoise d'expression anglaise et de la diversité ethnoculturelle issue de l'immigration ».

Du côté de la recherche, bien qu'il ne représente que 0,1 % de la population mondiale, le Québec développe 1 % des connaissances internationales, souligne la politique. En outre, 8 % des publications québécoises figurent parmi les 5 % les plus citées au monde. On constate ainsi que le rayonnement de la production scientifique québécoise est supérieur à la moyenne mondiale. Grâce à des leviers financiers « forts », la nouvelle politique vise à stimuler les collaborations avec des chercheurs internationaux. Déjà fructueux – entre 2000 et 2013, le taux de publications scientifiques réalisées avec des partenaires internationaux a augmenté de près de 35 % au Québec –, ces échanges n'en seront que davantage facilités.

Finalement, le gouvernement veut faire croître et rayonner la culture québécoise à l'extérieur des frontières tout en offrant une réciprocité aux partenaires du Québec. La créativité, l'audace et le talent des artistes et créateurs « sont des traits distinctifs du Québec aux yeux de ses partenaires internationaux et de la presse étrangère », précise-t-il.

L'AMBITION ET LES MOYENS

Par rapport à celles des autres provinces canadiennes et de la plupart des États fédérés, la nouvelle politique internationale du Québec est sans doute la plus complète et la plus cohérente du genre. Il est rare qu'un gouvernement non souverain ait développé une telle expertise et qu'il explique comment les transformations de la politique internationale affectent ses champs de compétence. À défaut d'intéresser les médias en général, les enjeux soulevés par la politique internationale sont indéniablement cruciaux pour le Québec.

D'ailleurs, lorsqu'on compare la nouvelle politique internationale avec la précédente, publiée en 2006[6], on constate qu'elle est beaucoup plus complète. Elle intègre plusieurs éléments absents de la version antérieure, dont les changements climatiques, l'énergie, la mobilité des personnes et des étudiants, l'internationalisation du savoir et l'immigration. Cependant, elle s'inscrit globalement dans la continuité des années Charest.

Afin de favoriser une meilleure cohérence et une concertation entre les différents acteurs concernés, le MRIF a l'intention de mettre sur pied un mécanisme de consultation interministérielle. Il prévoit aussi se doter de mécanismes de consultation avec

La politique favorise également la coopération internationale en matière de sécurité, de radicalisation ainsi que de cybersécurité.

Notons que plusieurs des enjeux qu'aborde la nouvelle politique internationale relèvent de la responsabilité d'autres ministères (Éducation, Santé, Sécurité publique, etc.). Conséquemment, le grand défi de sa mise en œuvre sera la création d'une structure interministérielle dans laquelle le MRIF aura le premier rôle.

les villes et les régions, de même qu'avec des acteurs de la société civile actifs sur la scène internationale. La clé de la réussite de la nouvelle politique internationale du Québec repose sur cette nécessaire collaboration. ◊

Notes et sources, p. 332

LA MONDIALISATION N'EST PLUS CE QU'ELLE ÉTAIT

Les tendances protectionnistes de l'administration Trump posent des défis considérables au Québec, dont l'épineuse renégociation de l'Accord de libre-échange nord-américain (ALENA). Quels sont les enjeux et les risques à surveiller ?

GILBERT GAGNÉ

Professeur titulaire au Département d'études politiques et internationales, Université Bishop's, et directeur du Groupe de recherche sur l'intégration continentale, Université du Québec à Montréal

L'élection de Donald Trump à la présidence des États-Unis en novembre 2016 a eu de multiples répercussions, à la fois réelles et appréhendées, sur l'ensemble de la planète. Pour le Québec, ces conséquences sont avant tout commerciales. Comme pour l'ensemble du Canada, il doit sa prospérité économique d'abord aux exportations, les États-Unis demeurant de loin son principal partenaire commercial.

Or, le président Trump – et quelquefois son administration – a souvent dénoncé les accords commerciaux comme étant responsables du profond déficit commercial des États-Unis. Le président a même déclaré que l'Accord de libre-échange nord-américain (ALENA), qui lie le Canada, les États-Unis et le Mexique, était le pire accord de commerce jamais conclu par son pays et qu'il s'était révélé un désastre pour l'économie américaine. Il n'en est rien : depuis son entrée en vigueur en janvier 1994, l'ALENA a dans l'ensemble été profitable aux trois pays. Cela ne veut pas dire que tous les secteurs d'activité économique des États parties en aient bénéficié. Ainsi l'industrie manufacturière américaine, sur laquelle insiste le président Trump, n'en a pas profité.

Aujourd'hui, les économies des pays riches, comme le Canada et les États-Unis, reposent principalement sur les services et les nouvelles technologies, alors que celles des pays en développement, comme le Mexique, dépendent de plus en plus de l'industrie manufacturière. Il est donc « normal » que l'industrie manufacturière américaine écope en partie de l'ALENA, et il revient aux pouvoirs publics du pays de faciliter la transition des travailleurs et travailleuses vers d'autres secteurs de l'économie. Du reste, c'est la logique sur laquelle repose le commerce international : concentrer la production dans les secteurs où les différents pays jouissent d'un avantage comparatif. Cependant, les statistiques du commerce international renvoient surtout aux échanges de biens et restent assez fragmentaires en ce qui a trait aux services, en plus de ne pas inclure les droits de propriété intellectuelle. Or, ces deux derniers secteurs occupent une place de plus en plus centrale dans le commerce, particulièrement aux États-Unis.

En d'autres mots, si les statistiques donnaient une image plus juste de l'ensemble des échanges commerciaux, le déficit commercial américain, notamment avec le Canada et le Mexique, s'avérerait moins important, peut-être même inexistant. C'est là, bien sûr, un élément primordial sur lequel les partenaires commerciaux des États-Unis doivent insister dans la renégociation de l'ALENA. Toutefois, l'administration Trump est connue pour préférer les vérités « alternatives » aux faits objectifs. Le président ne se prive donc pas d'insister sur la nécessité d'un rééquilibrage des flux commerciaux, en martelant le credo « *Buy American, hire American* » (« Achetez américain, embauchez américain »).

En outre, l'imprévisibilité – pour ne pas dire l'instabilité – représente incontestablement la principale caractéristique de l'actuel occupant de la Maison-Blanche. Après avoir violemment critiqué les échanges avec le Mexique et laissé entendre que seuls des changements mineurs étaient requis aux échanges avec le Canada, il s'en prenait au système canadien de gestion de l'offre dans le secteur laitier. À la fin août 2017, peu après le début de la renégociation de l'ALENA, Donald Trump disait même qu'il semblait impossible de réformer l'accord et que les États-Unis pourraient y mettre fin ! Dans ce contexte, quels sont pour le Québec les principaux enjeux et défis à relever ?

> Québec et Ottawa s'entendent sur le maintien du système de gestion de l'offre dans les secteurs du lait et de la volaille, alors que l'administration Trump le considère comme préjudiciable aux producteurs américains.

L'ACCORD COMMERCIAL AVEC L'EUROPE

Rappelons d'abord qu'à l'initiative de l'ancien premier ministre Jean Charest, le Québec a été à l'origine de l'Accord économique et commercial global (AECG) conclu entre le Canada et l'Union européenne en 2013 et entré en vigueur en septembre dernier[1]. Pour la première – et jusqu'ici l'unique – fois dans l'histoire des négociations commerciales canadiennes, les représentants des provinces figuraient aux côtés de leurs homologues d'Ottawa à la table des négociations. Telle était d'ailleurs la volonté de la Commission européenne, car les pourparlers concernaient des enjeux relevant des compétences des provinces. L'ancien premier ministre Pierre Marc Johnson agissait alors comme négociateur en chef pour le Québec. Au terme de la démarche, en dépit des craintes de certains acteurs économiques tels les producteurs fromagers, l'AECG a renforcé la position du Québec sur l'échiquier international, notamment en lui offrant un accès privilégié aux marchés de l'ensemble de l'Union européenne. Cet accord réduit ainsi la vulnérabilité du Québec face aux États-Unis en cette période d'incertitude.

UN ANCIEN ET UN NOUVEAU CONFLIT COMMERCIAL

Parallèlement à la renégociation de l'ALENA sur fond de rhétorique protectionniste, le sempiternel conflit du bois d'œuvre a récemment refait surface. Au printemps 2017, les États-Unis ont relancé les hostilités en imposant des droits compensateurs et antidumping, sous prétexte que le bois d'œuvre canadien est subventionné et vendu à un prix inférieur à sa juste valeur. Cette nouvelle phase d'un long conflit, la cinquième depuis le début des années 1980, résulte de la fin de l'accord canado-américain sur le bois d'œuvre de 2006, arrivé à échéance en 2015. Les pourparlers actuels visent à conclure une nouvelle entente permettant d'éviter l'application de sanctions sous la forme de recours commerciaux, qui ont atteint près de 27 % en moyenne (19,88 % dans le cas des droits compensateurs et 6,87 % dans le cas des droits

> Le Québec compte pour environ 20 % des exportations canadiennes de bois d'œuvre vers les États-Unis. Contrairement à la Colombie-Britannique, qui a diversifié ses marchés d'exportation vers l'Asie, il demeure essentiellement tributaire des États-Unis à ce chapitre.

antidumping) à la suite de deux décisions provisoires des autorités américaines. La question doit être tranchée vers la fin de 2017.

Le Québec devait pourtant être bien positionné depuis la mise en place de son nouveau régime forestier, en 2013[2]. En effet, le quart des bois de la forêt publique sont mis en vente au moyen d'enchères ; le gouvernement québécois détermine la valeur des redevances forestières pour le reste de la forêt publique à partir de ce marché de référence. Puisque le montant des redevances est basé sur des prix relevant d'un marché libre et concurrentiel, il ne saurait être question de subventionnement. Or, les autorités américaines n'ont pas semblé en faire grand cas. Le Québec compte pour environ 20 % des exportations canadiennes de bois d'œuvre vers les États-Unis. Contrairement à la Colombie-Britannique, qui a diversifié ses marchés d'exportation vers l'Asie, il demeure essentiellement tributaire des États-Unis à ce chapitre. En 2016, les ventes de bois d'œuvre ont représenté près de 12 % de l'ensemble des exportations québécoises, totalisant plus d'un milliard de dollars.

À la suite d'une plainte de l'avionneur Boeing pour pratiques anticoncurrentielles – en raison, entre autres, du milliard de deniers publics versé à son concurrent Bombardier par le gouvernement du Québec pour assurer le succès des nouveaux avions de la C Series –, le département américain du Commerce décidait, à la fin septembre 2017, d'imposer des droits compensateurs exorbitants de 220 % sur tout avion de la C Series acheté par des transporteurs américains. Une autre décision provisoire, concernant des mesures antidumping, était attendue au début octobre. Attaqué au cœur de son économie, le Québec a vivement réagi, enjoignant à Ottawa de se montrer ferme face aux Américains ; cela pourrait marquer le début d'une guerre commerciale[3].

LA RENÉGOCIATION DE L'ALENA

À la suite du désaveu par le président Trump de l'Accord de partenariat transpacifique, une entente de libre-échange conclue en 2015 entre 12 pays, dont les trois parties à l'ALENA, la modernisation de ce dernier accord est à l'ordre du jour. En juillet 2017, les États-Unis ont fait part de leurs objectifs quant à la renégociation de l'ALENA[4]. Sans surprise, ils visent à favoriser les priorités américaines, comme les services, dont les télécommunications et les services financiers, le commerce électronique et la propriété intellectuelle.

Pour le Québec et le Canada, certains de ces objectifs sont plus problématiques que d'autres. C'est le cas de la volonté américaine d'éliminer le chapitre 19, relatif au règlement des différends en matière de droits antidumping et compensateurs. Dans le cas de l'imposition, par l'une des parties, de tels droits à l'encontre des exportations d'une autre partie à l'ALENA, ce chapitre prévoit notamment l'établissement de groupes spéciaux binationaux, composés de spécialistes commerciaux, dont les décisions ont un caractère exécutoire. En 1987, c'était d'ailleurs une condition *sine qua non* du Canada pour la conclusion d'un accord de libre-échange avec les États-Unis ; plus tard, le Mexique s'était joint au Canada pour exiger le maintien de ces dispositions dans l'ALENA. Or, la ministre des Affaires étrangères du Canada, Chrystia Freeland, a indiqué en août 2017 que ce mécanisme devait être maintenu, puisqu'il est hors de question que de telles décisions commerciales soient laissées à la seule discrétion des autorités américaines[5].

Le maintien de l'exemption des industries culturelles prévue par l'ALENA, qui protège notamment les secteurs des publications et de l'audiovisuel, est également une priorité pour les gouvernements canadien et québécois, qui devront s'assurer qu'elle pourra toujours s'appliquer aux produits diffusés sur plateformes numériques. En effet, les États-Unis insistent sur l'absence de restrictions concernant le commerce électronique, alors que les contenus culturels sont de plus en plus diffusés par voie numérique.

Enfin, Québec et Ottawa s'entendent sur le maintien du système de gestion de l'offre dans les secteurs du lait et de la volaille, alors que l'administration Trump le considère comme préjudiciable aux producteurs américains. Ironiquement, des associations d'agriculteurs américains demandent l'adoption d'un système semblable aux États-Unis.

En septembre 2017, l'administration américaine souhaitait inclure une « clause crépusculaire » dans l'ALENA, qui mettrait automatiquement fin au traité après cinq ans (à partir de l'entrée en vigueur d'un traité renouvelé) à moins que les trois États parties ne s'entendent pour le prolonger[6]. Selon les États-Unis, une telle mesure entraînerait une réévaluation de même qu'une amélioration constante de l'accord. Pour le Canada et le Mexique, il s'agirait plutôt d'un moyen de chantage permanent afin d'extorquer de nouvelles concessions. En outre, une telle clause créerait de l'incertitude économique, en contradiction avec la raison première d'un traité de libre-échange. De telles propositions américaines ne laissent guère de doute quant aux intentions protectionnistes de l'administration Trump. En conséquence, la renégociation de l'ALENA risque fort de s'avérer ardue, voire d'échouer.

Même si Ottawa et Québec ne tiennent pas à renouveler l'ALENA à tout prix, l'abrogation du traité n'est envisageable qu'en dernier recours.

LE QUÉBEC, L'ALENA ET LA NÉCESSITÉ D'AVOIR DES ALLIÉS AMÉRICAINS

En tant qu'entité fédérée, le Québec n'a pas sa place à la table des négociations pour le renouvellement de l'ALENA. Cependant, puisqu'Ottawa ne peut contraindre une province à respecter les termes d'un traité quand ceux-ci touchent à ses compétences, ce qui est de plus en plus le cas avec l'expansion du programme commercial, le gouvernement québécois jouit d'une certaine influence. De plus, en tant que deuxième province du Canada sur les plans de l'économie et de la population, le Québec peut même jouer un rôle clé dans les pourparlers, puisqu'un accord sans son assentiment est difficilement concevable.

Vu le rôle primordial du commerce dans la prospérité du Québec et du Canada, la remise en question de l'ALENA par leur principal partenaire commercial – pour qui les accords commerciaux sont les premiers responsables des difficultés économiques des États-Unis – représente des enjeux énormes. Même si Ottawa et Québec ne tiennent pas à renouveler l'ALENA à tout prix, l'abrogation du traité n'est envisageable qu'en dernier recours. Soulignons toutefois que, dans ce cas, l'Accord de libre-échange entre le Canada et les États-Unis s'appliquerait, puisque ce dernier n'a été que suspendu, et non aboli, à la suite de l'entrée en vigueur de l'ALENA.

Pour le Québec comme pour le Canada, le principal défi consiste à persuader leurs homologues américains qu'un ALENA renouvelé à l'avantage de chacun de ses États parties est dans leur intérêt. À défaut de pouvoir en convaincre une administration protectionniste et imprévisible, le Québec, à l'instar du Canada, a multiplié les contacts aux États-Unis auprès de membres et de représentants du Congrès américain, d'États, d'associations d'entreprises ou d'associations issues de la société civile qui partagent ses vues et intérêts. C'est en effet l'insistance de multiples intervenants américains quant au maintien de l'ALENA qui est le plus susceptible d'amener l'administration Trump à des compromis permettant son renouvellement, dans des conditions jugées acceptables par ses trois États parties. ◊

Notes et sources, p. 332

BOMBARDIER : « LA GUERRE EST LOIN D'ÊTRE FINIE »
— KIM JONG-PHIL
GÉNÉRALE ANGLADE, PROCÉDONS AU TEST DE NOTRE ARME SUPRÊME !
À VOS ORDRES, Ô GRAND LEADER ADORÉ.
SIROP
GARNOTTE
2017-09-28

NOTES ET SOURCES

CLÉ 01 — SONDAGE

Les Québécois ne croient plus en la politique pour améliorer leur vie

1. Réalisé sur le Web entre le 22 juin et le 2 juillet 2017 auprès d'un échantillon représentatif de 1 000 personnes de 18 ans et plus.

CLÉ 02 — ÉDUCATION

Du nouveau à l'école des réformes

1. Christian Maroy, Cécile Mathou et Samuel Vaillancourt, « La gestion axée sur les résultats au cœur de l'école québécoise : l'autonomie professionnelle des enseignants sous pression », dans Yves Dutercq et Christian Maroy (dir.), *Professionnalisme enseignant et politiques de responsabilisation*, Paris, De Boeck, coll. « Perspectives en éducation », 2017, p. 35-53.
2. Conseil supérieur de l'éducation, *Pour l'amélioration continue du curriculum et des programmes d'études 2012-2014 – Rapport sur l'état et les besoins de l'éducation*, Québec, Gouvernement du Québec, 2014. En ligne : https://www.cse.gouv.qc.ca/fichiers/documents/publications/CEBE/50-0199.pdf

Diplomation universitaire canadienne : étonnant revirement au Québec

1. Les données de ce texte sont tirées de Robert Lacroix et Louis Maheu, *Les caractéristiques de la diplomation universitaire canadienne*, CIRANO, avril 2017.
2. Martin Turcotte, « Les femmes et l'éducation », dans *Femmes au Canada : rapport statistique fondé sur le sexe*, Ottawa, Statistique Canada, 2011, p. 99-120.
3. Darcy Hango, *Les différences entre les sexes dans les programmes de sciences, technologies, génie, mathématiques et sciences informatiques (STGM) à l'université*, Ottawa, Statistique Canada, 2013.
4. Ministère de l'Enseignement supérieur, de la Recherche, de la Science et de la Technologie, *La relance à l'université – 2011*, Québec, 2013 ; et Kristyn Frank, Marc Frenette et René Morissette, *Les résultats des jeunes diplômés postsecondaires sur le marché du travail, 2005 à 2012*, Ottawa, Statistique Canada, 2015.

L'éducation des adultes, 35 ans après le rapport Jean

Daniel Baril, Institut de coopération pour l'éducation des adultes, « L'éducation des adultes en transition », dans *Apprendre + agir*, 2016. En ligne : http://icea.qc.ca/site/fr/l%E2%80%99%C3%A9ducation-des-adultes-en-transition

Commission d'étude sur la formation des adultes, *Apprendre : une action volontaire et responsable. Énoncé d'une politique globale de l'éducation des adultes dans une perspective d'éducation permanente*, Montréal, Gouvernement du Québec, 1982.

Hélène Desrosiers et coll., *Les compétences en littératie, en numératie et en résolution de problèmes dans des environnements technologiques : des clefs pour relever les défis du XXIe siècle. Rapport québécois du Programme pour l'évaluation internationale des compétences des adultes (PEICA)*, Institut de la statistique du Québec, Québec, 2015.

Ministère de l'Éducation du Québec, *Politique gouvernementale d'éducation des adultes et de formation continue. Apprendre tout au long de la vie*, Gouvernement du Québec, 2002.

Ministère de l'Éducation du Québec, *Plan d'action en matière d'éducation des adultes et de formation continue*, Gouvernement du Québec, 2002.

Statistique Canada, *Les compétences au Canada : Premiers résultats du Programme pour l'évaluation internationale des compétences des adultes (PEICA)*, Ottawa, Division du tourisme et du centre de la statistique de l'éducation, Statistique Canada et Emploi et développement social, Gouvernement du Canada, 2013.

UNESCO, *Conceptions and Realities of Lifelong Learning. Background Paper Prepared for the 2016 Global Education Monitoring Report*, Hambourg, UNESCO Institute for Lifelong Learning, 2016. En ligne : http://unesdoc.unesco.org/images/0024/002456/245626e.pdf

UNESCO, *Recommandation sur l'apprentissage et l'éducation des adultes*, Paris, UNESCO, 2015. En ligne : http://unesdoc.unesco.org/images/0024/002451/245179f.pdf

UNESCO, *CONFINTEA – Exploiter le pouvoir et le potentiel de l'apprentissage et de l'éducation des adultes pour un avenir viable. Cadre d'action de Belém*, Hambourg, UNESCO Institute for Lifelong Learning, 2010. En ligne : http://unesdoc.unesco.org/images/0018/001877/187789m.pdf

Les services éducatifs à la petite enfance doivent faire leurs devoirs

1. Gouvernement du Québec, *Nouvelles dispositions de la politique familiale. Les enfants au cœur de nos choix*, 1997. En ligne : aqcpe.com/content/uploads/2016/05/les-enfants-au-coeur-de-nos-choix-politique-familiale-1997.pdf
2. Pierre Fortin, *Les services de garde à l'enfance : aspects économiques* (dans le cadre de la Commission sur l'éducation à la petite enfance), Montréal, 2016. En ligne : inm.qc.ca/commission petiteenfance/memoires/07Pierre%20Fortin.pdf
3. La commission était présidée par André Lebon et composée de deux commissaires indépendants : Martine Desjardins et Pierre Landry. Les opérations et le secrétariat de cette commission étaient sous la responsabilité de l'Institut du Nouveau Monde (INM). En ligne : inm.qc.ca/commission-education-petite-enfance
4. Commission sur l'éducation à la petite enfance, *Pour continuer à grandir*, rapport, 2017. En ligne : inm.qc.ca/commissionpetiteenfance/rapport_cpe.pdf
5. Ministère de l'Éducation et de l'Enseignement supérieur, *Politique de la réussite éducative : le plaisir d'apprendre, la chance de réussir*, Québec, Gouvernement du Québec, 2017. En ligne : education.gouv.qc.ca/fileadmin/site_web/documents/PSG/politiques_orientations/politique_reussite_educative_10 juillet_F_1.pdf

CLÉ 03 — CULTURE

La loi 101 et l'enjeu linguistique : un « *cold case* » ?

1. Préambule de la *Charte de la langue française*, Québec, 1977.
2. Ministère d'État au Développement culturel, *La politique québécoise de développement culturel, volume 1. Perspectives d'ensemble : de quelle culture s'agit-il ?*, Québec, Éditeur officiel, 1978, p. 6.
3. Voir Marcel Martel et Martin Pâquet, « L'enjeu linguistique au Québec. Relations de domination et prise de parole citoyenne depuis les années 1960 », dans *Vingtième siècle*, n° 129, janvier-mars 2016, p. 75-89.
4. José Woehrling, « La Charte de la langue française : des ajustements juridiques », dans Michel Plourde (dir.), *Le français au Québec : 400 ans d'histoire et de vie*, Montréal, Fides/Les Publications du Québec, 2000, p. 285-291.
5. *Renvoi relatif à la sécession du Québec*, 2 R.C.S. 217 [1998].
6. Gérard Bouchard et Charles Taylor, *Fonder l'avenir. Le temps de la conciliation*, Commission de consultation sur les pratiques d'accommodement reliées aux différences culturelles, Québec, 2008, p. 217.
7. Simon Langlois, *Le Québec change*, Montréal, Del Busso Éditeur, 2017, p. 274-275.
8. En ligne : www12.statcan.gc.ca/census-recensement/2016/as-sa/98-200-x/2016011/98-200-x2016011-fra.cfm
9. Judith Lachapelle, « L'anglais très attrayant pour les allophones », dans *La Presse*, 1er juin 2015, et Simon Langlois, *op. cit.*, p. 278.

CLÉ 04 — ÉCONOMIE

Reconnaissance des acquis et des compétences des immigrants : les défis derrière les mythes

1. Cet article a été rédigé avant la tenue de cette rencontre.
2. La publication, en décembre 2016, du rapport de l'Institut du Québec (IdQ) intitulé *Comparer Montréal : le paradoxe de l'immigration montréalaise* a mis sur la sellette les ordres professionnels. À l'occasion de déclarations aux médias, l'IdQ et la Chambre de commerce du Montréal métropolitain

ont sommé les ordres d'alléger leurs critères d'admission, qui nuisaient, selon eux, au recrutement de travailleurs étrangers essentiels au développement économique de la métropole.

3. Les ministères : Immigration, Éducation, Relations internationales, Emploi, et Santé et Services sociaux. Les organismes gouvernementaux : Commission des partenaires du marché du travail, Office des professions du Québec, Office québécois de la langue française. L'organisme non gouvernemental : Conseil interprofessionnel du Québec.

4. Voir le mémoire du 23 août 2016 du CIQ sur le projet de loi 98.

Classe moyenne : qui pense en faire partie et l'impact sur la perception de sa contribution fiscale

1. Antoine Genest-Grégoire, Jean-Herman Guay et Luc Godbout, *Classes sociales et fiscalité : comment perçoit-on la classe moyenne ? Des résultats confrontant la réalité et la fiction*, Cahier de recherche nº 2017-05 de la Chaire de recherche en fiscalité et en finances publiques, Université de Sherbrooke, 2017.

2. Jonathan Kelley et M. D. R. Evans, « Class and Class Conflict in Six Western Nations », dans *American Sociological Review*, vol. 60, nº 2, 1995.

3. Klaus Gründler et Sebastian Köllner, « Determinants of Governmental Redistribution : Income Distribution, Development Levels, and the Role of Perceptions », dans *Journal of Comparative Economics*, octobre 2016.

4. Antoine Genest-Grégoire, Luc Godbout et Jean-Herman Guay, *Littératie fiscale : exploration du concept et bulletin de la population québécoise*, Cahier de recherche nº 2016-03 de la Chaire de recherche en fiscalité et en finances publiques, Université de Sherbrooke, 2016.

CLÉ 05 — INTELLIGENCE ARTIFICIELLE

Automatisation et emploi : quels défis devant ?

1. Une variation de 1 point de pourcentage modifie les revenus autonomes du gouvernement du Québec d'environ 650 millions de dollars. *Budget 2017-2018. Le Plan économique du Québec – Mars 2017*, Québec, Gouvernement du Québec, mars 2017.

2. Sondage IPSOS CanadaNext–Canada vers 2030–IBM Canada. Étude réalisée en juin 2017 auprès de 2 000 Canadiens. D'autres questions du sondage révèlent que 33 % des Québécois croient que les avancées technologiques vont créer davantage d'emplois (et de meilleurs), alors que 38 % croient l'inverse. Les Québécois sont les plus optimistes au pays face aux changements à venir.

3. Trois révolutions sont à distinguer ici. Révolution technologique d'automatisation : les téléphonistes et les employés des comptoirs bancaires, d'enregistrement à l'aéroport ou de stationnement ont été partiellement remplacés par des machines. Révolution technologique de modèle d'affaires : les comptables ainsi que les employés des agences de voyages et des clubs vidéo ont été les victimes de TurboTax, d'Expedia et de Netflix. Révolution de remplacement : elle touche les photograveurs et monteurs de plaques en imprimerie, ainsi que les réparateurs de télécopieurs ou de téléphones à cadran.

4. Toujours plus rapide, l'intelligence artificielle munie de superfonctions cognitives dépassera les capacités du cerveau humain d'ici 2029, affirme le futurologue américain Ray Kurtzweil.

5. L'International Federation of Robotics prévoit la création de 1 à 2 millions d'emplois dans son secteur entre 2017 et 2020.

6. En ligne : public.tableau.com/profile/mckinsey.analytics#!/vizhome/InternationalAutomation/WhereMachinesCanReplaceHumans

7. OCDE, *The Risk of Automation for Jobs in OECD Countries* et *Employment Outlook 2016*.

8. Les industries dont moins de 25 % des emplois sont à risque représenteraient 27,5 % de l'emploi total (4,9 millions de travailleurs), tandis que celles dont plus de 75 % des emplois sont à risque emploient seulement 1,7 % des Canadiens. Matthias Oschinski et Rosalie Wyonch, *Future Shock ? The Impact of Automation on Canada's Labour Market*, commentaire 472 de l'institut C.D. Howe, mars 2017. Voir aussi l'outil de simulation des emplois à risque : cdhowe.org/graphic-intelligence/occupational-hazard-your-job-risk-automation

9. Un exemple : inauguré en 2016 à Singapour, le crédit SkillsFuture fournit à chaque Singapourien de plus de 25 ans un crédit de 500 $ à utiliser pour un éventail de cours appuyés par le gouvernement.

Le crédit n'expire jamais et est rechargé périodiquement tout au long de la carrière de la personne. Des bénéfices supplémentaires s'appliquent aux travailleurs âgés. En ligne : skillsfuture.sg

Vers la PME 4.0

1. Georges Abdul-Nour et Sébastien Gamache, « Toward Industry 4.0 : Studies and Practices in Quebec SMEs », UQTR, octobre 2017.
2. CEFRIO, Indice du commerce électronique au Québec (ICEQ) – Volet entreprises, édition 2015.

CLÉ 06 — SANTÉ

Revoir le mode de rémunération des médecins est une opération délicate

1. Vérificateur général du Québec, *Rémunération des médecins : conception et suivi des ententes – Ministère de la Santé et des Services sociaux,* dans *Rapport du Vérificateur général du Québec à l'Assemblée nationale pour l'année 2015-2016 – Vérification de l'optimisation des ressources*, Gouvernement du Québec, automne 2015. En ligne : vgq.gouv.qc.ca/fr/fr_publications/fr_rapport-annuel/fr_2015-2016-VOR-Automne/fr_Rapport2015-2016-VOR-Chap02.pdf
2. Guillaume Hébert, « La rémunération des médecins québécois », note socioéconomique, Institut de recherche et d'informations socioéconomiques (IRIS), juin 2016.
3. Institut canadien d'information sur la santé (ICIS), *Tendances des dépenses nationales de santé, 1975 à 2014*, ICIS, octobre 2014.
4. Vérificateur général du Québec, *Rémunération des médecins : conception et suivi des ententes, op. cit.*
5. Jean-Louis Denis *et al.*, *Rémunération médicale et gouvernance clinique performante : une analyse comparative,* Fonds de recherche du Québec – Société et culture, février 2017. En ligne : http://www.frqsc.gouv.qc.ca/documents/11326/448958/PC_DenisJ-L_rapport_Remuneration-medicale.pdf/c04d90d6-ef8c-4919-b921-ee508d62aa76
6. La capitation représente une somme forfaitaire octroyée pour une grande variété de services (offerts dans une période donnée), par patient inscrit dans une clinique ou un cabinet médicaux, indépendamment du volume de soins prodigués. Le médecin perçoit une somme forfaitaire pour chaque patient faisant partie de la clientèle de son cabinet.
7. Tim Doran, Kristin A. Maurer et Andrew M. Ryan, « Impact of Provider Incentives on Quality and Value of Health Care », dans *Annual Review of Public Health*, Palo Alto, vol. 38, 2017, p. 449-465.
8. Intitulé « Loi modifiant certaines dispositions relatives à l'organisation clinique et à la gestion des établissements de santé et de services sociaux », le projet de loi 130 accorde aux directions des centres hospitaliers le pouvoir de sanctionner les médecins dont la pratique ne répondra pas aux besoins de l'établissement et à son fonctionnement optimal.

CLÉ 07 — ÉNERGIE

Politique énergétique du Québec : le flou persiste

1. Philippe Mercure, « L'évangile selon Pierre Arcand », dans *La Presse+*, 28 juin 2017.

Le Réseau électrique métropolitain : le train de la controverse

1. Agence métropolitaine de transport, *Enquête origine-destination 2013 : la mobilité des personnes dans la région de Montréal*, 2015. En ligne : https://rtm.quebec/Media/Default/pdf/section8/enquete-od-2013-mobilite-personnes-region-montreal.pdf
2. *Ibid.*
3. *Ibid.*

CLÉ 08 — CLIMAT

Le secteur forestier au secours de la lutte aux changements climatiques

1. Groupe d'experts intergouvernemental sur l'évolution du climat, Bert Metz *et al.*, *L'atténuation du changement climatique*, rapport du Groupe de travail III, Cambridge et New York, Cambridge University Press, 2007.
2. Gouvernement du Québec, *Plan d'action 2013-2020 sur les changements climatiques*, 2012.
3. Association des produits forestiers du Canada, *Le défi « 30 en 30 » des changements climatiques*, 2016.

Changements climatiques : l'urgence d'une décarbonisation profonde

1. Renaud Gignac et Bertrand Schepper (IRIS), « Transition », dans Gabrielle Brais Harvey (dir.),

Cinq chantiers pour changer le Québec, Montréal, Les Éditions Écosociété, 2016, p. 103-124.
2. Ministère du Développement durable, de l'Environnement et de la Lutte contre les changements climatiques (MDDELCC), *Cible de réduction d'émissions de gaz à effet de serre du Québec pour 2030 – Document de consultation*, Québec, Gouvernement du Québec, 2015. En ligne : http://www.mddelcc.gouv.qc.ca/changementsclimatiques/consultations/cible2030/index.htm
3. MDDELCC, *Inventaire québécois des émissions de gaz à effet de serre en 2014 et leur évolution depuis 1990*, Québec, Gouvernement du Québec, 2016. En ligne : http://www.mddelcc.gouv.qc.ca/changements/ges/2014/Inventaire1990-2014.pdf
4. L'étude du Regroupement national des conseils régionaux de l'environnement du Québec (RNCREQ) a été réalisée en 2017 par Transitio Services-conseils avec le soutien financier du Fonds vert dans le cadre du *Plan d'action 2013-2020 sur les changements climatiques*.
5. RNCREQ, *Comment vivront les ménages québécois en 2020, 2030 et 2050 ? Évolution du budget carbone des ménages. Étude – Phase 1*, 2017.
6. RNCREQ, *op. cit.*, note 4.
7. Les émissions des ménages comptabilisées dans l'étude du RNCREQ proviennent des sources suivantes : véhicules privés à essence (routiers et hors route), combustibles résidentiels, production domestique de matières résiduelles, utilisation des transports collectifs et consommation d'électricité (note des auteurs).
8. La Norvège est un pays de comparaison intéressant pour le Québec, car l'hydroélectricité est également une source importante d'énergie là-bas. Voir Kjartan Steen-Olsen, Richard Wood et Edgar G. Hertwich, « The Carbon Footprint of Norwegian Household Consumption 1999-2012 », dans *Journal of Industrial Ecology*, vol. 20, n° 3, 2016. En ligne : http://onlinelibrary.wiley.com/doi/10.1111/jiec.12405/full
9. Les valeurs projetées tiennent compte des principaux gaz à effet de serre (CO_2, méthane et protoxyde d'azote) et correspondent aux cibles et objectifs du Québec pour 2020, 2030 et 2050. On suppose que la part des émissions attribuables aux ménages restera la même (32 %) jusqu'en 2050. RNCREQ, *op. cit.*, note 4.
10. Institut du développement durable et des relations internationales (IDDRI), *Modes de vie et empreinte carbone. Prospective des modes de vie en France à l'horizon 2050 et empreinte carbone*, Paris, Le Club d'ingénierie Prospective Énergie et Environnement, 2012. En ligne : http://www.iddri.org/Publications/Les-cahiers-du-CLIP/Clip21_modes%20de%20vie%20prospective%202050.pdf ; Yves-Marie Abraham, Louis Marion et Hervé Philippe, *Décroissance versus développement durable. Débats pour la suite du monde*, Montréal, Les Éditions Écosociété, 2011.
11. Dennis Meadows, Donella Meadows et Jorgen Randers, *Les limites à la croissance (dans un monde fini). Le rapport Meadows 30 ans après*, Montréal, Les Éditions Écosociété, 2013 ; Serge Mongeau, *Objecteurs de croissance. Pour sortir de l'impasse : la décroissance*, Montréal, Les Éditions Écosociété, 2007.
12. Agence de l'environnement et de la maîtrise de l'énergie (ADEME), *Visions énergie climat 2030/2050. Quels modes de vie pour demain ?*, 2014. En ligne : http://www.ademe.fr/sites/default/files/assets/documents/visions-energie-climat-2030-2050-partie-1-2014-8102.pdf ; Chris Bataille, David Sawyer et Noel Melton, *Pathways to deep decarbonization in Canada*, Sustainable Development Solutions Network et IDDRI, 2015. En ligne : http://deepdecarbonization.org/wp-content/uploads/2015/09/DDPP_CAN.pdf
13. RNCREQ, *op. cit.*, note 4.
14. Angela Druckman et Tim Jackson, « Understanding Households as Drivers of Carbon Emissions », dans Roland Clift et Angela Druckman, *Taking Stock of Industrial Ecology*, Berlin, Springer, 2016, p. 181-203. En ligne : http://link.springer.com/chapter/10.1007/978-3-319-20571-7_9

CLÉ 09 — DIVERSITÉ CULTURELLE

Commission Bouchard-Taylor : des demandes d'accommodement aux demandes de reddition de comptes

1. Stéphane Baillargeon avec Robert Dutrisac et Lisa-Marie Gervais, « Dix ans après Bouchard-

Taylor, tant reste à faire », dans *Le Devoir*, 4 février 2017.

Le vivre-ensemble au Québec vu par les jeunes

1. Échelonnée sur une période de deux ans, la Démarche jeunesse sur le vivre-ensemble de l'INM invite les jeunes à une réflexion approfondie sur les thèmes et les problématiques en lien avec le vivre-ensemble au Québec. Ce projet reçoit le financement du ministère de l'Immigration, de la Diversité et de l'Inclusion dans le cadre du programme Mobilisation-Diversité. Pour plus d'information : inm.qc.ca/vivre-ensemble.

2. Ce thème a été abordé dans le cadre du profil Innovation – Médias et vivre-ensemble de l'École d'hiver 2017 de l'INM. Pour consulter l'ensemble des propositions élaborées par les jeunes : inm.qc.ca/blog/ve-comment-participer.

3. Andrée Ducharme, « Aujourd'hui encore, 97,7 % des journalistes canadiens sont blancs », dans *Le trente*, vol. 24, nº 4, avril 2000. En ligne : fpjq.org/aujourdhui-encore-977-des-journalistes-canadiens-sont-blancs

4. Enquête nationale auprès des ménages (ENM) de 2011 de Statistique Canada.

5. Ce thème a été abordé dans le cadre du profil Mobilisation – Vivre-ensemble de l'École d'été 2017 de l'INM. Pour consulter la campagne mise de l'avant par les jeunes : inm.qc.ca/blog/ve-comment-participer.

CLÉ 10 — JUSTICE

L'arrêt Jordan : le procès inattendu de notre système de justice

1. *R.* c. *Jordan*, [2016] CSC 27. En ligne : https://scccsc.lexum.com/scc-csc/scc-csc/fr/item/16057/index.do

2. *R.* c. *Cody*, [2017] CSC 31. En ligne : https://scc-csc.lexum.com/scc-csc/scc-csc/fr/item/16693/index.do

3. Comité sénatorial permanent des affaires juridiques et constitutionnelles, *Justice différée, justice refusée : l'urgence de réduire les longs délais dans le système judiciaire au Canada*, rapport final, juin 2017. En ligne : https://sencanada.ca/content/sen/committee/421/LCJC/reports/Court_Delays_ Final_Report_f.pdf

4. RLRQ, c. I-13.2.1.

5. Voir le projet sur l'accès au droit et à la justice (adaj.ca).

6. Le dernier date de 1975 : *La justice contemporaine*, Québec, ministère de la Justice, 360 p.

CLÉ 11 — RECHERCHE SCIENTIFIQUE

La science au service des grands enjeux internationaux

1. Le Fonds de recherche du Québec – Nature et technologies ; le Fonds de recherche du Québec – Santé ; le Fonds de recherche du Québec – Société et culture.

Un contexte favorable aux investissements en science et en innovation

1. Site du ministère de l'Économie, de la Science et de l'Innovation, *Stratégie québécoise de la recherche et de l'innovation*.

2. Site du ministère des Relations internationales et de la Francophonie, *Politique internationale du Québec*.

3. Site du ministère de l'Économie, de la Science et de l'Innovation, *Stratégie québécoise des sciences de la vie 2017-2027*.

4. Site du ministère de l'Économie, de la Science et de l'Innovation, *Stratégie numérique du Québec*.

CLÉ 12 — POLITIQUE PROVINCIALE

Le Québec est-il vulnérable à une dérive populiste ?

1. États financiers du PLQ. En ligne : electionsquebec.qc.ca/francais/provincial/financement-et-depenses-electorales/rapports/2015/Parti%20lib%C3%A9ral%20du%20Qu%C3%A9bec/Rapport%20du%20parti.pdf

2. Alec Castonguay, « Les partis politiques sont-ils dépassés ? », dans *L'actualité*, 15 avril 2017, p. 22.

3. Paul St-Pierre Plamondon, *Osez repenser le PQ*, janvier 2017. En ligne : ledevoir.com/documents/pdf/pq_rapport_plamondon.pdf

4. Alec Castonguay, « Les partis politiques sont-ils dépassés ? », *op. cit.*, p. 22.

5. Pascal Delwitt, « Still in decline ? Party membership in Europe », dans Emilie van Haute (dir.), *Party Membership in Europe. Exploration Into the Anthills of Party Politics*, Éditions de l'Université de Bruxelles, 2011.

6. Pierre Bréchon, *Les partis politiques français*, Éditions La documentation française, coll. « Les études de la documentation française », Paris, 2005.
7. Jean-Herman Guay, « Essai de redéfinition des fonctions partisanes », dans *La politique appliquée : pédagogies, méthodes, acteurs et contextes*, Montréal, Groupéditions, p. 119-164.
8. Richard S. Katz et Peter Mair, « The Cartel Party Thesis : A Restatement », dans *Perspectives on Politics*, vol. 7, n° 4, 2009, p. 760.
9. Peter Baker, « Trump Finds That Demolishing Obama's Legacy Is Not So Simple », dans *The New York Times*, 18 juillet 2017. En ligne : nytimes.com/2017/07/18/us/politics/trump-obama-legacy-dismantle.html
10. Carl Meeus, « Sondage : été meurtrier pour Emmanuel Macron », dans *Le Figaro*, 31 août 2017. En ligne : lefigaro.fr/politique/2017/08/31/01002-20170831ARTFIG00100-sondage-ete-meurtrier-pour-emmanuel-macron.php
11. Guillaume Bourgault-Côté, « Le Québec désabusé de ses élus », dans *Le Devoir*, 24 mars 2016. En ligne : ledevoir.com/politique/quebec/466350/sondage-leger-le-devoir-le-jdem-le-quebec-desabuse-de-ses-elus
12. Gaétan Pouliot et Mélanie Julien, « Une majorité de Canadiens exprime des craintes face à l'immigration », Radio-Canada, mars 2017. En ligne : ici.radio-canada.ca/nouvelles/special/2017/03/sondage-crop/canadiens-tolerance-religion-immigrants-identite-culture/
13. CROP, août 2017. En ligne : crop.ca/fr/blog/2017/195/
14. Patrick Bellerose, « Citoyens au pouvoir : le co-porte-parole de "Rambo" Gauthier démissionne », dans *HuffPost Québec*, 23 janvier 2017. En ligne : quebec.huffingtonpost.ca/2017/01/23/citoyens-au-pouvoir-le-co-porte-parole-de-rambo-gauthier-demissionne_n_14346874.html
15. Louis-Samuel Perron et Philippe Teisceira-Lessard, « Un parti politique et un club de boxe pour l'extrême-droite », dans *La Presse*, 16 août 2017. En ligne : lapresse.ca/actualites/politique/politique-quebecoise/201708/15/01-5124890-un-parti-politique-et-un-club-de-boxe-pour-lextreme-droite.php
16. Jean-Philippe Robillard, « La mouvance de l'extrême droite plus visible au Québec », Radio-Canada, 25 septembre 2017. En ligne : ici.radio-canada.ca/nouvelle/1057836/mouvance-xtreme-droite-portrait-quebec-meute
17. Kathryne Lamontagne, « Lisée a tenu des propos "indignes", dénonce Louise Harel », Agence QMI, 19 août 2017. En ligne : tvanouvelles.ca/2017/08/29/lisee-a-tenu-des-propos-indignes-de-nonce-louise-harel
18. Sondage Léger, août 2017. En ligne : leger360.com/admin/upload/publi_pdf/La%20politique%20au%20Qu%C3%A9bec_Ao%C3%BBt%202017%20-%20prov.pdf
19. Legault et la CAQ proposent une vision dans laquelle l'État donne plus de liberté aux entreprises. Voir : lapresse.ca/actualites/politique/politique-quebecoise/201709/24/01-5136175-francois-legault-invite-les-jeunes-caquistes-a-une-nouvelle-revolution-tranquille.php
20. Patrick Lagacé, « Les cloutiéristes », dans *La Presse +*, 15 avril 2015. En ligne : plus.lapresse.ca/screens/5a5cff95-7d9c-4537-b768-f2cc05e0f5ff%7C_0.html

L'usure du pouvoir fait mal au gouvernement Couillard

1. François Pétry *et al.*, « Le gouvernement Couillard tient davantage ses promesses que ses prédécesseurs », dans Annick Poitras (dir.), *L'état du Québec 2016*, Montréal, Institut du Nouveau Monde/Del Busso, 2015, p. 185-190.
2. Le polimètre Couillard (poltext.org/fr/polimetre-couillard) est financé par une subvention équipe et par une subvention de regroupement stratégique du Fonds de recherche du Québec – Société et culture (FRQSC). Pour être considérée comme « réalisée », une promesse doit être suivie d'une action gouvernementale officiellement sanctionnée (loi, règlement, traité diplomatique, etc.). Une promesse est « en voie de réalisation ou partiellement réalisée » si une action pour la mettre en œuvre a été officiellement entreprise (livre blanc, dépôt d'un projet de loi, par exemple) ou si la mesure qui a été prise est un compromis par rapport à une promesse du programme. Une promesse est dite « rompue » lorsque le gouvernement renonce explicitement à la

réaliser. Les promesses n'ayant donné lieu à aucune action officielle en vue de leur réalisation sans pour autant avoir été reniées ou bloquées sont considérées comme « en suspens ».
3. Le score de Philippe Couillard un an avant la fin de son mandat se compare favorablement aux résultats de fin de mandat dans des pays aussi divers que l'Allemagne, l'Espagne, le Portugal ou les États-Unis. Voir à ce propos Robert Thomson *et al.*, « The Fulfillment of Parties' Election Pledges : A Comparative Study on the Impact of Power Sharing », dans *American Journal of Political Science*, vol. 61, n° 3, juillet 2017, p. 527-542.
4. Comme les enjeux identitaires ont dominé les bulletins de nouvelles en fin de campagne, les promesses libérales concernant l'avenir de l'État québécois ont échappé à un véritable débat public avant les élections. Pourtant, ces promesses mèneraient à une restructuration de l'État québécois qui toucherait profondément les services publics et les opinions des électeurs.
5. Depuis, entre mai et octobre 2017, le gouvernement libéral a réalisé 6 nouvelles promesses, augmentant ainsi son score de 4 points de pourcentage, pour atteindre 76 %.
6. Léger, *La politique au Québec*, 25 août 2017. En ligne : leger360.com/admin/upload/publi_pdf/La%20politique%20au%20Qu%C3%A9bec_Ao%C3%BBt%202017%20-%20prov.pdf
7. Les recherches démontrent que même s'ils ne sont pas toujours informés politiquement, les électeurs savent utiliser de manière efficace certains raccourcis d'information qui leur permettent d'évaluer correctement l'état de réalisation des promesses du gouvernement. Voir François Pétry et Dominic Duval, « When heuristics go bad : Citizens' misevaluations of campaign pledge fulfilment », dans *Electoral Studies*, vol. 50, décembre 2017, p. 116-127.
8. Ginette Lamarche, « Comment détecter les signes de l'usure du pouvoir ? », Radio-Canada, 12 septembre 2015. En ligne : radio-canada.ca/nouvelle/738463/usure-pouvoir-signes-trudeau-mulroney-chretien-harper
9. Léger, *La politique au Québec*, 25 août 2017. En ligne : leger360.com/admin/upload/publi_pdf/La%20politique%20au%20Qu%C3%A9bec_Ao%C3%BBt%202017%20-%20prov.pdf
10. Selon la théorie des préjugés défavorables (*negativity bias*), les individus accordent plus d'attention aux évènements négatifs qu'aux événements positifs et en tiennent compte davantage dans leurs jugements cognitifs, même lorsqu'il y a des contrepoids positifs. Voir Paul Rozin et Edward B. Royzman, « Negativity Bias, Negativity Dominance, and Contagion », dans *Personality and Social Psychology Review*, vol. 5, n° 4, 2001, p. 296-320.

CLÉ 13 — POLITIQUE FÉDÉRALE

Comment Donald Trump pourrait changer le Canada

1. John Paul Tasker, *CBC News*, « Trudeau looks to court U.S. governors as NAFTA talks loom », 13 juillet 2017. En ligne : http://www.cbc.ca/news/politics/trudeau-governors-rhode-island-1.4202457
2. Mike Blanchfield, *TheStar.com*, « Freeland's Canadian values speech won't be aimed at Trump », 22 mai 2017.
3. « Déclaration du premier ministre du Canada en réponse à la décision des États-Unis de se retirer de l'Accord de Paris », 1er juin 2017. En ligne : http://pm.gc.ca/fra/nouvelles/2017/06/01/declaration-du-premier-ministre-du-canada-reponse-la-decision-des-etats-unis-de
4. Kathryn Harrison, « Climate Change Politics in the Age of Trudeau and Trump ». En ligne : http://www.arts.ubc.ca/climate-change-politics-in-the-age-of-trudeau-and-trump
5. James Wood, *Calgary Herald*, « Trudeau cabinet calls Trump's Keystone XL decision 'good moment for Alberta' », 24 janvier 2017.
6. « Déclaration commune du président Donald J. Trump et du premier ministre Justin Trudeau », 13 février 2017. En ligne : http://pm.gc.ca/fra/nouvelles/2017/02/13/declaration-commune-du-president-donald-j-trump-et-du-premier-ministre-justin
7. « Stop swooning over Justin Trudeau. The man is a disaster for the planet », *The Guardian*, 17 avril 2017.
8. Derek H. Burney et Fen Hosler Hampson, *Brave New Canada. Meeting the Challenge of a Changing World*, McGill-Queen's University Press, 2014, p. 29.

9. Joël-Denis Bellavance, *LaPresse.ca*, « ALENA : les États-Unis exigent des changements majeurs », 16 août 2017.
10. « The last thing they need », *The Economist*, 1er-7 juillet 2017, p. 26-27.
11. Douglas Quan, *National Post*, « Liberal government 'testing the limits' of Canadians' attitudes to refugees : poll », 20 février 2017.

Légalisation du cannabis : l'éléphant dans la pièce

1. Sharon R. Sznitman et Yuval Zolotov, « Cannabis for therapeutic purposes and public health and safety : a systematic and critical review », dans *The International Journal of Drug Policy*, vol. 26, n° 1, 2015, p. 20-29.
2. Règlement sur la marihuana à des fins médicales, Gouvernement du Canada.
3. Accès au cannabis à des fins médicales (2016-2017) – producteurs autorisés : données trimestrielles, Santé Canada. Données sur le marché à partir des rapports trimestriels des producteurs licenciés en vertu du Règlement sur l'accès au cannabis à des fins médicales. En ligne : canada.ca/fr/sante-canada/services/medicaments-produits-sante/usage-marijuana-fins-medicales/producteurs-autorises/donnees-marche.html
4. Article 189 du projet de loi C-45.
5. Article 17 (2) du projet de loi C-45.
6. Marie Ouellet, Mitch Macdonald, Martin Bouchard, Carlo Morselli, Richard Frank, *Le prix du cannabis au Canada. Rapport de recherche : 2017-R005*, Sécurité publique Canada, Gouvernement du Canada, 2017. En ligne : securitepublique.gc.ca/cnt/rsrcs/pblctns/2017-r005/2017-r005-fr.pdf.
7. Bureau du directeur parlementaire du budget, *Légalisation du cannabis : considérations financières*, Ottawa, Gouvernement du Canada, 2016.
8. Groupe de travail sur la légalisation et la réglementation du cannabis, *Un cadre pour la légalisation et la réglementation du cannabis au Canada – Rapport final*, Gouvernement du Canada, 2016. En ligne : canadiensensante.gc.ca/task-force-marijuana-groupe-etude/framework-cadre/index-fra.php
9. Centre canadien sur les dépendances et l'usage de substances, *La marijuana et les jeunes*, Ottawa, 2017. En ligne : http://www.cclt.ca/Fra/topics/marijuana/Marijuana-and-Youth/Pages/default.aspx
10. Ce qui ne signifie pas que le cannabis n'affaiblit pas les facultés.
11. Alexandra Doyon, Laurence Paradis-Tanguay, Frank Crispino, André Lajeunesse, « Les analyses médico-légales de salives : expertise vis-à-vis l'analyse des drogues », dans *Canadian Society of Forensic Science Journal*, vol. 50, n° 2, 2017, p. 90-102.
12. Douglas J. Beirness et D'Arcy R. Smith, « An assessment of oral fluid drug screening devices », dans *Canadian Society of Forensic Science Journal*, vol. 50, n° 2, 2017, p. 55-63.
13. Institut de criminologie de Paris, *Peine, dangerosité – Quelles certitudes ?*, Paris, Dalloz, 2010.
14. Comité sénatorial permanent des affaires juridiques et constitutionnelles, *Justice différée, justice refusée. L'urgence de réduire les longs délais dans le système judiciaire au Canada*, rapport, Ottawa, Gouvernement du Canada, 2016. En ligne : https://sencanada.ca/content/sen/committee/421/LCJC/reports/CourtDelaysStudyInterimReport_f.pdf

CLÉ 14 — PREMIÈRES NATIONS

Le développement des ressources naturelles passe par le consentement des peuples autochtones

1. Ce texte s'inspire d'une étude des auteurs publiée par l'Institut de recherche en politiques publiques : « Indigenous Consent and Natural Resource Extraction : Foundations for a Made-in-Canada Approach », *IRPP Insight*, n° 16, Montréal, juillet 2017.
2. C'est la position adoptée par une coalition de Premières Nations opposées aux divers projets d'oléoducs en Amérique du Nord, y compris Énergie Est. Voir à ce sujet : ledevoir.com/environnement/actualites-sur-l-environnement/473493/les-premieres-nations-du-quebec-disent-non-a-energie-est.

CLÉ 15 — GÉNÉRATIONS

Rapprocher les générations pour construire le Québec de demain

1. Statistique Canada. *Tableau 1 : Les générations au Canada, 2011*. En ligne : www12.statcan.gc.ca/

census-recensement/2011/as-sa/98-311-x/2011003/tbl/tbl3_2-1-fra.cfm
2. Pour en savoir plus sur le vieillissement de la population au Québec, voir Ana Cristina Azeredo et Frédéric F. Payeur, « Vieillissement démographique au Québec : comparaison avec les pays de l'OCDE », dans *Données sociodémographiques en bref*, vol. 19, n° 3, Institut de la statistique du Québec, juin 2015. En ligne : stat.gouv.qc.ca/statistiques/conditions-vie-societe/bulletins/sociodemo-vol19-no3.pdf
3. Sondage Web réalisé du 24 juillet au 8 août 2017 auprès de 3 005 Québécois âgés de 18 ans ou plus et pouvant s'exprimer en français ou en anglais. Les résultats ont été pondérés en fonction du sexe, de la région, de la langue, de l'âge, du niveau de scolarité et de la présence d'enfant(s) dans le ménage, selon les données de Statistique Canada.
4. Institut de la statistique du Québec, *Panorama des régions du Québec : édition 2015*. En ligne : stat.gouv.qc.ca/statistiques/profils/panorama-regions-2015.pdf
5. Bureau de projet des changements climatiques, *Évaluation des impacts des changements climatiques et de leurs coûts pour le Québec et l'État québécois : rapport d'étude*, 25 mai 2015. En ligne : mddelcc.gouv.qc.ca/changementsclimatiques/evatuation-impacts-cc-couts-qc-etat.pdf
6. Institut de la statistique du Québec, *État du marché du travail au Québec : bilan de l'année 2016*, mars 2017. En ligne : stat.gouv.qc.ca/statistiques/travail-remuneration/bulletins/etat-marche-travail-2016.pdf
7. Gouvernement du Québec, *Constats sur la retraite au Québec : document de soutien, consultation publique sur le Régime de rentes du Québec*, 2016. En ligne : rrq.gouv.qc.ca/SiteCollection Documents/www.rrq.gouv.qc/Francais/publications/regime_rentes/consultation_publique/1601f-constats-sur-la-retraite.pdf
8. Gouvernement du Québec, *Pour une juste part du financement fédéral en santé. Le plan économique du Québec – financement de la santé*, 2017. En ligne : www.budget.finances.gouv.qc.ca/budget/2017-2018/fr/documents/Budget1718_Sante.pdf
9. Pour en savoir plus sur les différentes formes de participation citoyenne (électorale, publique et sociale), voir inm.qc.ca/blog/la-participation-citoyenne.
10. François Gélineau, « Poids électoral : la revanche de la génération X », dans Annick Poitras (dir.), *L'état du Québec 2015*, Montréal, Del Busso, 2014, p. 81-87.
11. Les 18-34 ans représentent 28,2 % de la population québécoise de 18 ans et plus (en âge de voter). Voir Statistique Canada, *Tableau 051-0001 – Estimations de la population, selon le groupe d'âge et le sexe au 1er juillet, Canada, provinces et territoires*. En ligne : www5.statcan.gc.ca/cansim/a26?lang=fra&retrLang=fra&id=0510001&pattern=&csid
12. Assemblée nationale du Québec, *Statistiques sur les députés*. En ligne : assnat.qc.ca/fr/deputes/statistiques-deputes.html
13. Anne Quéniart et Julie Jacques, « Trajectoires, pratiques et sens de l'engagement chez des jeunes impliqués dans diverses formes de participation sociale et politique », dans *Politiques et sociétés*, vol. 27, n° 3, 2008, p. 211-242. En ligne : erudit.org/en/journals/ps/2008-v27-n3-ps2956/029853ar.pdf

CLÉ 16 — INÉGALITÉS SOCIALES

Égalité des chances au Québec : mythe ou réalité ?

1. Sonny Scarfone, Francis Gosselin, Mia Homsy et Jean-Guy Côté, *Le Québec est-il égalitaire ? Étude de la mobilité sociale et de l'égalité du revenu au Québec et au Canada*, Montréal, Institut du Québec, 2017.
2. Miles Corak, *Do Poor Children Become Poor Adults ? Lessons from a Cross Country Comparison of Generational Earnings Mobility*, document de réflexion n° 1993, Statistique Canada et IZA, Bonn, Allemagne, mars 2006.

Un cercle vertueux pour combattre les inégalités

1. Nicolas Zorn, *Les inégalités, un choix de société ? Mythes, enjeux et solutions*, Montréal, Institut du Nouveau Monde, 2015.
2. Nicolas Zorn, *J'ai profité du système. Des centres jeunesse à l'université : parcours d'un enfant du modèle québécois*, Montréal, Éditions Somme toute, 2017.

3. Nicolas Zorn, *Les inégalités, un choix de société ?*
4. Nicolas Zorn, *Le 1 % le plus riche : l'exception québécoise*, Montréal, Presses de l'Université de Montréal, 2017.
5. Jules Bélanger et Oscar Calderon, « Analyse des modifications au régime fiscal des particuliers », dans *Rapport de recherche de l'IREC*, Montréal, Institut de recherche en économie contemporaine, 2015.
6. Nicolas Zorn, *J'ai profité du système*.
7. Conseil supérieur de l'éducation, *Remettre le cap sur l'équité. Rapport sur l'état et les besoins de l'éducation 2014-2016*, Gouvernement du Québec, septembre 2016, p. 59-61.
8. Alexa Conradi, *Les angles morts. Perspectives sur le Québec actuel*, Montréal, Éditions du remue-ménage, 2017.
9. Nicolas Zorn, *J'ai profité du système*, chapitres 7 et 8.
10. Stéphane Paquin *et al.*, « Le Québec et les pays scandinaves : les différences », dans Stéphane Paquin (dir.), *Social-démocratie 2.1 – Le Québec comparé aux pays scandinaves*, Montréal, Presses de l'Université de Montréal, p. 80.
11. Nicolas Zorn, *Le 1 % le plus riche*.
12. Sonny Scarfone *et al.*, *Le Québec est-il égalitaire ? Étude de la mobilité sociale et de l'égalité du revenu au Québec et au Canada*, Montréal, Institut du Québec, 2017.
13. Pierre Brochu, Paul Makdissi et Lynn Taohan, « Le Québec, champion canadien de la lutte contre la pauvreté ? », dans Miriam Fahmy (dir.), *L'état du Québec 2011*, Montréal, Boréal, p. 97.
14. Régis Bigot *et al.*, *Pas de classes moyennes sans redistribution sociale et fiscale ?*, « Consommation et modes de vie », vol. 249, Paris, CRÉDOC, 2012.
15. Conseil supérieur de l'éducation, *op. cit.*
16. Kelly Foley et David A. Green, « Why More Education Will Not Solve Rising Inequality (and May Make It Worse) », dans David A. Green, W. Craig Riddell et France St-Hilaire (dir.), *Income Inequality : The Canadian Story*, Montréal, Institut de recherche en politiques publiques, 2016, p. 347-398.
17. Nicolas Zorn, *J'ai profité du système*.

CLÉ 17 — FÉMINISME

Faut-il repenser le droit relatif aux agressions sexuelles ?

1. Tina Hotton Mahony, « Les femmes et le système de justice pénale », dans *Femmes au Canada : rapport statistique fondé sur le sexe*, Statistique Canada, 2011, p. 6.
2. Samuel Perreault, « La victimisation criminelle au Canada, 2014 », dans *Juristat*, Statistique Canada, 2015, p. 3 et 24.
3. Robyn Doolittle, Michael Pereira, Laura Blenkinsop et Jeremy Agilus, « Will the Police Believe You ? A 20 mouth investigation by the Globe and Mail reveals that sexual victims are more likely to be believed in some areas of the country than in others », dans *The Globe and Mail*, 3 février 2017.
4. Ashley Maxwell, « Statistiques sur les tribunaux de juridiction criminelle pour adultes au Canada, 2014-2015 », dans *Juristat*, Statistique Canada, 2017, p. 21.
5. *Code criminel*, article 718.
6. *Code criminel*, article 273.1 (2).
7. *Code criminel*, articles 265 (3) et 273.1 (2).
8. *Loi modifiant le Code criminel en matière d'infractions sexuelles et d'autres infractions contre la personne et apportant les modifications corrélatives à d'autres lois*, S.C. 1980-81-82-83, ch. 125, entrée en vigueur le 4 janvier 1983.
9. Citation de la Cour d'appel du Québec dans *Chrétien* c. *R.*, 2008 QCCA 2398, par. 2.
10. *R.* c. *Find*, [2001] 1 R.C.S. 863, par. 103.
11. Tina Hotton Mahony, « Les femmes et le système de justice pénale », *op. cit.*, p. 9 ; Ministère de la Sécurité publique, *Statistiques 2014 sur les infractions sexuelles au Québec*, Québec, 2016, p. 17.
12. Samuel Perreault, « La victimisation criminelle au Canada, 2014 », *op. cit.*, p. 42.

CLÉ 19 — TERRITOIRES

Miser sur la contribution des régions pour l'épanouissement de tout le Québec

1. Projet Lab-École, *La Presse +*, 31 mars 2017.

Réforme municipale : une fracture entre les grands centres et les régions

1. *Journal des débats de la Commission de l'aménagement du territoire*, vol. 44, n° 142, 17 août 2017, 9 h 30. En ligne : assnat.qc.ca
2. *Ibid.*
3. *Loi visant principalement à reconnaître que les municipalités sont des gouvernements de proximité et à augmenter à ce titre leur autonomie et leurs pouvoirs*, L.Q. 2017, c. 13. En ligne : assnat.qc.ca/fr/travaux-parlementaires/projets-loi/projet-loi-122-41-1.html)
4. Recensement de 2011, Statistique Canad . En ligne : http://www.statcan.gc.ca/tables-tableaux/sum-som/l02/cst01/demo62f-fra.htm
5. Une municipalité « hors MRC » peut essentiellement prendre deux formes : 1) la ville est aussi une MRC et cumule en conséquence les pouvoirs de la municipalité locale et ceux de la municipalité régionale ; 2) la municipalité se trouve à l'intérieur de l'agglomération, institution qui dispose de beaucoup plus de pouvoirs que la MRC. Dans les deux cas, les territoires hors MRC sont plus puissants puisqu'ils cumulent la fonction de municipalité locale et celle de municipalité régionale, ou parce que la loi accorde à la municipalité centrale une série de pouvoirs qui s'additionnent aux pouvoirs ordinaires de la MRC qu'elle peut exercer hors de son territoire, sur l'ensemble de l'agglomération. D'autres territoires particuliers peuvent aussi être hors MRC, comme à Baie-James et au Nunavik. Ces territoires sont toutefois très atypiques.
6. Calcul à partir du Répertoire des municipalités du ministère des Affaires municipales et de l'Organisation du territoire, 2017, et du Bilan démographique du Québec de l'Institut de la statistique du Québec, 2016.
7. *Journal des débats de la Commission de l'aménagement du territoire*, vol. 44, n° 142, 17 août 2017, 11 h 30. En ligne : assnat.qc.ca. « Dans ce projet de loi [...] on vient dire que la ville de Montréal, c'est la métropole. On ne vient pas dire que l'île ou la CMM, c'est la métropole, ce qui est une vision complètement différente. Je veux juste qu'on s'entende là-dessus », dit la députée Poirier.
8. Fédération québécoise des municipalités, *Une gouvernance de proximité*, 2014, p. 7-8.

Développement territorial : vers un nouveau partenariat avec l'État ?

1. Plusieurs chercheurs du CRDT ont exposé les effets de ces changements. Voir *Organisations et territoires*, vol. 24, n° 3, 2015 (http://www.uqac.ca/revueot/pdf/vol_24_3.pdf) et *Vie économique*, vol. 8, n° 1, 2016 (http://www.eve.coop/r=25).

Comment les régions se réorganisent

1. Bruno Jean (dir.), *Le BAEQ revisité : Un nouveau regard sur la première expérience de développement régional au Québec*, Québec, Presses de l'Université Laval, 2016.
2. Marie-José Fortin et Marie-Joëlle Brassard, « Un paysage institutionnel en recomposition : au-delà des structures, quelles perspectives pour la gouvernance territoriale ? », dans *Organisations et territoires*, vol. 24, n° 3, printemps 2016, p. 43-52.
3. http://www.mamot.gouv.qc.ca/developpement-territorial/programmes/fonds-dappui-au-rayonnement-des-regions-farr/

CLÉ 20 — LE QUÉBEC DANS LE MONDE

De l'audace pour se positionner sur l'échiquier planétaire

1. Parti libéral du Québec, *Engagements. Élections générales 2014*. En ligne : poltext.org/sites/poltext.org/files/plateformes/plq2014.pdf
2. Communiqué du ministère des Relations internationales et de la Francophonie. En ligne : mrif.gouv.qc.ca/fr/salle-de-presse/communiques/2017/2017_05_05_02
3. Ministère des Relations internationales et de la Francophonie, *Le Québec dans le monde : s'investir, agir, prospérer*, Gouvernement du Québec, 2017.
4. Organisation mondiale du tourisme, *Faits saillants OMT du tourisme*, 2016, p. 2.
5. Institut de la statistique du Québec, *Commerce international des marchandises du Québec*, vol. 18, n° 1, juin 2017, p. 1-2.
6. Ministère des Relations internationales et de la Francophonie, *La politique internationale du Québec. La force de l'action concertée*, Québec, Gouvernement du Québec, 2006.

La mondialisation n'est plus ce qu'elle était

1. *Canada-Union européenne : Accord économique et commercial global*, texte de l'accord. En ligne : international.gc.ca/trade-commerce/trade-agreements-accords-commerciaux/agr-acc/ceta-aecg/text-texte/toc-tdm.aspx?lang=fra
2. Gouvernement du Québec, *Loi sur l'aménagement durable du territoire forestier*, RLRQ, chapitre A-18.1. En ligne : legisquebec.gouv.qc.ca/fr/ShowDoc/cs/A-18.1
3. « "Boeing a peut-être gagné une bataille, mais la guerre est loin d'être finie", dit Couillard », Radio-Canada, 27 septembre 2017. En ligne : ici.radio-canada.ca/nouvelle/1058238/boeing-a-peut-etre-gagne-une-bataille-mais-la-guerre-est-loin-detre-finie-dit-couillard
4. Office of the United States Trade Representative, Executive Office of the President, *Summary of Objectives for the NAFTA Renegotiation*, 17 juillet 2017. En ligne : https ://ustr.gov/sites/default/files/files/Press/Releases/NAFTAObjectives.pdf.
5. Gouvernement du Canada, Affaires mondiales Canada, Discours de la ministre des Affaires étrangères sur la modernisation de l'Accord de libre-échange nord-américain (ALENA), 14 août 2017. En ligne : canada.ca/fr/affaires-mondiales/nouvelles/2017/08/discours_de_la_ministredes affairesetrangeressurlamodernisationde.html
6. « Les États-Unis réclament une clause crépusculaire pour le nouvel ALENA », Radio-Canada, 14 septembre 2017. En ligne : ici.radio-canada.ca/nouvelle/1055979/alena-etats-unis-reclament-clause-crepusculaire-extinction-5-ans-wilbur-ross

Le monde de la recherche vous intéresse?

Vous souhaitez en savoir plus sur les impacts de la recherche québécoise pour notre société?

Visitez le site Web du scientifique en chef du Québec !

Suivez son compte Twitter @SciChefQC et aimez sa page Facebook !

www.scientifique-en-chef.gouv.qc.ca

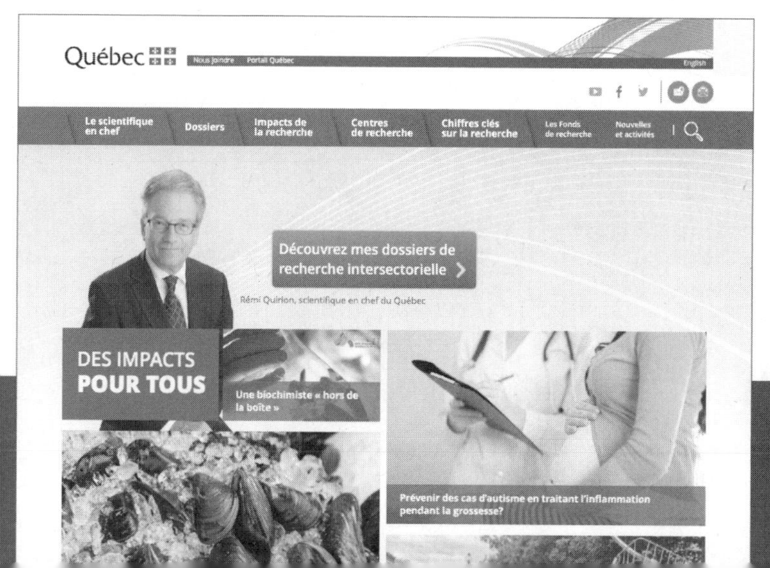

LE DEVOIR

100% indépendant, grâce à ses lecteurs

VOTRE JOURNAL, VOS NOUVELLES... À VOTRE RYTHME!

Vos nouvelles de Montréal dans notre édition imprimée et, en tout temps, sur **journalmetro.com.** Votre journal aussi offert sur votre fil d'actualités Facebook de Métro Montréal.

métro

journalmetro.com

NON OUI
L'actualité
L'EXTRÊME CENTRE
LE LIEU DE TOUS LES POSSIBLES

Imprimé sur du Rolland Enviro,
contenant 100% de fibres postconsommation,
fabriqué à partir d'énergie biogaz et certifié FSC®,
ÉCOLOGO, Procédé sans chlore et Garant des forêts intactes.